시그널 1

The Signal

김은희 대본집

시그널 1

The Signal

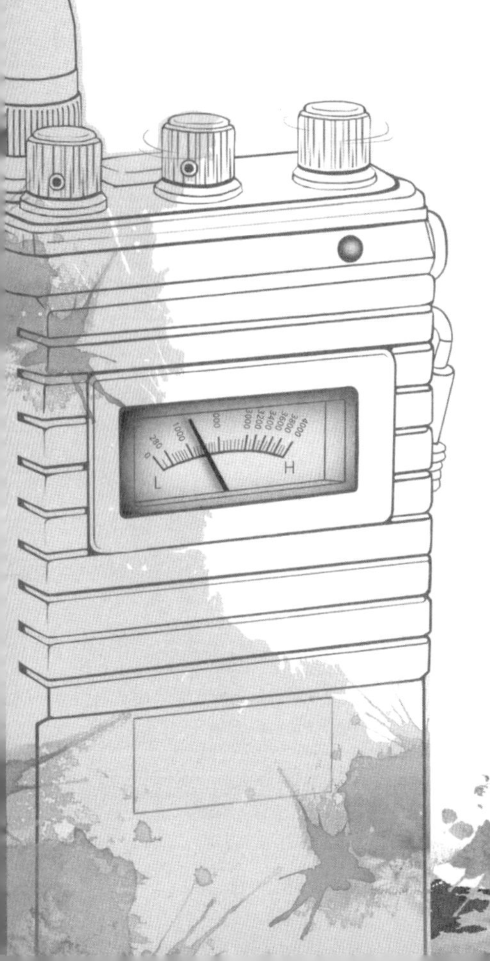

비단숲

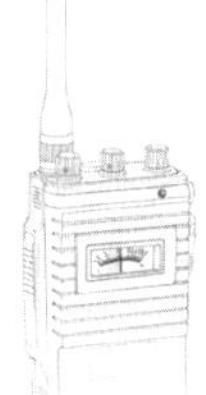

작가의 말

2년이란 시간 동안, 16개의 대본을 쓰면서 가장 고민했던 건 이 안에 인물이 보이는가였습니다.
외롭고 힘든 시간이었지만, 그 고민을 함께 채워주셨던 분들 덕분에 시그널이란 결과가 나올 수 있었습니다.
마지막까지 함께 해주신 김원석 감독님과 우리 찬란한 배우님들, 이름 하나하나 다 불러줘도 모자랄 스텝들, 든든한 지원군이 돼 주신 tvN 관계자분들, 지치지 않고 옆에서 달려준 작가팀 세리, 윤희, 에이스토리 가족들 모두에게 깊은 감사를 전하고 싶습니다.
아직 우리에겐 해결되지 않은 사건들이 있습니다.
20년 후에는 그 아픔들이 모두 치유될 수 있길 간절히 기도해 봅니다.
포기하지 않으면 희망은 있습니다.

- 김은희 -

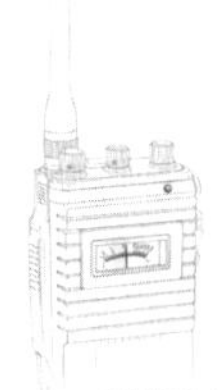

배우의 말

딴따라라고 불리며 선비처럼 살라고 강요당하는 요즘, 모처럼 시대정신을 담아낸 작품에 참여하게 되어 딴따라임이 자랑스러웠던 시그널!!!

- 김계철 역/ 김원해 -

아끼고 아껴서 마음에 담았던 소중한 열여섯 권의 대본.
우리의 시간은 이렇게도 이어져 있네요.

- 차수현 역/ 김혜수 -

세월의 흐름속 에서 잊혔을 수도 있는 사건 사고의 피해자들과 유가족들의 아픔을 잊지 않고 '시그널'이라는 작품을 통해 세상 밖으로 꺼내주신 김은희 작가님께 진심으로 감사드립니다.
우리의 마음을 뜨겁게 만들었던 '시그널'을 이젠 글로써 더 많은 이들과 함께 깊이 만나보길 희망합니다.

- 박해영 역/ 이제훈 -

그의 글은 야무지고 단단하다.
불면과 숙취의 심연에서 길어올린 그의 글, 책으로 엮여 또 다른 누군가를 위로할 수 있기를...

- 김범주 역/ 장현성 -

시그널...
비스듬히 기울어진 기왓장,
엄마를 기다리는 처마 밑 아이의 눈물,
오지 않을 엄마... 그 진실에 대한 첫걸음.

유년의 그 햇빛, 찬란하게 출렁이던 그 얼굴들.
자꾸만 울고 싶다는 이 나른함.
치열했던 현실이 이젠.. 눈물 나는 추억이 된...

"저... 죄송한데... 우리 전에 어디서 본 적 있지 않나요?..."

이제는 어른이 되어 버린 아이들....

- 안치수 역/ 정해균 -

작품을 새롭게 진행함은 언제나 설레고 벅찬 가슴일 것이다.
하지만 시그널이란 작품은 예외이지 않았나 싶다.
아픔을 알고서 준비해야 하는 맘이 있어서일 것이다.
그럼에도 불구하고 작품을 선택했던 이유는 이 문구 하나일 것이라 생각한다.
'20년이 지났는데 그래도 거긴 뭐라도 바뀌었겠죠 ?!!'
그러나 우리네 현실은 그러하지 못하지 않은가.
그래서 최소한의 외침은 그것도 내 입으로 내가 읊고 싶었다.
아픔이 있다. 버거운 현실도 있다. 그리고 우린 계속 외치고 있다.
그런 의미에서 시그널은 수많은 아픔을 상기하는 작품이 아니라 무겁고 힘든 세상의 한줄기 희망가라 생각한다.

- 이재한 역/ 조진웅 -

차례

작가의 말	005
배우의 말	006
등장인물	010
용어정리	012
일러두기	014
1부	015
2부	071
3부	117
4부	163
5부	215
6부	263
7부	311
8부	357

등장인물

차수현

20대~30대(여) / 장기 미제 전담팀 형사

구구절절 말보다 눈빛 하나 동작 하나로 사람들을 제압하는, 현장에 살고 현장에 죽는 15년 차 베테랑 형사.

박해영

20대~30대(남) / 장기 미제 전담팀 프로파일러

20대 후반, 경찰대를 졸업하고 경위 계급장까지 단 엘리트지만 세상에 대한 불신으로 똘똘 뭉쳐있다.

이재한

20대~30대(남) / 강력계 형사

잔머리 굴릴 줄 모르고, 한번 시작하면 무조건 직진인 우직한 형사. 그러나 정작 짝사랑하는 여자 앞에선 고개 한번 못 드는 무뚝뚝한 상남자.

김범주

30대~50대(남) / 경찰청 수사국장

출세욕과 과시욕이 강하다.

안치수

30대~50대(남) / 서울지방경찰청 광역수사대 계장

실질적으로는 경찰청 수사국장 김범주와 '장기 말'이기도 하다. 과거, 시골 관할서의 형사였던 시절에 재한과 처음으로 만났다.

장영철

50대~60대(남) / 국회의원

대도 사건과 인주 여고생 사건에 연루된 국회의원이다.

김계철

40대(남) / 장기 미제 전담팀 형사

수현과 같은 진양서 강력계 출신 형사다.

정헌기

30대(남) / 장기 미제 전담팀 증거물 감식요원

외모만 보자면 영락없는 강력계 아저씨 형사지만, 겉모습을 배신하는 도도하고 섬세한 감성의 소유자.

황 의경

20대(남) / 광수대 사무실에서 업무지원으로 차출돼 나온 의경

우락부락 덩치 큰 형사들 사이에서 가냘픔(?)을 뽐내는 꽃돌이 청년이다.

오윤서

30대(여) / 국과수 법의학자

3m 앞에서 보면 도도, 시크, 섹시한 그녀. 그러나 30cm 옆에서 대화를 시작하면 바로 탄로 나는 참을 수 없는 가벼움.

박선우

10대(남) / 박해영의 형

알 수 없는 배후 세력에 의해 인주 여고생 사건의 용의자로 지목됨.

어린 해영

(남) / 박선우의 동생

형과 우애가 좋으며 어릴적 가정의 아픔을 겪는다.

용어정리

D (Day) 낮

인서트 (Insert) 특정 동작이나 상황을 강조하기 위해 삽입한 화면이다. 인서트를 삽입함으로써 상황이 명확해지고 전체 장면을 훨씬 더 생생하게 표현할 수 있다. 보통 클로즈업해 장면과 장면 사이에 끼워 넣는다.

몽타주 필름의 단편들을 조합하여 한편의 통일된 작품으로 엮어내는 편집작업의 총칭으로 따로따로 촬영한 장면을 적절하게 편집해 감정, 의지 또는 사상의 흐름을 나타내는 하나의 새로운 장면이나 내용으로 만드는 기법.

N (Night) 밤

오미트 (Omit) 대본 최종고에서 씬의 생략을 지시하는 용어.

씬 (Scene) 드라마를 구성하는 단위 중 하나. 같은 장소, 같은 시간 내에서 이루어지는 일련의 행동이나 대사가 한 씬을 구성한다.

틸다운 (Tilt down) 촬영기를 수직으로 위에서 아래로 움직이면서 촬영하는 기법.

틸업 (Tilt up) 촬영기를 수직으로 아래에서 위를 향하여 움직이면서 촬영하는 기법.

줌인 (Zoom In) 카메라가 렌즈를 써서 피사체를 확대 하는 기법.

퀵줌 (Quick Zoom) 줌인, 줌 아웃을 빠르게 하는 기법.

일러두기

1. 이 책의 편집은 김은희 작가의 대본 집필 형식을 존중하여 최대한 원본에 따랐습니다.
2. 드라마 대사는 구어체이므로, 한글 맞춤법과 다른 부분이라 해도 그 표현을 최대한 살렸습니다.
3. 말줄임표는 두 개, 세 개 등으로 다양하게 표현되어 있습니다. 이는 대사 시 호흡의 양을 다양하게 표현하고자 한 작가의 의도를 반영한 결과입니다.
4. 드라마에서 장면을 나타내는 'Scene'의 경우, 표준국어대사전에는 '신'으로 등록되어 있지만 대본집에서는 작가의 집필 형식과 현장에서 쓰이는 방식에 따라 '씬'으로 사용했습니다.
5. 쉼표, 마침표, 말줄임표 등과 같은 구두점과 대사의 행갈이 방식, 사투리 또한 작가의 의도를 반영하였습니다.
6. 이 책은 작가의 최종 대본으로, 방송되지 않은 부분이 포함되어 있습니다.

시그널 The Signal

1부

씬/1　　　　　　D, 타이틀, 2000년, 진양초등학교

- 오후, 푸르른 여름 하늘 아래, 아이들의 함성과 웃음소리. 체육시간이 한창 진행 중인 운동장. 둘씩 짝을 지어서 하는 배드민턴 종목이다. 텅 빈 스탠드에는 몸이 아픈 듯, 힘없는 얼굴의 윤정(12세, 여)이 가만히 운동장을 바라보고 있는데, 운동장 건너편 나무 아래 배드민턴 채가 없는 듯 뚱하니 혼자서 나무둥치를 차고 있는 해영(12세, 남)과 시선 마주친다. 해영은 눈을 마주치기 싫은 듯, 시선을 피하고 혼자 바닥을 보고 주저앉고 있거나, 돌로 뭔가를 그리는 등 시간을 보내다가 다시 문득 고개를 드는데 스탠드의 윤정이 사라져 있다. 어디갔나? 고개를 돌리는데, 어느 새 바로 옆에 와 있는 윤정. 해사하게 웃으며 자신의 배드민턴 채를 내민다. 그러나 해영, 그런 윤정을 힐긋 보고는 무뚝뚝하게 휙 지나쳐서 좀 떨어진 곳으로 가버린다. 윤정, 무안한... 자기가 뭘 잘못했나 싶은 얼굴로 그런 해영을 바라본다. 그런 모습 위로 하교 시간을 알리는 '딩동댕동' 종소리.

*** 자막 - 2000년 7월 29일**

- 마룻바닥을 뛰어다니는 발걸음, 친구를 부르는 소리 등, 평범하고 즐거운 하교 시간 스케치 사이사이, 아이들과 어울리기 싫은 듯, 자리에 홀로 앉아 있는 해영. 한두 방울씩 떨어지는 빗방울.
- 하나둘씩 가방을 메고 신나게 건물 현관을 향해 뛰어오는 아이들. 거세게 내리는 소나기에 건물 밖으로 나오지 못하고 우왕좌왕하는 아이들로 북적이는 현관.
- 점차 시간 경과되면, 우산을 들고 뛰어와 하나둘씩 아이들을 데려가기 시작하는 엄마들. 하나둘씩 아이들과 엄마들은 사라지고... 오고 가는 사람들 사이, 정글짐 앞 계속 서 있는 검은 우산, 얼핏 보이고...
- 뒤늦게 교실에서 나오던 어린 해영. 현관 앞 보다가 멈칫. 홀로 남아 있는 윤정이다.

해영, 자기 손에 들린 우산을 바라본다. 살이 빠지고, 여기저기 녹슨 낡

은 우산이다. 순간 뒤를 돌아보는 윤정. 해영과 시선 마주친다. 해영, 자기도 모르게 우산을 뒤로 숨겨버리고… 윤정이는 그런 해영을 가만히 바라보는데… 해영, 괜히 더 차가운 얼굴로 윤정을 무시하고 휙 스쳐 지나 우산을 펴지도 않고 비를 맞으며 운동장을 내닫기 시작한다. 그 뒤쪽으로 점점 멀어지는 윤정. 거센 빗줄기를 뚫고 정문 쪽을 향해 뛰어가던 해영. 정글짐 앞 검은 우산을 쓴 여자를 보고 멈칫한다. 검은 우산에 가려져 얼굴은 잘 보이지 않지만, 붉은색 하이힐, 커다란 원색 펜던트가 달린 목걸이와 팔목에는 여러 개의 화려한 팔찌들. 우산을 들지 않은 손의 손톱은 지나칠 만큼 짧게 깎여있고, 우산 아래 입술에는 붉은 립스틱. 건물 쪽을 바라보던 여자, 문득 해영 쪽을 바라볼 듯하자, 순간 해영 시선 피하며 고개를 돌려 빠르게 뛰어 정문 앞을 스쳐 길거리로 접어든다. 그러나 멈칫하는… 자꾸만 뭔가가 맘에 걸린다. 돌아보면 저 멀리 후문 쪽으로 멀어지고 있는 여자의 손을 잡은 윤정이의 뒷모습이다. 우산을 쓴 채 그런 모습을 지켜보다가 뒤돌아서 걸어가는 어린 해영이의 모습에서… 음악 시작되고…

씬/2　　몽타주

음악 깔리며, 빠르게 흘러가는 화면들.

- 낡은 단칸방, 혼자서 컵라면을 먹고 있는 해영. 그때, 낡은 텔레비전에서 뉴스 속보가 흘러나온다.

앵커　속봅니다. 경기도 진양시에서 하교 중이던 초등학생 어린이가 납치되는 사건이 발생해 경찰이 수사에 나섰습니다.

해영, 고개를 들어 텔레비전을 보다가 앵커의 모습 뒤로 해맑게 웃고 있는 윤정이의 사진을 보고 충격으로 얼어붙는다.

- 진양초등학교 정문 앞, 해영을 비롯한 등교하는 아이들에게 무작위로 마이크를 들이대는 기자들. '김윤정 양과 아는 사이였나요?', '김윤

정 양 유괴사건에 대해서 어떻게 생각해요?', '윤정 양은 평소 어떤 친구였나요?' 아이들 사이의 해영, 그런 모습을 겁먹은 얼굴로 보는 시선에서
- 전파사 앞을 지나던 어린 해영, 뉴스를 보고 있는데 뉴스를 진행하는 앵커의 뒤에는 서형준의 사진이 걸려 있고

앵커 김윤정 어린이 유괴사건의 결정적인 용의자가 나타났습니다. 협박편지와 범행장소에서 발견된 지문으로 밝혀진 용의자 서형준은...

화면에 가득하게 잡히는 서형준의 사진. 그런 뉴스화면을 바라보는 어린 해영.

해영 (떨리는 눈빛)... 윤정이 데려간 사람... 여자였는데...

- 경찰서 앞. 두려운 표정으로 경찰서를 바라보는 어린 해영.
- 경찰서 로비로 들어서는 어린 아이의 발. 해영이다. 유괴사건으로 정신없이 오가는 형사들을 보자, 다시 겁이 나는 듯 뒤로 물러선다. 그런 해영의 모습에서
- 과거, 해영의 집 앞, 체포당하는 선우를 바라보던 해영.
- 과거, 법원 호송차 앞에서 형은 아니라고 울부짖는 어린 해영의 모습.
- 현재, 경찰서 로비로 돌아오면, 과거가 생각나면서 더욱 두려움이 커지는 해영의 모습. 그냥 돌아가려는 해영의 시선에 로비 한편에 놓인 민원함이 들어온다.민원함 앞에 놓여진 쪽지와 볼펜. 그런 해영의 모습 위로 윤정 母의 오열하는 소리가 오버랩된다.

- 장례식장. 아이를 잃은 윤정 母의 오열하는 소리. 국화로 꾸며진 윤정이의 영정사진을 안고 울고 있다.

- 윤정이가 사망한 채 발견됐다는 인터넷 기사들. 기사 중간 부검결과 7월 29일과 30일 사이에 사망한 것으로 추정된다는 기사 클로즈업되고
- 교실. 아이들 굳은 얼굴로 어딘가를 바라보고 있다. 윤정이의 책상 위, 하얀 국화다발이 놓여 있다. 여자아이들의 울음소리. 그런 모습을 바라보는 어린 해영. 위 그림들 위로

앵커(소리) 수천 장의 몽타주와 몇백 명의 경찰 인력, 그리고 4천 6백만 국민들의 윤정이 찾기 운동.. 그러나 김윤정 양은 결국.. 싸늘한 시신으로 돌아왔습니다.

- 뉴스를 진행하는 앵커의 옆에 '오천만 원과 사라진 범인'이란 CG 화면에 서형준의 사진이 떠 있고

앵커 범인으로 지목된 서형준은 김윤정 어린이의 목숨 값 오천만 원을 가로챈 뒤 경찰을 따돌리고 사라졌습니다. 전국에 수배가 내려졌지만 이미 외국으로 도주했을 가능성이 크다는 의견입니다.

- 관할서 앞에서 '제 아이를 죽인 범인을 잡아주세요'라는 피켓을 들고 일인시위 중인 윤정 母. 건너편 길, 지나치는 자동차들 사이 윤정 母를 지켜보는 시선, 어린 해영이다. 한 발자국 다가서려다가... 다시 주춤하는..

- 여전히 1인 시위를 하고 있는 늙은 윤정 母. 진양서에서 걸어 나오는 고등학생이 된 해영. 잠시 윤정 母를 바라보다가 굳은 얼굴로 멀어져 간다. 그런 모습 위로 사이사이 들어가는 뉴스를 진행 중인 앵커(2015년 직전의 느낌으로)

앵커 3대 미제사건 중 하나인 김윤정 양 유괴사건의 공소시효가 코앞으로 다가왔습니다. 2015년 7월 29일 자정 전에, 반드시 범인을 잡아야만 그 죗값을 물을 수 있습니다.

- 빠르게 흘러가는 자막, 서서히 늦춰지는데 2015년으로 변한 화려한 꽃무늬 달력, 7월 27일 날짜에 엑스 자를 치는 손. 서서히 화면 빠지면 2일 후, 2015년 7월 29일에 'The end'라고 적혀 있다. 서서히 화면 암전.

*** 자막 - 2015년 7월 27일, 김윤정 유괴사건 공소시효 종료 3일 전**

씬/3 D, 카페 일각

암전된 화면에서 해영의 목소리 들려온다.

해영(소리) 문제는 무의식이죠.

화면 밝아지면, 기자와 마주 앉은 해영. 수수하지만, 먼지 한올 보이지 않는 깔끔해 보이는 옷차림의 20대 후반이다.

해영 거실 장식장의 트로피, 책상 위의 사진, 욕실에 놓인 책 한권으로 그 사람의 무의식을 들여다볼 수 있어요. 심리학에선 스누핑이라고 하죠.

기자 그 스누핑인가 뭔가 가지고 알아냈단 얘기에요?

화면, 테이블 위를 비추면 오늘자 스포츠 신문 1면에 찍힌 사진과 기사. 어두운 공원 후문 옆에서 차에 올라타고 있는 임시완과 강소라가 찍힌사진 밑으로 '한국판 브란젤리나 커플 탄생, 강소라와 임시완 열애 인정'

해영 뭘요? 둘이 사귀는 거요?

기자 아니 그거 말고. 둘이 어젯밤, 열시 반에 현진공원 후문에서 만난다는 거요. 어떻게 맞춘 겁니까? 귀신이 아니고서야...

해영, 피식 웃으며 태블릿 PC로 사진을 보여준다.

해영 작년 드라마를 같이 찍으면서 이 세 사람이 삼각관계가 된 건 유명한 얘기죠.

사진 보면, 임시완, 강소라, 변요한이다.

해영 (다시 한번 사진 클릭해서 보여주는) 그런데 5일 전 공항패션입니다. (변요한 공항패션 보이는) 삼각관계 중 한 명의 남자가 화보 촬영으로 3박 4일간 외국으로 나갔어요. 단 둘이 만나 입장 정리할 시간이 생긴 겁니다.

해영, 태블릿 PC로 임시완의 집 사진을 찾는데, 문 열리면서 카페로 들어서는 누군가.

해영 임시완이 이번에 공개한 집입니다. 거실에 사진이나 포스터가 꽤나 크죠? 통계학적으로 볼 때, 이런 경우 자기애가 강하고 자존심이 셀 확률이 큽니다. 강소라가 계속 연락할 테지만, 쉽사리 만나주지 않을 거예요. 하지만, 변요한이 돌아오기 바로 전날 심리적인 마지노선이 무너질 수 밖에 없겠죠. 그러니까 날짜는 어제 7월 26일.

기자 시간은 왜 열시 반이죠?

카페에 들어선 그림자, 해영과 기자가 한눈에 들어오는 자리에 앉는다. 아무렇게나 걸친 외투에 청바지, 며칠 밤을 새운 듯 피곤해 보이는 눈빛에 하나로 꽉 묶은 머리의 수현(30대 후반, 여)이다. 그런 수현, 힐긋 보는 해영. 다시 기자를 향해

해영 약속시간을 잡을 때도 심리가 있습니다. 다음날 아침 열시에 임시완은 대형 콘서트 리허설이 있었어요. 그 스케줄을 맞춰서 아침 8시를 기상 시간으로 잡으면 그 시간까지 자신의 필요 수면시간, 강소라와 얘기하는 데 소요되는 시간, 사람들 인적이 최소화되는 시간을 모두 고려해서 계산해보면 밤 10시 반이 나오죠.

기자 장소는요? 왜 현진공원이죠?

얘기하는 해영을 가만히 보는 수현, 손에 들고 온 서류봉투 안에서 사진을 하나 꺼내본다. 으슥한 쓰레기 집하장 CCTV에 찍힌 수상해 보이는 해영의 사진이다.

해영 1989년 냉전이 종식될 때, 부시 대통령하고 고르바초프 서기장은 미국도 소련도 아닌 몰타에서 정상회담을 가졌습니다. 왜? 첨예한 이해관계가 오가는 회담일수록 중립 장소에서 가지기 마련이거든요. 사랑도 마찬가지죠 전시와 맞먹는 대치 상황인데 서로의 집에서 보겠어요? 이동경로 따져서 중간에 위치하고, 가로등 적고, 유동인구 적고, 모자 뒤집어쓰고 조깅복 차림으로 봐도 부자연스럽지 않은 곳, 현진공원 후문 벤치 옆. 오케이?

기자, 가만히 해영을 바라본다. 마치 약장수에 홀린 할머니 같은 표정.

해영 자 그럼... 다음 사업 얘기한번 해볼까요?

테이블위에 지성과 이보영의 사진을 꺼내놓는 해영.

해영 얘네들, 다음 주 월요일 어디서 만날까요?
기자 (눈 확 돌아가는) 얘네가 사귀어요? 그건 또 어떻게 아는 겁니까?
수현(소리) 쓰레기통 뒤져서요.

휙 놀라서 소리 나는 쪽을 바라보는 해영과 기자. 보면, 어느새 자리에서 일어나 옆에 서 있는 수현이다. 해영의 코앞에 신분증 들이대는데 '진양서 강력1팀, 차수현 경위'다. 놀라서 그런 신분증과 수현의 얼굴을 번갈아 보는 해영.

씬/4 N, 진양서 외경

씬/5 N, 진양서 강력계 사무실

삐딱하게 앉은 해영 앞에 아까 보고 있던 CCTV 사진을 내놓는 수현. 그 옆 책상에서 희한하다는 얼굴로 해영을 보고 있는 강력계 형사 계철(30대 후반, 남).

계철 하.. 여기저기 쓰레기통 뒤지고 다니던 놈이.. 경찰?
해영 (전혀 잘못하지 않은 뻔뻔스러운 시선)
수현 (사무적으로 건조한 말투로) 북대문지구대 3팀장 박해영 경위, 맞죠? 그쪽, 이보영이 스토킹으로 신고했어요.
해영 스토킹이요? 버리려고 밖에 놔둔 쓰레기봉투 좀 뒤진 게 스토킹이면, 쓰레기통 폐지 모으는 불우이웃들은 가택 침입인가?
계철 (기가 찬 얼굴로 해영 보는) 지금 상황을 이해 못하나 본데 지금 당신 현직 경찰이 남의 쓰레기봉투 뒤진 거야. 그것도 모자라서 연예부 기자한테 돈 받고 정보를 팔아?
해영 돈을 받아요? 내가? 계좌 뒤져보세요. 나 돈 한 푼 안 받았어요. 그냥 취미활동입니다. 남들 낚시하고 뜨개질할 때, 내가 가진 능력으로 숨겨진 정보 알아내서 공유한 게 죕니까?

계철 (기가 막힌) 이 사람 이거 진짜 안되겠구먼. (수현 보며) 차 형사. 이 자식 이참에 아주 품위손상으로 올려서 잘라버려.

해영 (피식 조소) 품위손상이요? 경찰이 어떻게 하면 품위손상이 되는지 얘기해 드릴까요? (수현 책상 가리키며) 이 책상(수현 보며) 그쪽 꺼 맞죠?

해영의 말에 따라 보이는 책상 여기저기 쌓여있는 서류더미들로 책상이 부족할 지경이다.

해영 원미 주차장 방화사건에 진양 1동 절도사건, 오아시스 룸살롱 사건. 할당량 너무 많으니 줄여달라고 시위하는 겁니까? 이렇게 너저분하게 쌓아놓고 이 사건, 저 사건 뒤범벅으로 수사하다가 지금처럼 엉뚱한 놈 잡아넣는 게 품위손상인 겁니다.

수현 (이것 봐라. 얼굴 점차 싸늘해지는)

해영 그런 사람들이 꼭 저렇게

해영이 가리킨 곳 서류들 사이 교묘하게 가려져있는 액자.

해영 맞은편, 옆자리, 뒷자리. 남들은 안 보이고 오로지 의자에 앉은 본인만을 위한 위치에

이것 보라는 듯 들어 올리면 배트맨 그림이 그려진 액자. 그 위에 적힌 글귀를 읽는 해영

해영 수갑 하나당 짊어진 눈물이 2.5리터다. 뭐 이런 글귀 하나 적어놓고 자기암시하는 거지. 난 그래도 훌륭한 경찰이야. (다시 갖다 놓으며) 근데 배트맨은 좀 깨지 않아요?

수현, 표정 더욱 굳어지는데 해영, 아랑곳하지 않고 수현의 옆자리, 계철의 책상을 본다.

해영 (수현의 책상 가리키며) 그래도 이건 형사처럼은 보여요. 근데 (계철 책상 보는) 저건 전형적인 영업회사 대리 책상입니다.

계철 야, 하지마.

계철 가로막지만, 그런 계철 피해 이미 책꽂이에 책들 살펴보는 해영.

해영 (책꽂이의 수사지침서 들었다 놓으며) 수사지침서는 라면 받침 정도로만 쓰고, 최근에 본 책들은 죄다 골프, 등산 잡지네.

계철 이게 진짜...

해영 그것보다 더 중요한 건, 그 컬러풀한 명함집. 거기, 이보영 매니저 명함이 있다에 내 모가지 걸죠.

수현 (눈썹 움찔해서 계철본다)

계철 (수현 시선에 움찔해서 시선 피하는)

해영 지금, 당신들 그 매니저 청탁받고 수사 하는 거잖아. 그게 아니면, 쓰레기 봉투 몇 번 뒤진 걸 왜 강력계에서 수사해. 안 그래요? 이게 당신들이 말하는 품위에요? 품위손상? 웃기고 있네. 대한민국 경찰한테 더 손상될 품위가 있긴 합니까?

수현, 눈빛 변해서 보다가 천천히 입을 연다.

수현 입은 삐뚤어져도 말은 바로 하라했는데... 제대로 된 입으로 말 참 삐뚜로 하네.

해영 (이건 또 뭐야, 보는)

수현 하긴 맞아, 경찰이 뭔 품위야. 경찰대에서 그런 거 안 가르치잖아? 그러니까 쓰레기봉투나 뒤지지.

해영 (기분 나쁜) 뒤진게 아니라 좀 조사한 거라니까... (하다) 근데, 왜 말 깝니까?

수현 왜 이래? 품위 없는 사람끼리 재미없게. 깔만하니까 까는 거지.

그때, 울리는 사무실 내선전화.

수현 진양서, 강력 1팀... (받다가 욱하지만) 예, 알겠습니다. (해영 보고) 우리 재밌을 뻔했는데, 좋다 말았네. 신고 취소하시겠대.

해영 그쪽이 취소해도 난 못 합니다. 뒷돈 받고 청탁 받은 건지 밝혀내야...
수현 그치? 그렇게 나와야 재밌지, 쓰레기봉투 대 뒷돈 청탁. 빅 매치네. 쪽팔리긴 도찐개찐이지만, 누가 이기는지, 끝까지 해보지 뭐.

계철, 뻘쭘하니 수현 보고, 해영도 수현이 세게 나오자, 말문이 막히는 듯 보다가 주섬주섬 일어선다.

해영 오늘... 내가 봐드리는 줄 아세요.
계철 참... 그 친구 참...

씬/6 N, 진양서, 강력계 사무실 밖 복도

늦은 밤, 어두운 복도로 걸어 나오는 해영. 그 뒤를 따라나오는 수현. 문 옆에서 팔짱 끼며

수현 안 바래다줘도 되지?
해영 아, 진짜 끝까지... (돌아서서 걸어가는데)
수현 경찰 싫어하고 품위 있는 박해영 경위.
해영 (보는)
수현 (웃음기 없는) 늦기 전에 새 생활 시작해. 당신, 경찰 안 맞아.

돌아서서 들어가 버리는 수현. 해영, 그런 수현 한번 보고는 식식거리면서 돌아서서 걸어가다가 멈칫. 눈앞의 어두운 복도를 바라보는 해영의 시선, 서서히 어두워진다.

씬/7 N, 현재, 진양서 건물 복도/과거, 진양서 건물 복도

계단을 내려와서 서는 해영. 역시 어둡고 텅 빈 복도 한편에 놓인 오래돼 보이는 괘종시계를 보는데, 그 앞쪽에 서 있는 어린 꼬마의 뒷모습. 천천히 몸을 돌려 이쪽을 바라보는데, 어린 해영이다. 가만히 과거에 잠겨 어린 자신을 바라보는 성장한 해영. 서서히 들려오는 과거의 소음 소리. 뛰어다니는 형

사들의 발소리들. '카드사에서 연락 왔어?' '윤정이 집에선 소식 없었나?' 등등의 소리들 서서히 커져오면서 서서히 밝아지는 형광등 불빛. 그리고 빠르게 오가는 형사들이 하나둘 화면으로 들어오며, 현재의 해영은 사라지고, 과거로 변하는 복도. 오가는 형사, 순경들 사이에서 겁먹은 얼굴로 떨고 있는 어린 해영이와 부딪치는 순경 1.

순경 1 (지나가려다 해영과 시선 마주치는) 너 여기 왜 있어? 엄마랑 같이 왔니? 집 잃어버렸어?

어린해영 (겁먹은 시선으로 도리도리)

순경 1 그럼 왜 왔어? 여긴 꼬마 애가 오는 데가 아냐.

해영, 순경 1 보다가... 겁먹은 듯 잡을 새도 없이 휙 계단을 뛰어 내려간다. 그때 계단 아래쪽에서 꺾어지면서 휙 나타나는 재한과 부딪치는 해영. 순간, 재한, 서류를 떨어뜨리고, 떨어진 서류를 줍는다. 해영의 얼굴을 보지 못하는데, 이미 해영은 도망가 버린다. 서류를 줍던 재한, 바닥에 해영이 떨어뜨린 쪽지를 본다. (민원함 앞에 있던 쪽지 종이가 접혀져 있는 상태). 재한 뭐지? 쪽지 보는데, 저 앞쪽에서

형사 1 이재한! 브리핑 곧 시작해야해.

하면, 재한, 쪽지를 자기도 모르게 주머니에 넣고 서류들을 들고 회의실 안으로 들어간다. 그런 모습 위로 자막

*** 자막 - 2000년 8월 3일, 김윤정 유괴사건 발생 5일 5시간 후**

씬/8 N, 과거, 진양서 회의실

2000년 8월 3일 달력이 걸린 회의실로 들어서는 재한. 브리핑을 위해 설치된 윤정이의 얼굴 사진이 떠 있는 프로젝터 화면 앞으로 향하고 안에서 대기 중이던 형사들, 재한의 등장에 각자 자리를 잡고 앉기 시작하는데.. 다시 문 열리면서 들어서는 점퍼 차림의 닳디 닳은 느낌의 형사과장 범주(당시 40대 초반, 남)다. 범주 들어서자 형사들, 일동 기립. 범주, 앉으라는 듯 손짓하며 상석에 가서 앉으며

범주 (재한 향해) 시작해.

재한 김윤정 양 유괴사건 중간 브리핑을 시작하겠습니다. 사건 발생 일시 2000년 7월 29일, 하교 시간인 13시경으로 추정. 신고 접수 시간 같은 날 18시 44분. 사건 발생 53시간 뒤 오천만 원을 요구하는 협박편지가 가족에게 전달 됐습니다.

씬/9 과거, 몽타주

- 대학가 카페. 쾅, 문 열리면서 들어서는 재한, 치수를 비롯한 형사들
- 카페 주인과 손님들을 조사하고 있는 치수, 재한. 과학 감식팀 인원들, 카페 안을 샅샅이 뒤지는... 감식팀들, 문고리, 카페 테이블 등에서 지문을 채취하고 있고... 그런 모습들 사이 손님들 중 누군가의 손 언뜻 스쳐 지나가는데 짧게 자른 손톱, 손목에 여러 개의 팔찌를 낀 여자의 손이다.

재한(소리) 협박편지에 명시된 화은동 카페 피렌체로 경찰병력이 출동, 현장에서 용의자 검거는 실패했지만,

- 협박편지에서 지문을 채취해내는 감식팀의 모습.

재한(소리) 테이블에서 협박편지에 찍힌 지문과 일치하는 지문을 발견, 용의자의 신원을 알아냈습니다.

씬/10 N, 과거, 진양서 회의실

안경을 낀 서형준의 주민등록증 사진이 담긴 액정화면 앞에서 브리핑 중인 재한.

재한 용의자 이름은 서형준, 나이 21세. 상진대학교에 재학 중인 의대생입니다. 자취방과 학교, 고향에 있는 본가에도 경찰 병력이 출동해 수색 중이지만, 이미 도주한 뒤였고, 신병 확보는 아직입니다.

범주 핸드폰 위치 추적은?

재한 두 달 전부터 요금을 못 내서 핸드폰이 끊긴 상탭니다.

범주 ..신용카드 사용내역은 확인했어?

재한 서형준은 카드빚이 5천만 원이나 되는 신용불량자였습니다. 현재 카드가 정지 상태라 추적은 불가능합니다.

범주 ...(가만히 보다가) 세상이... 나쁜 놈 천지야.

범주를 보는 형사들, 재한의 시선, 다음 반응이 예상되는 듯 굳는

범주 돈 오천 때문에 어린애 유괴한 놈도 나쁜 놈이고... 좁아터진 대한민국 땅덩어리에서 그 나쁜 놈 하나 못 찾아내는 너희들은 더 나쁜 새끼들이고... (차가운 시선으로 주변 둘러보며) 이 새대가리들아. 이게 어떤 사건인지 몰라? 전 국민이 지켜보는 사건이야. 용의자 특정까지 다 해놓고 그거 하나 못 달고 와?

재한 단서가 될만한 게 있습니다. 서형준의 카드 내역들엔 여자가 주로 사용하는 물품과 브랜드가 자주 눈에 띄었습니다.

범주 서형준한테 여자친구가 있었다는 거야? 누군지 알아냈어?

재한 가장 친한 친구에게도 몇 달 전, 사랑하는 여자 때문에 힘들다고만 얘기하고 이름이나 다른 건 털어놓지 않았답니다. 주변을 계속 탐문 중이지만, 아직 파악되지 않았습니다.

그때, '쾅' 문 열리면서 들어서는 날카로운 눈빛의 치수 (당시 40대 초반, 남)

치수 윤정이 집에 또 협박편지가 왔습니다!

일동, 모두 그 말에 자리를 박차고 일어서는

치수 서영공원으로 22시까지 돈 5천만 원을 가지고 오라고 했답니다.

범주 뭐 해? 안 튀어나가고.

탕탕, 일어서서 방을 빠져나가는 형사들. 그때, 재한 나가려는 범주의 앞을 가로막으며

재한 협박편지와 범인이 접선 장소로 지목한 카페에서 서형준의 지문이 발견되긴 했지만 모두 우측 엄지 지문 뿐이었어요.

범주 (보는)

재한 테이블을 만지거나 편지를 쓰거나 당연히 다른 손가락 지문도 발견돼야 하잖아요. 그런데 엄지뿐이었다는게 이상합니다. 누군가 마치 일부러 찍은 것 같은 느낌이에요.

범주 그래서?

재한 서형준의 숨겨진 여자친구... 좀 더 조사해봐야 합니다.

범주 조사해 너 혼자. 혼자 하는 거 좋아하잖아.

재한 (보는 시선)

범주 그런데 뒤통수는 조심하는 게 좋을 거야.

범주, 차갑게 재한 보고는 나가버리고... 그런 모습을 보던 치수와 단둘이 남는 재한.

치수 그만 좀 하지. 서형준 주변 여자들 다 조사해봤잖아.

재한 선배님도 그만 좀 하시죠. 김범주 과장 옆에 붙어서 빌빌거리는 거.

나가는 재한, 그런 뒷모습을 차가운 눈빛으로 보는 치수.

씬/11 **N, 과거, 진양서 강력계 사무실**

사무실로 들어와 자기 책상 위에서 서형준의 카드 명세서 챙기는 재한, 명세서 다 챙긴 뒤, 책상 한쪽에 꽂힌 메모지 '8월 3일, 선일정신병원' 보고 그 메모지를 주머니에 넣고 돌아서는데 입구에서 들어서다가 멈칫하는 정복차림의 수현(당시, 20대 중반)과 마주친다. 수현, 재한이 껄끄러운 듯 데면데면 목례하고 뒤돌아서려는데

재한 밥 먹었냐?

수현 (뒤돌아서서 머뭇머뭇)예..

재한 날을 잡아도 참 잘 잡아. 이런 날 전입을 오고...

수현 ...(보다가) 저기 선배님... 그때 내가 한 말...

재한 이번 주 주말쯤은 해결될 것 같아.

수현 (보는) 예?

재한 다 끝나면, 그때 얘기하자.

재한, 자기 할 말만 한 뒤, 성큼성큼 나가버리고.. 수현의 입가에는 두근거리는 옅은 미소.

씬/12 N, 현재, 진양서 강력계 사무실

'툭'소리와 함께 앞으로 넘어지는 배트맨 액자. 다시 세우는 손, 보면 현재의 수현이다. 그런 수현 옆에서 가식적인 미소 짓고 있는 계철.

계철 차 형사, 그게 말이야. 난 진짜, 그 쓰레기봉투가 우리 방화사건이랑 관련이 있는 줄 알았거든. 그래서..

수현 ...(말없이 서류 정리하는)

계철 (보다가) 아니 기사 나면 안 된다구 하도 잡아달라고 매달리잖아. 인간적으로 매달린 거야. 청탁 같은 거 아냐.

수현 (계속 말없이 서류철 보다가) 뭐 이렇게 처리할 게 많아, 품위 없게.

계철 (바로 서류 갖고 오는) 뭐 이런 걸 신경 써. 진짜 인간적으로 매달린거야. (서류철 보며) 내일까지 하면 되지?

수현, 대꾸도 없이 다시 의자에 앉아, 다른 서류작업 시작한다.

씬12-1 N, 과거, 진양서 건물 주차장

진양서 주차장으로 통하는 뒷문 현관 앞. 어린 해영 아직도 가지 못하고 서성이고 있다. 쪽지가 어딨었지? 주머니부터 뒤져보고, 여기 떨어뜨렸나? 싶은데, 쪽지 없는... 그때, 뒷문 쪽에서 들려오는 발자국 소리에 놀라서 도망간다. 해영 사라지자, 나오는 재한. 뒷문 옆쪽에 세워놓은 자신의 자동차에 올라탄다. 조수석에 가지고 온 지도 내려놓고 출발하려다가... 문득 생각난 듯, 주머니에 넣은 쪽지를 꺼내 펼쳐보는데... 꼬마 남자아이 글씨로 적힌 글씨 '범인은 남자가 아니라 여자예요' 재한, 이게 무슨 뜻이지... 보다가 다시 차에서 내려서 주변을 한 번 둘러보고는... 그리고 쪽지 내려 보다... 다시 차에 올라탄다. 시동 걸고 차를 출발시키는...

씬/13 N, 현재, 진양서 건물 주차장

전씬과 오버랩되면, 재한의 차가 세워져 있던 바로 그곳에 세워진 '폐기처분'이란 붉은 마크가 찍혀진 탑차. 그리고 재한이 나왔던 바로 그 뒷문으로 걸어 나오는 해영. 주차장에 주차된 자신의 차를 향해 걷는 해영. 그러다가 보는데, 난감한 얼굴. 건물 후문 옆에 세워놓은 자신의 차 앞을 커다란 탑차 한 대가 가로막고 있다. 뒷문 열려있고 '폐기처분'이란 붉은 마크가 찍혀진 누런 포대 두 개 정도가 실려있는 탑차. 밀어보지만, 꿈쩍도 하지 않는다.

해영 (짜증 가득) 오늘 무슨 어? 인생의 날이야?

씬/14 N, 과거, 몽타주

편의점 앞에 멈추는 재한의 차. 사무실에서 가지고 나온 서형준의 카드명세서 목록에 적힌 편의점 위치를 확인, 지도를 펼치고 체크를 한다. 지도에는 벌써 여러 곳에 체크가 돼 있는데, 그런 지도를 보다가 멈칫하는 재한. 지도에 동심원을 그리고 있는 체크된 표시. 그런 원 중앙에 위치한 산. 그리고 산에 표시된 병원 표시. '선일정신병원'이다. 재한, 보다가 주머니에서 메모지를 꺼내서 본다. '8월 3일 선일정신병원' 가만히 바라보는...

씬/15 N, 현재, 진양서 건물 외곽

탑차 앞에 적힌 전화로 전화를 하고 있는 해영. 그런 해영의 모습에서 탑차 안 시계 보이면 11시 20분에서 21분으로 넘어간다.

*** 자막 - 2015년 7월 27일, 김윤정 유괴사건 공소시효 종료 3일 전**

씬/16 N, 과거, 병원 건물 앞

폐업한 듯, 불이 모두 꺼져 있는 3층 정도의 아담한 병원 건물 출입문에는 '폐업 예고 - 당 병원은 2000년 7월 29일 폐업할 예정이오니, 이후 더 이상 새로운 환자를 받지 않습니다. '2000년 7월 10일' 라는 종이가 붙어있다. 그런 문 앞에 서 있는 재한. 플래시를 켜고 건물 안으로 들어선다. 폐업한지 얼마 되지 않아 집기들만 빠져나간, 조용하고 으슥한 분위기.

*** 자막 - 2000년 8월 3일, 김윤정 유괴사건 발생 5일 8시간 후**

씬/17 N, 현재, 진양서 건물 외곽

'고객이 전화를 받지 않사오니...' 통화음에 '아...' 미치겠네. 다시 한 번 전화를 거는 해영. 시계, 11시 22분

씬/18 N, 과거, 선일병원 일각

재한, 플래시를 켜고 병원 내부를 훑어보는 모습들.

씬/19 N, 현재, 진양서 건물 외곽

계속해서 통화를 시도하고 있는 해영.

- 인서트
- 진양서 강력계 사무실. 홀로 남은 수현. 일하고 있는 모습에서 시계 비추면 째깍째깍 흘러가던 시계 11시 23분에 도착한다.
- 어두운 건물 안의 괘종시계 역시 11시 23분.
- 탑차 안의 시계 11시 23분이 되는 순간.
- 탑차 안 포대 자루 중 하나에서 울리기 시작하는 '치치칙'하는 무전기 잡음 소리. 핸드폰으로 탑차 기사한테 전화하던 해영, 뭔 소리지?

씬/20 N, 과거, 선일병원 건물 외곽 뒤편

플래시를 들고 굳은 얼굴로 어딘가를 바라보고 있는 재한. 그때 역시 들려오는 '치치칙' 잡음 소리. 무전기를 바라보는데, 주파수가 마구 흔들리고 있다.

씬/21 N, 현재, 진양서 건물 외곽

호기심에 탑차 뒤쪽으로 다가가는 해영.

씬/22 N, 과거, 선일병원 건물 외곽 뒤편

재한, 무전기의 송신 버튼을 누르고 입 쪽으로 가까이 댄다.

재한 ...박해영 경위님. 나 이재한 형삽니다.

씬/23 N, 현재, 진양서 건물 외곽

핸드폰으로 통화시도 중이던 해영. '박해영 경위님' 소리에

해영 어, 여보세요?

하다 여전히 통화시도 중인 핸드폰 보고 '뭐야? 이거...' 다시 한 번 치치칙 잡음 사이로 들려오는 재한의 목소리.

재한(소리) 박해영 경위님, 거기 있습니까?

어이없이 주변을 둘러보던 해영, 소리의 근원지를 쫓아간다.탑차 안, 포대자루 쪽에서 흘러나오고 있다. 이해가지 않는 시선으로 그런 포대자루를 본다.

씬/24 N, 과거, 선일병원 건물 외곽 뒤편

플래시로 어딘가를 비추는 재한. 맨홀 내부를 비춘다.

재한 (무전기에 대고) 당신이 얘기한 한정동 선일정신병원입니다. 건물 뒤편 맨홀에 목을 맨 시신이 있어요.

씬/25 N, 현재, 진양서 건물 외곽

해영, 이해는 가지 않지만, 무슨 소리지? 호기심이 생긴 듯 소리가 들려오는 탑차 안으로 올라서는데.. 더욱 선명하게 들려오는 무전기 소리.

재한(소리) 김윤정 유괴사건 용의자 서형준 시신입니다. 엄지손가락이 잘려있어요. 누군가 서형준을 죽이고 자살로 위장한 겁니다.

해영, 더욱 놀라 멈칫한다.

해영 김윤정.. 유괴사건...

해영, 설마 하는 심정으로 다급히 포대자루를 이리저리 들춰보는데

재한(소리) 서형준은 진범이 아니에요. 진범은 따로 있습니다.

그때, 한 포대자루 안. 무전기의 초록 불빛이 새어 나오고 있다. 해영, 다급히 그 포대자루를 열고, 뒤지기 시작하는데, 그 안에서 나오는 증거물 봉투 안에 들어있는 낡디 낡은 무전기. 재한의 경우와 똑같이 초록 불빛, 주파수도 마구 흔들리고 있다. 해영, 다급히 송신 버튼을 누르고 얘기한다.

해영 당신 누굽니까? 그게 무슨 소리예요? 선일정신병원이요? 거기 어디에요?

씬/26 N, 과거, 선일병원 건물 외곽 뒤편

재한 여길 나한테 말해준 사람은 경위님이에요.

하는데, 재한의 뒤쪽으로 어두운 그림자 하나가 슥 지나가고.. 재한 뒤를 휙 돌아보지만, 아무도 보이지 않는다.

재한 왜... 나한테 여길 오지 말라고 한 거죠? 여기서 무슨 일이 벌어지는 겁니까?

순간, '퍽' 재한의 뒤통수를 가격하는 둔기.

씬/27 N, 현재, 진양서 건물 외곽

해영, 뜻 모를 재한의 소리를 듣다가

해영 그게 무슨 소리예요? 나 알아요? 당신 어느 서 누굽니까?

하지만, 이미 불빛 꺼지고 잠잠하기만 한 무전기. 해영, 쾅쾅 여기저기 쳐보지만, 여전히 무전기는 잠잠하다. 그러다가 무전기를 여기저기 살펴본다. 무전이 오기엔 너무나 낡은 무전기. 어두컴컴하고 으슥한 건물 뒤편을 슥 보다가… 귀신이라도 본 시선으로 무전기를 내려다보던 해영. 자기 뺨을 한 대 찰싹 쳐본다. '아…' 아프다.

씬/28 N, 진양서 건물 입구

뭐가 뭔지 영문을 모르겠는 표정으로 건물 뒤편에서 차를 몰고 정문 쪽으로 나오는 해영. 그런 해영의 시선에 경찰서 정문 앞에 서서 여전히 1인 시위 중인 늙은 윤정 母가 들어온다. 크게 흔들리는 해영의 눈빛.

- 인서트
- 1씬, 현관 앞에서 엄마를 기다리다가 자기를 바라보던 윤정이의 시선.
- 뭔가 무서운 걸 본 듯 고개를 획 돌려 빠르게 정문을 빠져나간다.

씬/29 N, 북대문지구대 외경

도심이 아닌, 한적한 주택가에 위치한 지구대.

씬/30 N, 북대문지구대

한가한 지구대. 근무복 차림의 40대 중반의 경사와 컵라면을 먹고 있는 사복 차림의 해영. 경사, 해영이 가져온 무전기 보며

경사 이거 뭐 골동품을 가지고 오셨네. 이거 나 처음 시작할 때 쓰던 거 같은데
해영 그렇게 오래된 거예요?
경사 근데, 이게 무전이 된다고요? (살펴보며) 이거 빠떼리두 없는데…
해영 (먹다 정색) 빠떼리가 없어요?
경사 응. 이것 때문에 나오신 거예요? 당직도 아닌데?

해영, 말도 안된다 멍하니 무전기를 바라본다.

- 시간 경과되면
책상에 앉아있는 해영. 책상위에 놓인 무전기를 바라보다가...

해영 그래. 내가 요즘 너무 과로했어. 이거야 말로 강박이지...

해영, 무전기를 서랍 안에 쑤셔 집어넣으려다가 멈칫. 그런 해영의 귓가에 울리는 재한의 목소리.

재한(소리) 김윤정 유괴사건 용의자 서형준 시신입니다. 엄지손가락이 잘려있어요. 누군가 서형준을 죽이고 자살로 위장한 겁니다.

씬/31 N, 선일병원 외곽

해영의 손에 들린 무전기에서 서서히 화면 빠지면, 이른 새벽 내가 여기에 왜 와있나 싶은 얼굴로 어딘가를 바라보고 있는 해영. 해영의 시선 쫓아가보면 두꺼운 철문 앞에는 '(구)선일정신병원 외부인 출입금지 당 건물은 국가 관리 대상 건물로서 무단으로 출입할 시 형법 319조 주거침입죄에 해당 3년 이하의 징역 또는 500만 원 이하의 벌금에 처해질 수 있습니다' 해영, 가방 안에 무전기를 넣고 행동하기 편하게 가방을 옆으로 맨다.

- 시간 경과되면
담을 낑낑거리며 넘고 있는 해영.

해영 (얼굴 시뻘개서) 이건.. 내가 미치지 않았다는 증거를 찾기 위한 거야. 내가 완전히 정상이라는 증거...

얼굴 시뻘개져서 담을 쿵 넘어 월담에 성공하는 해영. 콜록콜록 먼지에 정신없다가 겨우 정신 차리고 고개 들어 보면 해영의 눈앞에 15년 전보다 훨씬 더 흉측한 폐건물이 된 선일정신병원 건물이 보인다.

해영 (가만히 그런 건물을 보다가)....내가... 미쳤지...

건물로 향하면서 주차장을 지나는 해영, 과거에 설치해 놨던 듯한 주차권을 뽑는 바를 스치듯 지나간다.

씬/32 N, 선일병원 건물 안

과거보다 훨씬 더 황폐해진 건물 내부. 한치 앞도 잘 보이지 않는 버려진 건물 안으로 들어서는 해영. 손전등을 꺼내 불빛에 의지해서 주변을 둘러보다가 복도 쪽으로 긴장한 얼굴로 들어서다가 건물 뒤편으로 나 있는 출입구를 발견한다. 멈칫하다가 천천히 그쪽을 향해 걸어간다.

씬/33 N, 선일병원 건물 뒤편 외곽

달빛 아래 드러난 황폐한 병원 뒤편. 해영, 주변을 둘러보는데... 저 앞쪽 맨홀 뚜껑이 보인다.

재한(소리) 당신이 말한 한정동 선일정신병원입니다. 건물 뒤편 맨홀에 목을 맨 시신이 있어요.

맨홀 뚜껑을 보자 으스스해지는 해영. 한발 두발 다가간다. 엉덩이 최대한 뺀 상태에서 발발 떨리는 손으로 맨홀 뚜껑을 쾅 열어젖히면서 자기도 모르게 '헉' 소리 지르는데 맨홀 안은 텅 비어 있다.

해영 (왕짜증) 아, 진짜 내가 뭐하는 거야, 지금. 밧데리도 없는 무전기부터 말이 안 되잖아.

해영, 그냥 나가버리려는 듯, 몸을 돌려 건물 출입구를 향해 돌아가려는데 저 멀리 또 다른 맨홀 뚜껑을 보고 멈칫. 저길 열어봐 말아.. 가만히 생각하다가 뚜벅뚜벅 다가와서 망설임 없이 뚜껑을 열어젖힌다. 순간 놀라서 뒷걸음질 치던 해영, 뭔가에 걸려 넘어지면서 손전등을 떨어뜨린다. 순식간에 어두워지는 화면. 그 위로 해영의 '어...어...으악!!' 하는 비명소리. 거친 숨소리. 최대한 이성을 찾으려는 듯 이어지다가 다시 손전등을 드는 해영. 천천히 기듯이 맨홀로 다가가 떨리는 손으로 맨홀 뚜껑 철창 안을 비추면, 철창 안, 가느다란 줄이 마치 교수대처럼 대롱대롱 매달려 있고, 그 아래 빛바랜 청바지, 너덜너덜해진 의복을 걸친 채 바닥에 떨어져 있는 백골사체다. 그 밑에는 얼핏 보이는 펼쳐진 채 떨어져 있는 뿔테 안경과 앰플. 백골사체를 바라보는 해영의 떨리는 눈빛에서 들려오는 경찰차의 사이렌소리.

씬/34　　　　D, 동장소

*** 자막 - 김윤정 유괴사건 공소시효 종료 2일전**

이른 아침, '팍' 터지는 사진기 플래시 불빛. 보면 벌써 현장에 도착한 과학 감식팀 중 말끔한 옷차림의 감식요원 헌기(30대 중반, 남)를 비롯한 감식요원들, 주변 사진들 찍고 있고, 백골사체는 어느새 이동 침대 위에 눕혀진 채, 밖으로 이동하고 있다. 그런 현장을 모두 지휘한 듯 장갑을 벗는 수현. 사건 현장을 표시하는 테이프 너머에서 이쪽을 바라보고 있는 해영 쪽으로 다가간다.

해영　　백골사체는요? 이상한 점은 없었어요?
수현　　이상한 점? 당신이 제일 이상하지. 품위 있는 분이 여기 흉가 체험 왔을 리도 없고, 저 시신.. 어떻게 발견한 거야?
해영　　(말문 막힌다)
수현　　그리고.. 왜 나한테 연락했어? 나랑 탐정놀이 한 번 더 하고 싶어서?
해영　　...그래도 안면이 있는 형사가 나을 것 같아서요.
수현　　(무슨 소리지 보는)
해영　　이게... 진짜 말도 안 되는 미친 소리로 들릴 거라는 건 아는데요...
수현　　(보는)

해영 그냥 아무 이유 묻지 말고 저 백골사체 DNA를 15년 전 김윤정 유괴사건 용의자 서형준 DNA와 비교해 줄 수 있겠어요?

수현 (생각지도 못한 말에 당황하며 눈빛 굳는) 김윤정... 김윤정 유괴사건?

씬/35 D, 국과수, 특수부검실

차가운 스테인리스 침대 위에 가지런히 놓여 있는 선일병원에서 발견된 백골사체. 그 옆에는 백골사체를 부검 중인 법치의학자 윤서(30대 초반, 여)옆에 서 있는 수현과 상반된, 치마에 블라우스 같은 깔끔한 차림. 그 위에 가운을 걸쳤다. 긴장된 얼굴의 수현, 백골사체를 내려다보고 있는데..

윤서 (백골사체를 살펴보며) 성별은...

수현 (긴장한 시선으로 본다)

윤서 남자예요. 대퇴골의 길이를 봤을 때, 키는 000센티 전후.

수현 ...나이는요?

윤서 (힐긋 보다가) 차 형사님이 계속 찾던 그 사람은 아니네요. 나이가 맞지 않아요.

수현 (내색하지 않지만, 약간 긴장이 풀리는)

윤서 치아 상태로 봤을 때, 사망 당시 나이는 20대 초중반.

수현 엄지손가락 뼈는요?

윤서 좀 더 정밀검사를 해봐야겠지만, 인위적으로 잘렸을 가능성이 커요. 메스 같은 날카로운 도구로 추정됩니다.

그때, 쾅 문 열리면서 다급히 들어서는 유전자 감식요원.

수현 (들어서기 무섭게) DNA 감식 결과 나왔어요?

씬/36 N, 진양서 조사실 밖 복도

복도 한 편에서 지구대 경사와 통화중인 해영.

해영 그래서 찾아봤어요?

경사(소리) 현직 경찰 중에 이재한이란 사람은 세 명이였는데, 다들 통화 해보니까 김윤정 유괴사건에 대해선 전혀 모르던데요.

해영 (자기도 미치겠다. 자기한테 하는 듯) 그럼 그 사람이 귀신이란 얘깁니까?

경사(소리) 그러니까 그 사람이 누군데 이래요?

해영 (아… 머리 아파) 알겠습니다. 끊어요.

전화 끊는 해영. 당최 뭐가 뭔지 모르겠다.

해영 (기가 막힌 혼잣말) 아, 진짜… 뭐야… 내가 미친 건가?

그때, 복도 저편에서 수사 자료가 든 봉투를 들고 해영을 찾는 듯 주변을 둘러보며 다급히 걸어오던 수현, 해영을 발견하자 잡아먹기라도 할 듯 다가온다. 그 기세에 해영, 자기도 모르게 뒤로 한 걸음 물러서는데… 그런 해영을 거칠게 잡아 조사실 안으로 잡아끄는 수현.

씬/37 N, 조사실

조사실 안으로 밀려진 해영, 놀라서 수현을 보며

해영 왜…

수현 (다그치는) 당신, 도대체 뭐야? 그 시체가 서형준인 걸 어떻게 알았어?

해영 (설마…) 진짜에요? 그 시체가 정말 서형준이였어요?

수현 대답해. 거기 서형준 시체가 있는 거 어떻게 알았냐고?

해영 (뭐라고 설명해야 할지 모르겠다. 자기도 혼란스러운) 아… 진짜 미치겠네.

수현 김윤정 유괴사건 때, 현장에서 검출된 서형준의 지문은 엄지뿐이었어. 그런데 오늘 발견된 서형준의 시신에는 엄지손가락이 없었어. 누군가가 자른 거지.

해영 (보는)

수현 (다그치는) 김윤정을 유괴한 진범이 서형준을 죽이고 그 엄지손가락을 잘라서 지문을 남긴거야. 그러니까 서형준 시신이 거기 있는걸 아는 사람은 진범밖에 없다는 얘기지. 그런데, 당신 그걸 어떻게 안거야? 당신, 그 진범이랑 무슨 관계야?

그때, 뒤쪽에서 들려오는 목소리.

치수(소리) 그만해.

돌아보는 수현, 조사실로 들어서는 중년으로 접어들었지만, 날카로운 눈빛은 여전한 치수(현재, 50대 중반, 남)다. 치수를 여기까지 안내한 듯 함께 들어오는 계철.

치수 서형준, 시신 발견된 게 사실이야?

수현, 치수 뒤의 계철 한번 보고, 계철 시선 피하는

치수 대답해.

수현 ...예.

치수 (가만히 수현 내려다보다가) 좋아. 백골사체 자료 다 넘겨.

수현, 짐작 가는 바가 있다, 꿈틀. 해영 역시 놀라서 보고

해영 누구신데, 수사자료를..

수현 (그런 해영 막아서며) 누가, 왜 서형준을 죽인건지 알아내야 합니다. 사건현장에서 발견된 증거들을 감식팀에서 분석 중입니다.

- 인서트
- 진양서 과학 감식팀. 서형준 사건 현장에서 발견된 의류 증거들과 맨

홀 안에서 발견된 앰플과 안경 등 증거물들을 감식하고 있는 헌기. 백골사체가 걸쳤던 바지 주머니 안에서 핀셋으로 뭔가를 꺼내는데 보면 거의 너덜너덜 헤져서 정체를 알 수 없는 종이 덩어리가 나온다.

– 다시 조사실로 돌아오면

수현 증거만 잡아내면...
치수 15년 전 사건이야. 발견되기도 힘들겠지만, 있다고 해도 오염됐겠지.
수현 ..(말문 막히는)
치수 증거는 사라지고 증인의 기억도 왜곡되고... 미제 사건 수사가 그래서 힘든거야.
수현 하지만...
치수 (말 자르며) 이건 내 뜻이 아냐. 공소시효 고작 29시간 남았어. 15년 동안 풀리지 않은 사건이 그 시간 안에 풀릴 것 같아? 일 크게 만들지 말고 순리대로 해.

수현, 가만히 치수를 보다가 어쩔 수 없이 들고 있던 자료를 넘기고, 자료를 건네받은 치수, 조사실을 나간다.

해영 (그 모습 보다가) 지금 뭐하는 거예요?

수현, 대답 없이 열받은 얼굴로 나가고, 해영, 계철에게

해영 도대체 저 사람 누구냐구요?
계철 알아서 뭐 하시게. 이 사건 경찰청 차원에서 종결될 거니까 그만하고 가세요.

씬/38 N, 경찰청 건물 외곽

경찰청 건물 앞에 멈춰서는 자동차. 치수, 수사자료가 담긴 서류봉투를 들고 내려선다. 벌써 냄새를 맡은 기자들, 치수에게 달려든다. '김윤정

사건 용의자가 발견됐습니까?' 질문들 쏟아지고..

씬/39 N, 경찰청 복도

뚜벅뚜벅 복도를 걸어오는 치수. 저 앞쪽으로 '수사국장실'이란 명패.

씬/40 N, 수사국장실

'수사국장 김범주'라는 명패에서 서서히 빠지면, 누군가와 통화 중인 범주. (현재 50대 중반). 과거의 점퍼 차림과는 상반된 깔끔한 슈트 차림이다.

범주 (정중한) 경찰청 차원에서도 좋은 홍보가 될 듯합니다. 예. 알겠습니다.

범주, 전화 끊는데 똑똑 노크 소리와 함께 문 열리면서 들어서는 치수. 목례한 뒤 다가와서 책상 위에 서류봉투를 놓는다.

범주 (미소로) 수고했어.
치수 그때... 이재한 형사 생각이 맞았습니다.
범주 ...무슨 소리야?
치수 서형준, 엄지손가락이 없었어요.
범주 15년동안 방치된 백골사체야. 훼손되는 게 당연하지.
치수 메스로 잘렸다는 부검의의 소견이 있습니다.
범주 (미소 가시며 보는) 이 새끼가 어디다 대고 꼬박꼬박 말대꾸야. 이 사건 때문에 이재한 사건까지 까발려지면 네가 책임질 거야?
치수 ...(흔들리는)
범주 (보다가 다시 미소) 아무래도 자살이... 깔끔하겠지?

씬/41 N, 진양서, 강력계 사무실/복도

수현, 핸드폰으로 통화를 하면서 팩스를 받고 있다. 팩스로 받은 두꺼운 서류를 가방에 넣고 밖으로 나서는데 앞에서 기다리고 있는 해영.

해영 얘기 좀 해요.
수현 나중에

수현, 해영을 지나쳐서 비상구 계단 문 열고 내려가 버리고.. 그런 수현을 쫓아가는 해영.

씬/42 N, 진양서, 비상구 계단.

계단을 뚜벅뚜벅뚜벅 내려가는 수현. 해영, 그런 수현의 뒷모습에 대고

해영 진짜 이대로 포기할 겁니까?
수현 (말없이 걸어내려간다)

해영, 그런 수현을 보다가 빠르게 내려가서 앞을 가로막는

해영 아까 물어봤죠. 진범을 알고 있냐고. 예. 압니다. 난 진범을 봤어요.
수현 (멈칫해서 보는)
해영 윤정이를 데려간 사람. 내가 봤어요. 얼굴은 정확히 보지 못했지만.. 진범을 봤어요...
수현 (보는) 그게... 정말이야?
해영 ...서형준은 아니었습니다. 윤정이를 데려간 건 여자였어요 .
수현 ...(놀라서 멈칫하다가) 왜 봤으면서 지금까지 얘기 안한 거야?
해영 안 했을 꺼라고 생각합니까?
수현 (보는)
해영 얘기했지만, 아무도 들어주지 않았습니다.
수현 (굳은 얼굴로 보는)
해영 그래도 처음엔 믿었어요. 그래도 경찰이니까... 조금만 기다리면 그 여자를 잡아주겠지... 언젠간 잡아주겠지... 하지만, 시간이 지나도 변하는

건 없었어요.

- 2씬, 몽타주 마지막, 일인시위 중인 윤정 母를 바라보고 있는 초등학생 해영.
- 시간이 지나 중학생 해영이 지켜보고 있다.

해영 그래서 다시 관할서를 찾아갔습니다. 몇 번이나 찾아가서 얘기도 해보고 민원도 넣어봤지만, 그때도 똑같았어요. 돌아가 있어라 우리가 알아서 하겠다... 예전처럼 아무도 들어주지 않았어요. 당신들은 언제나 그랬어.

수현 ...

해영 그 이유를 나중에 알았죠. 김윤정 유괴사건을 건드리는 건, 경찰이, 당시 수사팀이 잘못 수사했다는 걸 인정하는 거니까... 경찰 얼굴에 먹칠을 하는 거니까...

씬/43 N, 경찰청 건물 앞

로비를 지나 경찰청 현관을 통해 걸어 나오는 범주. 현관 앞에 진을 치고 있던 기자들, 범주를 향해 플래시를 터뜨리고, 질문들이 쏟아진다. '김윤정 유괴사건의 용의자 시신이 발견됐다는 게 사실입니까?' 'DNA 분석 결과가 나왔나요?' 몰려드는 기자들. 범주를 둘러싼 전경들, 범주가 앞으로 나갈 수 있도록 인간 장벽을 쌓고 그 사이로 범주, 뚜벅뚜벅 정문 쪽으로 향하다가... 우뚝 멈춰 선다. 서서히 웅성거림이 잦아들고, 조용해지는 기자들. 범주의 시선이 멈춘 곳. 창백한 낯빛의 윤정 母가 떨리는 시선으로 서 있다. 범주, 옷깃을 매만진 뒤 다시 걸어가 윤정 母 앞에 선다.

윤정 母 (떨리는) 범인을...잡은...건가요?

씬/44 N, 진양서 비상구 계단

해영　　　　당신도.. 다른 형사들처럼 못 들은 걸로 할 건가요?

수현, 그런 해영 보다가 마치 못 들은 걸로 하겠다는 듯이 돌아서서 계단을 내려가기 시작한다. 해영, 답답한 얼굴로 '차 형사님!' '이것 봐요!' 부르면서 쫓아 내려가는데, 그런 해영에게

수현　　　　(내려가며) 미제 사건이 왜 엿 같은 줄 알아? 범인이 누군지, 동기가 뭔지 모든 게 해결된 사건은 내 가족이 왜 어떻게 무슨 이유로 죽었는지 알았으니까... 비록 힘들더라도 시간이 지나면 묻을 수 있지만, 미제 사건은 내 가족이 내가 사랑하는 사람이 왜 죽었는지 모르니까 잊을 수 없는 거야. 하루하루가 지옥 같지.

해영　　　　(눈빛 차가워지는) 그래서 이렇게 조용히 접겠다는 건가요?

수현, 휙 뒤돌아 해영을 본다.

씬/45　　　　N, 경찰청 앞

범주, 정중하게 손에 든 서류봉투를 윤정 母에게 건넨다. 떨리는 손으로 서류봉투를 여는 윤정 母. 국과수 부검 전 찍은 백골사체사진이다. 파파파팍, 터지기 시작하는 플래시.

범주　　　　용의자는 사건 직후, 압박감을 이기지 못한 채... 스스로 목숨을 끊은 걸로 추정됩니다.

윤정 母　　　　(눈가에서 뜨거운 눈물이 흘러내린다)

범주　　　　....(허리 숙여 인사) 너무... 늦어서 죄송합니다.

윤정 母 울음이 터지기 시작하면서 서서히 무너지기 시작하고, 그런 윤정 母를 부축하는 범주. 그런 두 사람의 모습을 둘러싸고 사진을 찍어대는 기자들.

씬/46 N, 진양서, 비상구 계단

해영을 보는 수현.

수현 아니.
해영 (보는 눈빛)
수현 잡겠다는 거야. 그러니까 그만하고 돌아가.

돌아서서 1층으로 빠르게 내려가는 수현. 해영, 그런 수현을 뒤쫓으며

해영 어떻게요? 차 형사님! 경찰 병력이 다 동원돼도 모자랄 판에 당신 혼자 하겠다구요?

하지만 해영 쳐다도 안보고 수현, 나가려는 듯 비상구 문 열려고 하는데, 붙잡는 해영.

해영 같이 해요. 나도 돕겠습니다.
수현 …내가 얘기했지? 너 경찰이랑 맞지 않는다고. 얼마 남지 않은 시간 뺏지 말고 빠져.

수현, 비상구 문을 여는데 멈칫한다.

씬/47 N, 진양서 1층 로비

로비에 모여있던 기자들, 비상구 문 열리면서 수현이 등장하자, 모두의 시선이 수현 쪽으로 쏠린다.

기자 1 (수현에게 마이크 들이대며) 김윤정 사건 담당 형사죠? 서형준의 시신을 어떻게 발견하게 됐습니까?

기자 1의 질문을 시작으로 수현에게 몰리는 마이크들, 질문 세례들 '발견 장소는 어디였죠?' '처음 발견당시 모습은 어땠나요?' '유서는 발견됐습니까?' 수현, 그런 기자들을 피해 나가려고 하지만, 몰려든 기자들의 숫자가 워낙 많다.

기자 1 (다시 한번) 서형준은 자살이 확실합니까? 왜 그렇게 생각하신 거죠?

순간, 수현의 뒤쪽에서 들려오는 목소리.

해영(소리) 아뇨. 서형준은 자살이 아닙니다.

놀라서 굳은 눈빛으로 해영을 보는 수현, 기자들, 로비를 오가던 사람들, 형사들, 그들 중에 계철도 보이고

해영 서형준은 타살입니다. 윤정이를 유괴한 진범이 죽인 겁니다.

놀란 얼굴의 기자들, 수현 등 잠시의 정적이 흐르다가.. 기자들, 너 나 할 것 없이 마이크를 들이대며 질문을 퍼붓는다. '누구시죠?' '이름과 계급 대주세요' '그게 사실입니까?' 수현, '돌아가 주세요. 그만해요' 몰려드는 기자들을 막아보려 하지만, 역부족이다.

해영 난 서형준의 시신을 발견한 최초 목격잡니다. 서형준은 엄지손가락이 잘린 채로 선일정신병원에서 발견됐습니다. 자살이 아닙니다.

수현 (이 사람이 무슨 얘기를) 그만해! (로비의 다른 형사들 부르는) 뭐해요! 기자들 막아요!

황당해서 해영이와 기자들을 보던 계철을 비롯한 형사들 달려와 기자들을 떼어내지만, 해영의 얘기를 들으려는 기자들을 떼놓기가 쉽지 않다.

해영 윤정이와 서형준을 죽인 진범은 15년전 폐업한 선일정신병원에서 일하던 간호삽니다. 나이는 30대 중후반. 키는 165전후! 메스에 익숙한

수술방 경험이 있는 간호사에요.

수현 끌어내요!! 빨리!!

해영 (카메라를 바라보며) 15년 동안 아무 죄책감 없이 살았겠지만, 이제 당신은 끝났어! 확실한 증거가 발견됐으니까!

그 말을 끝으로 다시 비상구 쪽으로 해영이를 억지로 끌고 들어가 '쾅!' 문을 닫는 수현.

씬/48 N, 진양서, 비상구 계단

쾅, 거칠게 해영을 밀어버리는 수현.

수현 미쳤어?!

해영 잡는다면서요! 이 방법밖에 없어요!

수현 ...

해영 (눈빛 침착하다) 시간이 없잖아요. 이제 27시간 밖에 남지 않았어요. 이게... 마지막 기회에요.

씬/49 N, 경찰청, 수사국장실

국장실로 돌아와 소파에 앉는 범주, 그 뒤를 따라 들어오는 치수.

범주 (흡족한 얼굴로) 뉴스 틀어봐.

치수, 리모컨으로 텔레비전을 틀자, 흘러나오는 뉴스 화면 '경찰청 수사 결과 발표 진실 논란' 이란 띠자막이 흐르며 진양서 로비에서 인터뷰한 해영의 영상이 여과 없이 흘러나오고 있다. '서형준은 타살입니다. 윤정이를 유괴한 진범이 죽인 겁니다' 놀라서 얼굴 굳는 범주, 쾅 테이블을 치고 일어서는 치수 역시 굳은 눈빛으로 뉴스 화면을 바라보는

씬/50　　　N, 영인병원 일각

대형 규모의 영인병원, 환자들이 묵는 병실 복도를 걷고 있는 누군가의 발. 틸업하면 간호사 복장의 뒷모습. 그런데, 열린 병실 문 너머로 들려오는 뉴스에 등장한 해영의 목소리.

해영(소리)　윤정이와 서형준을 죽인 진범은 15년 전 폐업한 선일정신병원에서 일하던 간호삽니다. 나이는 30대 중후반. 키는 165전후!

우뚝 멈춰 서는 발. 천천히 열린 병실 쪽으로 다가가면 6인용 병실에 설치된 텔레비전을 보고 있는 환자와 보호자들. 화면에는 인터뷰하고 있는 해영을 찍은 동영상 마치 범인에게 얘기하듯 카메라를 응시하며 얘기하는 해영의 모습.

해영　15년 동안, 아무 죄책감도 없이 살아왔겠지만, 이제 당신은 끝났어! 확실한 증거가 발견됐으니까!

가만히 그런 화면을 복도 밖에서 바라보는 누군가의 모습 아수라장이 되는 화면 끊기고 진양서를 배경으로 브리핑하는 기자 1.

기자 1　서형준의 사인이 자살로 추정된다는 경찰청의 발표 직후, 최초 시신을 발견한 박모 경위가 서형준의 살해 가능성을 주장하고, 담당 형사 차모 경위마저 그 사실을 인정하면서 의혹은 더욱 가중되고 있습니다. 김윤정 유괴 살인사건의 공소시효가 26시간여 남은 지금 경찰이 범인을 체포할 수 있을지 귀추가 주목되고 있습니다.

그런 화면을 보다가 뒤로 한걸음 두 걸음씩 뒷걸음치는 발. 돌아서서 데스크 쪽으로 걸어가는데 데스크에 모여있는 간호사들 수군거리고 있다.

간호사 1　선일정신병원? 거기 있었던 사람 없어?

멈춰 서서 그런 모습을 지켜보는 누군가에게 다가와 팔을 툭 치는 사람. 단정하게 머리 묶은 고지식해 보이는 간호사 2다.

간호사 2 뉴스 봤어? 선일병원 얘기가 나오던데?

그런 간호사 2를 바라보는 누군가. 그제야 드러나는 얼굴, 30대 중반, 유니폼에는 '강세영'이란 명찰.

씬/51 N, 진양서 강력계 사무실

정적이 감도는 강력계 사무실. 테이블에 앉아서 전화기만 바라보고 있는 수현과 해영. 계철을 비롯한 다른 형사 서너 명 정도는 어색하기 그지없는 얼굴로 각자 자리에 앉아있는데, '쾅' 문 열리면서 들어서는 치수. 벌떡 일어서는 계철.

계철 그게... 저는 최대한 말려볼려구 했는데...

하는데 살벌한 눈빛으로 해영을 향해 저벅저벅 다가가는 치수... 수현, 눈치채고 해영 가로막으려 하지만, 이미 치수 전화기 집어 들고 해영 쪽을 향해 집어던진다. '쾅' 박살나고..

치수 (죽일 듯이 다가서며) 야, 이 개새끼야! 너 뭐하는 새끼야?!

치수의 성격을 아는 듯, 계철과 형사들, '팀장님 진정하세요'막고 해영, 생각지 못한 치수의 기세에 자기도 모르게 한발 물러서는데 그런 해영 앞을 가로막는 수현.

수현 제가 그러라고 한 겁니다.
치수 (수현 노려보는) 자살이 아니다... 담당형사도 그 터무니 없는 주장을 인정했다?... 제정신이야?! 내가 뭐라고 했어. 내 말이 말 같지 않아?!

수현 전 말씀하신대로 했습니다. 순리대로 하라고 하셨잖아요.

치수 뭐?

계철 (아슬아슬하다) 차 형사...쫌.

수현 사체가 발견됐고, 타살의 정황을 뒷받침하는 증거가 나왔습니다. 그리고... 15년 전 경찰이 묵살했던 목격자의 증언도 있습니다. 제대로 수사하는 게 순리라고 생각했습니다.

치수 (눈빛 움찔하다가) 목격자?

수현의 뒤쪽에서 해영, 떨리지만, 최대한 내색하지 않으며

해영 내가 봤습니다. 범인은 여자였어요.

치수, 그제야 해영 보는

- 인서트
- 1씬, 정글짐 앞에 서 있던 여자.

해영(소리) 당시, 정글짐 3층이 어깨까지 왔었습니다. 그걸 기준으로 하면 키는 165전후에요.

- 우산을 들고 있던 여자의 여러 모습들 보이는
- 윤정이를 데리고 사라지는 여자의 뒷모습.

해영(소리) 목걸이, 팔찌, 지나치게 화려한 장신구에 원색 신발. 자신의 목적을 위해 어린아이를 납치 살해한 점등을 보면 무감각형 자기애적 인격장애자일 가능성이 큽니다. 이런 성격의 경우 타인을 무시하고 신뢰하지 않아요. 서형준과 공모했을 리 없습니다. 처음엔 단독 범행이였을 거예요.

- 강력계 사무실

해영, 목 가다듬으며 여전히 치수에게 설명하고 있다.

해영 그런데 서형준에게 범행을 들켰을 겁니다. 처음부터 이용할 생각은 아니였을 거에요. 위험부담이 크니까.. 서형준은 자수를 권했거나, 자기가 신고하겠다고 했겠죠. 그래서 서형준을 죽인 거예요...

- 인서트
- 여자의 자취방. 평범한 자취방에 정신을 잃은 윤정이와 가방을 안아드는 형준. 그런 형준을 부들부들 주먹을 쥐고 바라보고 있는 여자.

해영(소리) 저 인간을 죽이자. 그리고 모든 죄를 저 사람에게 덮어씌우자.

- 강력계 사무실로 돌아오면

해영 자기보다 힘이 센 남자를 어떻게 죽여야 할까요. 자신이 가장 잘 아는 곳, 익숙한 장소, 게다가 쉽게 죽일 수 있는 약품이 있는 곳, 선일병원으로 유인한 겁니다.

- 인서트
- 선일정신병원, 뒤편 맨홀이 있는 공간. 거칠게 보이는 화면, 여자, 주머니에서 주사기를 꺼내 형준의 등에 꽂아버린다. 놀라서 바라보는 형준, 화내면서 여자를 뒤로 밀쳐버리고 그러나 반항하는 여자. 둘 사이에 몸싸움이 오가고, 반항하다가 형준의 얼굴을 밀쳐버리며 형준의 안경이 떨어지는 순간, 약기운이 퍼지는 듯, 무릎이 꺾이는 형준... 서서히 무너진다. 바닥에 쓰러진 형준을 바라보는 여자의 뒷모습.

해영(소리) 그리고 서형준의 엄지손가락을 자르고 윤정이도 죽인 거죠.

- 다시 강력계 사무실로 돌아오면

해영 선일병원의 관계자가 아니곤 들어갈 수 없는 건물 뒤편을 알고 있었던 병원 관계자. 붉은 립스틱과 하이힐에 어울리지 않게 손톱은 깨끗했어요. 매니큐어를 바르거나 손톱을 기를 수 없는 특정 직업. 메스에도 익숙한 수술방 간호사였을 겁니다.

치수, 해영을 보다가 기가막힌 얼굴로 수현을 보는

치수 너... 지금 아무 증거도 없이 저 햇병아리가 나불대는 말도 안 되는 소설 따위 믿고 이런 거야?!

수현 충분히 설득력이 있습니다.

치수 뭐?

해영 (역시 수현이 자기 편을 들어주자 의외인 듯 보는)

수현 시신이 발견된 곳은 외부인 출입금지구역, 병원 관계자가 아니면 알 수 없는 곳이었고, 엄지가 잘린 모양, 앰플 증거를 봤을 때, 주사기와 메스에 익숙한 의료진이었을 겁니다. 하지만 의사는 아니었어요.

수현이 아까 팩스로 받았던 서류를 치수에게 내민다.

수현 폐업하기전 5년간 선일병원 직원 급여 목록입니다.

치수, 한 장, 두 장 넘기면 사진은 없고 이름과 주민등록번호, 직급만 나와있다.

수현 그 당시 여자 의사는 두 명뿐이었는데, 한 명은 40대였고, 나머지 한 명은 임신 중 휴직 상태였습니다. 또, 서형준의 카드내역을 보면 거의 20대 초반 여자들이 사용하는 브랜드였습니다. 15년이 지났으니 지금은 30대 중후반이 됐겠죠. 그러니까, 범인은 15년 전, 선일정신병원에서 일했던 30대 중후반의 간호사가 확실합니다.

씬/52 N, 영인병원 일각

탈의실에서 짐을 싸고 있는 세영의 모습.

씬/53 N, 영인병원 로비

로비를 지나 정문 너머 어둠 속으로 사라지는 짐가방을 든 세영.

씬/54 N, 영인병원 일각

스테이션으로 다가오는 간호사 2, 데스크의 간호사에게

간호사 2 강선생, 못 봤어? 아까부터 안 보이네.
간호사 1 저도 아까부터 찾았는데, 안 보이네요. 근데요... 강선생님, 선일병원에 있지 않았어요? 아까 뉴스가 자꾸 맘에 걸려서...
간호사 2 (말 끊는) 1131호 환자, 바이탈 체크했어요?

간호사 1, 간호사 2의 반응에 움찔하고는 차트들고 사라지는... 그러나 간호사 2 역시 뉴스가 마음에 걸리는 듯, 가만히 전화기를 바라본다.

씬/55 N, 진양서 강력계 사무실

치수 그 정도 정보로 범인을 잡을 수 있을 거라고 생각하나? 여기에도 나와 있지만, 간호사 수만 해도 줄잡아 백 명이 넘어. 그 사람들을 모두 만나 보겠다는 거야?
해영 모두 만나보지 않아도 됩니다.
계철 아 참, 그 양반 좀 가만히 있으라니까...
하는데, 치수 계철 손으로 막는다. 계속해보라는 눈짓.
해영 이렇게 떠들썩하게 만들어 놨으니 선일병원에서 일한 백 명이 넘는 간호사들도 이 뉴스를 봤겠죠. 그중엔 분명.. 범인을 아는 사람이 있을 겁니다.
치수 제보 전화를 노리고 그런 짓을 한 거다? 그런데... 한 통이라도 왔나?
해영 ...아직 아닙니다... 한 시간은 넘어야 올겁니다.
치수 (보는)

해영　함께 일하는 동료를 의심해야 하는 일이에요. 처음엔 애써 그런 사람이 아닐 거야 생각하려고 하겠지만 그 사람이 의심이 가는 행동을 한다면... 바로 경찰에 신고하겠죠.

치수　의심이 갈만한 행동?

해영　확실한 증거가 발견됐다고... 일부러 거짓말을 했습니다. 15년 동안 잘 숨겨왔다고 생각했는데... 자기가 잡힐지도 모른다고 생각하면 어떻게 할까요? 분명히 평소에 안 하던 행동을 할 겁니다. 갑자기 사라진다던지... 주변을 정리한다던지...

순간, 따르릉... 따르릉... 울리는 전화벨. 모두의 시선, 전화기를 향한다. 하필 계철의 옆에 있는 전화기다. 계철, 어쩌지? 왜 하필 내 옆에 전화가 와서... 눈치 보면서 슬슬 전화기에서 멀어지는데...

치수　뭐해? 받아...

계철　(잽싸게 받는) 진양서 강력 1팀입니다. 김윤정 유괴 사건이요?

그때, 다른 전화기도 울리기 시작한다. 형사 1, 눈치 보다가 달려가서 전화 받는... 수현과 해영, 긴장한 얼굴로 전화를 받는 계철과 형사를 보는데...

계철　(전화 끊고 빠르게 다가오는) 강릉 경안병원 간호사라는데요. 인상착의가 거의 비슷합니다. 이름 손다연. 나이 서른여섯, 제보자에게 선일병원 출신인 걸 알리지 말아달라고 부탁하고 엄마네 집에 갔다 온다고 나갔답니다.

형사 1　(수화기를 막으며) 이쪽은 충줍니다. 이쪽도 비슷해요.

수현, 치수를 본다.

수현　이제라도 정식으로 수사... 허락해 주십시오.

치수　...

수현	서형준 사건현장에서 수거된 의류, 앰플, 안경 모두 감식중입니다. 아주 작은 흔적이라도 발견되면 우리가 특정한 용의자의 DNA와 비교분석해서 잡을 수 있습니다.
치수	...
수현	일이 잘못되더라도 제가 모두 책임지겠습니다.
치수	네가 책임져?... 네가 뭔데 책임져.
수현	(보는)
치수	용의자 신병 확보해서 자백을 받든지, 그 사람이 진범이라는 확실한 증거를 잡든지. 24시간 안에 해내야 기소할 수 있다. 자신 있어?
수현	(보다가)...예.

치수, 그런 수현을 보다가

치수	범인 못 잡아오면 오늘 사고친 것까지 두 배로 죽을 줄 알아. (형사들 둘러보며) 차수현이 현장 지휘하고, 강력 1팀이 지원해줘.

씬/56 N, 몽타주

- 밤, 비상등을 켜고 질주하는 자동차 안, 운전 중인 수현과 조수석에서 과거 수사자료들 중 서형준 명의의 카드 내역들을 확인하고 있는 해영.

해영	서형준 카드의 실제 사용자는 그 여자가 맞아요. 자기애가 강한 사람답게 쇼핑중독으로 보입니다. 한정품을 보유한 고급 브랜드 숍을 주로 이용했어요.

- 강릉 경안병원 로비로 뛰어들어오는 수현과 해영. 수현, 뚜벅뚜벅 앞장서고, 해영은 주변을 둘러보며 뒤를 따른다. 로비에 걸린 시계, 벌써 새벽 네시를 넘어서고 있다.

해영(소리)	이런 경우 화려한 색, 독특한 디자인을 선호하고 유행에 민감한 편입니다.

자신을 비추는 거울을 필수품으로 가지고 다닐 가능성이 높아요.

– 제보자와 함께 간호사 탈의실로 들어서는 해영과 수현.

제보자 저게 그 분 캐비닛이에요.
수현 (걸어가며 제보자에게) 말씀하신 동료분, 평소 행동은 어떤가요? 씀씀이가 헤프다던가...
제보자 아뇨. 걔 엄마 병원비 내느라고 카드도 안 쓰는 앤데...

수현, 해영, 본능적으로 아니라는 걸 느끼는... 다급히 캐비닛을 열어 안을 보다가... 하... 고개를 떨군다. 수수한 옷들과 에코백, 평범한 보세 구두. 한쪽엔 키우는 듯한 평범한 믹스견 강아지 사진.

해영 이 사람은 아니에요. 범인은 대인관계에서 착취적이에요. 그런 사람은 절대 동물을 키우지 않아요.

– 아침, 충주병원 앞에서 전화를 하고 있는 형사 1.

형사 1 여기 충준데 선일정신병원 출신이 아니라, 지방에 선일내과 출신 간호사였어. 제보자가 그 간호사랑 사이가 안 좋았던 모양이야. 앙심을 품고 제보한 모양이야.

– 낮, 달리는 자동차 안. 짐가방을 옆에 두고 어디론가 운전을 하고 있는 세영. 무표정한 얼굴로 창밖을 바라본다.
– 낮, 54씬의 영인병원 스테이션, 밤새 그러고 앉아있었던 듯, 가만히 전화기를 바라보고 있는 간호사 2.
– 낮, 차를 타고 또다시 어디론가 이동 중인 수현과 해영.

해영 범행 과정을 살펴보면 대담하고 머리 회전이 빨라요. 자기의 안위를 위해서라면 어떤 일이건 할 사람입니다. 꼭... 잡아야 합니다.

자동차 시계를 확인하는 수현. 오후 3시를 넘어서고 있다. 초조함이 역력하다.

씬/57　　D, 진양서, 강력계 사무실

화이트보드에 '강릉', '충주', '제천', '춘천' 지도에 모두 엑스 자가 표시돼 있다. 시계는 어느새 오후 세시에 가까워져 있고, 피곤한 듯 책상에 엎드려서 자고 있는 계철을 비롯한 형사들. 그때 울리는 전화벨. 계철, 비몽사몽 중에 전화를 받는다.

계철　진양서 강력계입니다.
(소리)　김윤정 유괴사건 때문에 전화드렸는데요.
계철　(하품하며) 예, 서울... 영인병원이요?

씬/58　　N, 영인병원 로비

로비를 함께 걷고 있는 간호사 2와 형사들.

형사 1　선일정신병원에서 일하기 전에 외과에서 일했다고요?
간호사 2　맞아요.
형사 2　지금은 어디 계시죠?
간호사 2　(좀 양심에 걸리는 듯 머뭇거리다가) 어제 뉴스가 나가고 난 뒤에.. 갑자기 말도 없이 사라졌어요... 전화기도 꺼져 있고... 사실, 동료를 의심하는 게 맘에 걸려서 망설였는데... 캐비닛을 확인해 봤더니... 짐까지 정리해서 없어졌더라고요.

왠지 감이 오는 듯 시선 마주치는 형사 1, 2.

씬/59　　N, 영인병원, 간호사 탈의실

탈의실 안으로 들어서는 형사들. 간호사 2, '강세영'이란 이름표가 붙은 캐비닛 앞에 선다.

간호사 2 아까도 말씀드렸지만, 거의 짐들이 남아있지 않아요.

캐비닛 문 여는 간호사 2. 캐비닛 안을 보고 눈빛 심상치 않아지는 형사들.

씬/60 N, 도로 일각

차를 한 편에 세우고 형사 1과 통화 중인 수현.

수현 서울 영인병원이요?
형사 1(소리) 응, 지금 사진 전송했거든. 한번 봐봐.

수현, 다급히 전화를 끊자, 해영 역시 초조한 얼굴로 지켜보다가

해영 뭐래요?

수현, 대답 없이 문자 확인해보면, 사진 파일이 도착해 있다. 사진 파일을 열어보는 수현. 얼굴이 굳으며 해영을 보여준다. 해영도 보고 얼굴이 굳는.. 사진으로 줌인되는 화면 화려한 원색 계열의 명품 신상 구두. 한쪽에 놓인 머그잔에 꽂혀진 가위. 그 뒤쪽에 아무렇게나 넣어져 있는 책들, 공소시효와 관련된 책들이다. 그리고 캐비닛 문 옆에 붙어있는 거울. 그 아래 붙어 있는 화려한 꽃무늬 달력. 바로 2씬에 나왔던 그 달력이다. 떨리는 손으로 달력 확대하는 해영. 7월 29일에 'The end'라고 적혀 있다. 그런 사진을 내려다보는 해영의 모습 위로 울리는 경찰차 사이렌소리.

씬/61 N, 몽타주

이하 화면들, 빠르게 교차로 흔들리는 그림으로 보이는

- 줄지어 달리는 경찰차들.
- 서울로 접어든 도로 일각, 차가 꽉 막혀 있다. 빵빵 클랙슨 소리들.
답답한 얼굴로 통화를 하면서 운전 중인 수현.

수현 어떻게 됐어요? 체포했습니까?

- 강력계 사무실
수현과 통화 중인 계철. 그 옆에는 형사들, 이쪽저쪽으로 전화하면서 수사 협조를 구하고 있는..

계철 집에도 없고, 갈만한 데 다 뒤져봤는데 보이지 않아.
수현(소리) 핸드폰은요?
계철 아직도 꺼져있어.

그때, 형사 3, 팩스기기에서 팩스용지 빼서 계철에게

형사 3 강세영 최근 카드 내역섭니다. 최근에 호텔을 예약했어요.
계철 (수화기 옆에 끼고 카드내역 보는) 호텔 어디?
형사 3 (얼굴 어두워지는) 부산이요.

- 차 안. 역시 답답해지는 수현.

수현 부산이요?... 시간이 없어요. 벌써 아홉시 반이 지났는데!

조수석의 해영 역시 그 소리에 머리를 감싸 쥐고

- 강력계 사무실
문 열고 들어서는 치수.

치수 부산서 연락해서 헬기를 쓰건 무슨 방법이건 써보라고 해!

- 도로 일각

답답한 마음에 빵빵 클랙슨을 세게 누르는 수현. 해영 역시, 초조한 눈빛으로 전면을 바라보는데...

씬/62 N, 진양서 건물 앞

끼이익, 아무렇게나 차를 세우고, 건물 안으로 뛰어들어가는 수현, 그리고 해영.

씬/63 N, 진양서 건물 복도

헉헉거리면서 뛰어들어오는 수현과 해영. 코너를 도는데, 복도 한쪽에 초조하고 혼란스러운 표정의 윤정 母와 시선 마주친다. 윤정 母, 수현과 해영 발견하자, 득달처럼 달려들어

윤정 母 이게 어떻게 된 거예요? 범인이 따로 있어요? 그럼, 그 범인은 잡힌 건가요?

수현, 해영, 뭐라고 대답할 수 없는 굳은 얼굴로 윤정 母를 보고 있는데. 윤정 母의 뒤쪽에서 나타나는 계철, 굳은 얼굴로 수현과 해영을 본다. 수현, 해영, 어떻게 됐지? 초조한 시선으로 계철을 보는데...

씬/64 N, 진양서, 조사실 밖 복도

저 앞쪽 조사실 앞에 서 있는 치수와 형사들. 계철과 함께 다가오는 수현, 그 뒤쪽의 해영. 수현, 제발... 하는 눈빛으로 서서히 다가선다.

수현 어떻게 됐어요?

치수와 형사들, 하나둘씩 비켜준다. 그 사이로 보이는 조사실 유리창 너머... 세영이 조사실 안 의자에 무표정한 표정으로 앉아있다. 떨리는 시선으로 그런 세영을 바라보는 수현. 뒤에서 그런 모습에 안도의 한숨을 내쉬는 해영.

치수 아직 증거물 감식은 끝나지 않았어.
수현 (보는)
치수 이제 겨우 한 시간 반 남았다. 난 법원에 가서 검사와 대기할 테니까 자백을 받아내. 공소장을 제출하려면, 지금으로선 그 방법 밖에 없어.

수현, 알겠다는 듯 고개를 끄덕.. 하고는 세영을 본다.

씬/65 N, 조사실

천장에 달린 강렬한 백열등 불빛 아래, 테이블을 사이에 두고 마주 앉은 세영, 그리고 수현.

수현 강세영 씨. 본인 맞죠?
세영 (말없이 보는)
수현 당신은 2000년 7월 29일, 진양초등학교 앞에서 김윤정을 납치한 뒤 가족들을 협박해, 5천만 원을 가로챈 뒤, 김윤정을 잔인하게 교살했습니다. 맞습니까?
세영 ...난 그런 적 없어요. 나한테 왜 이러는 거예요?
수현 2000년에 선일정신병원에서 근무했죠?
세영 ...예.
수현 서형준이랑은 어디서 어떻게 만났습니까?
세영 전, 그런 사람 몰라요.
수현 김윤정도 모르고 서형준도 모른다. 그럼, 어제 뉴스가 나간 뒤에 왜 잠적한 거죠?
세영 잠적을 하긴 누가 잠적을 해요.

씬/66　　　　N, 조사실 밖 복도

의자에 앉아있는 해영. 뭔가 생각에 잠겨 있다. 그때, 커피를 뽑아오던 계철, 해영을 보고는

계철　이제 그만 돌아가요. 할 만큼 했으니까..

해영　구두... 뭘 신고 있었습니까?

계철　뭐요?

해영　그게 좀 이해가 안갔거든요. 왜 짐을 싸면서 신상 명품 구두를 놔두고 갔을까... 구두, 뭘 신었는지 봤나요?

계철　뭐... 갈색이였던 것 같은데...

해영의 얼굴색... 변한다.
그 위로 떠오르는 해영의 기억 속 캐비닛 사진

- 인서트
- 캐비닛 안 명품 구두 옆 머그잔, 가위

씬/67　　　　N, 조사실

수현　핸드폰은 왜 꺼놨죠?

세영　잃어버렸어요.

씬/68　　　　N, 차 안

꺼져 있는 세영의 핸드폰을 보다가 창 밖으로 던져버리는 누군가...

씬/69　　　　N, 조사실

세영　난 월차를 냈을 뿐이에요. 윤선생님한테 물어보면 알거에요.

수현 (멈칫하는) 윤선생님이요?

세영 윤선생님이 대신 얘기해 주겠다고 했어요.

수현, 뭔가 불길함이 느껴지면서 눈빛 떨려오는데... 그때, 조사실 문 쾅 열리면서 들어서는 해영. 계철 해영을 말리려고 했던 듯, 뒤따라 들어오고 수현 놀라서 보는데, 해영 곧바로 테이블 밑, 세영의 신발을 확인해 본다. 평범한 갈색 보세 구두다. 해영, 보다가 다시 세영의 손을 확인한다. 오른손에 연필 쥐는 부분 굳은살.

해영 ....이 여자가... 아니에요. 머그잔 손잡이가 왼쪽으로 놓여 있었고, 가위도 왼손잡이용 가위였습니다. 캐비닛 주인은... 범인은 왼손잡이에요.

수현 ...그럴 리가... 분명히 제보자가... (하다 멈칫) 윤선생님...이라고 했죠? 그 사람... 누구죠? 어떤 사람이에요?

씬/70 N, 차 안

단정하게 묶었던 머리를 풀어 헤치는 누군가.. 룸미러를 보며 붉은 립스틱을 바르는 입술. 서서히 화면 빠지면, 간호사 2, 윤수아다.

씬/71 N, 과거, 영인병원 복도

50씬, 수아, 복도를 걷는데 저 앞쪽 복도에 멈춰 서서 병실 안. 뉴스를 보고 있는 세영의 뒷모습. 그런 세영의 뒤에서 뉴스 소리를 듣는 수아, 얼굴빛 차갑게 변한다. 저 앞쪽 데스크에 간호사들의 대화소리도 들려오고... '선일병원? 거기 있었던 사람 없어?' 수아, 가만히 그런 대화 들으면서 초조함이 엿보이다가... 가만히 세영의 뒷모습을 보다가 무슨 생각이 든 듯, 세영에게 다가가 팔을 툭 치며

수아 뉴스 봤어? 선일 병원 얘기가 나오던데?

그런 수아를 바라보는 세영.

세영 윤선생님도 선일병원에 계셨잖아요.

씬/72 N, 현재, 조사실

망연자실한 얼굴이 되는 해영.

해영 ....대담하고... 머리 회전이 빠르고.. 자기 안위를 위해서라면 어떤 일이건 할 사람... 내가 틀렸어요. 당연히 도주를 할거라고 생각했는데...

씬/73 몽타주

- 56씬, 몽타주 중 보이는 수아. 데스크에서 전화기를 내려다본다. 마치 망설이는 듯 보였지만, 시선 쫓아가보면 시계를 보고 있던..

해영(소리) 남은 공소시효를 계산해서 전화를 한 겁니다. 강세영한테 우리가 시간을 허비하도록...

- 간호사 탈의실. 윤수아란 자신의 캐비닛 이름표를 꺼내서 강세영 이름표랑 바꾸는 수아.
- 59씬, 형사들에게 자신의 캐비닛을 마치 세영의 것인 것처럼 보여준 뒤에서 그런 형사들을 가만히 보는

해영(소리) 공소시효 때문에 다급해진 경찰들이 실수할 수밖에 없도록 유인한 거예요.

씬/74 N, 현재, 조사실/복도

망연자실... 부들부들 떨고 있는 해영.

해영 (반쯤 넋이 나가) 이렇게... 이렇게 끝낼 순 없어요... 15년 전 유괴사건 때도... 지금도 그 여자는 자기의 범죄전략을 과신하고 있어요. 자기가 타인보다 우수하고, 경찰들을 조작하고 통제할 수 있다고 생각하고 있어요. 분명히 가까이에 있을 겁니다. 우리가 어떻게 놀아나는지 지켜보고 있을 거예요.

해영, 쾅 조사실을 나가버리고, 수현, 그런 해영의 뒷모습을 보다가 결심한 듯 그 뒤를 따라 뛰어나간다. 복도에서 조사실 쪽으로 다가오던 계철과 형사 1도 놀라서 그런 모습을 바라보다가 그 뒤를 따른다.

씬/75 N, 몽타주

- 조사실 밖으로 뛰어나오는 해영. 순간 멈칫한다. 저 앞 복도에 비치된 벤치에 마음을 졸이는 듯 두 손을 부여잡고 있는 윤정 母다. 죄책감에 휩싸이는 해영. 범인을 잡아야 한다. 눈빛 초조해지면서 뛰어나가는...

- 로비를 뛰어나가는 해영, 로비 군데군데 서서 뉴스거리만을 기다리고 있는 듯한 기자들 사이로 뛰쳐나가고.. 뒤이어 로비로 뛰어나오는 수현, 뒤에서 빠르게 뒤따르는 계철과 형사 1. 기자들 그런 모습을 보고 놀라서 바라보는...

수현 (핸드폰으로 어딘가 통화하며 형사 1에게) 병원에서 그 여자 몇 시에 만났어.
형사 1 7시 30분쯤.
수현 (그때 연결되는 상대방에게 다급하게) 영인병원부터 진양서까지 7시 30분 이후 CCTV 확인해줘. 차량 번호는 20 마 8178!

- 도로교통 상황실
직원들, CCTV 화면을 빠르게 검색하기 시작한다.

- 진양서 인근 거리 일각.

비가 내리는 거리를 뛰면서 범인을 찾고 있는 해영.

- 또 다른 거리 일각.
역시 범인을 찾아 나눠져서 수색하고 있는 수현, 계철, 형사 1.

- 도로교통 상황실
CCTV 중 하나를 멈추는 직원. 진양서 인근 도로에 차를 세우고 내리는 수아의 모습. 직원 '찾았어!'

- 거리 일각, 계속해서 범인을 찾아 헤매고 있는 해영. 순간, 길거리 건너편을 보다가 멈칫...

씬/76 N, 진양서 인근 거리 일각

길 건너편을 망연자실 바라보는 해영. 반대편 거리, 경찰서가 한눈에 보이는 이층 카페 전면 유리창 너머로 보이는 누군가.. 유리창에 새겨진 글자에 가려진 모습. 우산에 가려졌던 15년 전의 수아와 오버랩된다. 해영, 긴가민가 싶은 얼굴로 빠르게 거리를 건너기 시작한다. 빵빵 울리는 클랙션 소리. 그 소리에 유리창 너머로 얼굴을 돌리는 카페안의 누군가... 해영, 정신없이 길을 건너고 난 뒤, 위를 올려다보는데 멈칫... 아까까지 앉아 있던 그 여자가 사라져 있다. 다급한 마음에 카페로 올라가는 계단을 찾는다. 건물 뒤편 쪽이다. 우왕좌왕하다가 그쪽을 향해 뛰어가서 계단을 올라가려는 순간, 저 앞쪽 인파 사이로 해영 쪽을 보다가 사라지는 검은 우산을 쓴 여자.

해영 !!!

- 인서트
- 1씬, 정글짐 앞, 우산을 쓰고 있던 여자

- 거리 일각, 그 여자다! 사람들을 헤치면서 앞으로 전진하는 해영. 놓칠 듯, 인파 사이로 나타났다 사라지는 여자의 검은 우산.

건널목에 다다르는 해영. 여자의 뒤를 따라 건너려다가 '빵!!' 탑차 한 대가 지나가고.. 해영, 놓쳤나? 탑차가 다 지나가고 난 뒤, 보면 거리에서 있는 검은 우산의 여자. 보면, 그 맞은편, 비에 젖은 수현이 서 있다.

수현 윤수아 씨.

우산을 들어 올리는 수아. 그제야 길을 건너 수아에게 다가서는 해영. 천천히 뒤를 돌아 우산을 들어 올려 해영을 보는 수아. 그런 수아를 굳은 얼굴로 바라보는 수현, 오랜 세월 쌓여온 감정들이 폭발하며 붉게 물든 눈빛으로 수아를 바라보는 해영의 모습에서

*** 자막 - 김윤정 유괴사건 공소시효 종료 20분 전**

1부 끝

시그널 The Signal

2부

씬/1 N, 진양서, 조사실

강렬한 불빛 아래, 앉아있는 수아. 수아 뒤편에 걸린 시계를 보면 11시 49분.

씬/2 N, 진양서 조사실 밖 복도

떨리는 얼굴로 의자에 앉아있는 윤정 母.

씬/3 N, 진양서, 조사실 옆 관찰실

초조한 시선으로 조사실을 바라보고 있는 계철, 해영을 비롯한 형사들.

계철 (초조하게 바라보다가) 그냥 조져야 된다니까. 모른다고 10분만 버티면 끝인데, 그걸 저 여자가 모르겠어?
해영 지금이 쌍팔년돕니까? 조지긴 뭘 조져요.
계철 너 여기가 어디라고...
해영 (말 끊으며) 3분에서 5분이면 됩니다. 확실한 증거를 제시하고 범인이 혼돈을 느끼는 시간이 3분에서 5분 사이에요. 그 사이 윤수아를 흔들면, 가능성이 없는 건 아니에요.

그때, 관찰실 문 열리면서 들어서는 수현, 빠르게 안경을 낀 형사 2의 얼굴에서 안경 벗겨들며

수현 이거 잠깐 빌릴게.

씬/4 N, 진양서, 조사실

조사실 시계 초침, 11시 50분에 도달함과 동시에 화면 하단 자막 10:00:00분에서 리얼타임으로 줄어들기 시작한다. 조사실에 들어서는 수현, '탕' 테이블 위에 수사자료를 내려놓고 안경도 그 옆에 내려놓

고는 맞은편에 앉는다. 수아, 그런 수현을 힐긋 보고 수현, 자료들 중에 하나를 들고 확인하며

수현 윤수아 씨. 현재, 영인병원에서 근무하시고, 월수입은 350만원. 주거지는 강남 고급빌라. 월세내고 관리비 내고 식비에 교통비하면 별로 남는 게 없으시겠어요.

수아 ...(빤히 바라보는)

수현 그런데도 캐비닛에 꽤 비싼 명품들이 많던데... 이번에도 괜찮은 남자친구가 생겼나 봐요? 15년 전 서형준처럼...

수아 ...무슨 말씀이신지 모르겠어요.

수현 자기 손으로 직접 캐비넷 보여줬잖아요. 강세영 간호사거라고 거짓말을 하긴 했지만..

수아 ...

수현 왜 거짓말 했어요?

수아 ...경찰들이 잘 수사하는지 알고 싶어서요. 그런 거짓말에도 잘 속아 넘어가는 경찰들 때문에 범인을 놓쳤는데... 이번에도 범인을 못 잡으면... 죽은 아이가 불쌍하잖아요.

수현 ...(보다가) 그러니까, 그 캐비닛은 윤수아 씨 본인께 맞는다는 거죠?

수아 예.

수현 그 안에 물건들도 모두 윤수아 씨 본인 건가요?

수아 ...예.

수현 좋아요. 고맙습니다. 윤수아 씨 덕분에 우리가 시간을 벌었네요.

수아 (멈칫하면서 보는)

수현 자청해서, 본인 DNA를 넘겨주셔서 고맙다는 얘기에요.

수아, 눈빛 미미하게 굳는다. 천천히 자세를 고치며 팔을 크로스 하는

씬/5 N, 진양서 조사실 옆 관찰실

유리 앞으로 한 발자국 다가가는 해영.

해영 방어자세를 취했어요. 자기가 뭘 놓쳤는지 초조해진 겁니다. 앞으로 3분에서 5분, 그 안에 자백을 받아내야 해요.

씬/6 N, 진양서 조사실

수아 뒤편 흘러가는 초침.

수현 왜요? 윤수아 씨 DNA를 어디에 쓸지 궁금해요?
수아 ...(말없이 보기만 하는데)
수현 15년 전 맨홀... 기억나죠?

수아, 눈빛 미미하게 흔들린다.

수현 일상생활에서 사용하는 물건 중에 그 사람의 DNA가 가장 많이 남아있는 물건이 뭔 줄 알아요? 사람의 눈이 돼주면서 하루 종일 가장 긴 시간을 접촉하는 물건, 바로 안경이에요.
수아 (가만히 보는)
수현 (증거물 사진 한 장을 꺼내서 수아에게 내민다) 알아보겠어요?
수아 (긴장이 풀리는 듯 입가에 피식 엷은 미소) 잘못 짚은 거 같네요. 내 안경이 아니에요. 난 시력이 좋은 편이거든요.
수현 알아요. 당신 안경 아닙니다. 그 안경은 서형준이 사망했을 당시 착용하고 있던 안경이에요.

- 인서트
- 1부, 33씬. 맨홀안, 백골사체 밑에 떨어져 있던 안경.

- 다시 조사실로 오면 미미하게 흔들리는 눈빛의 수아. 수현, 아까 형사 2에게서 가져온 안경을 펼친 채로 보여준다.

수현 안경에서 증거가 가장 많이 발견되는 부분이 어딘지 알아요? DNA가

가장 많이 남아있는 안경 코 부위와 어떤 물질이 묻건 보관될 가능성이 가장 높은 (안경다리를 접어서 힌지 부분 보여 주는)이 경첩 부위입니다.

- 인서트
- 현재, 국과수 유전자 분석실. 캐비닛에서 가져온 칫솔에서 윤수아의 DNA를 채취하고 있는 요원. 그 옆에 놓인 비교 샘플은 맨홀 바닥에 있던 안경의 힌지 부분에서 샘플을 채취하고 있다.

- 다시 조사실로 돌아오면 얼굴이 굳어져 있는 수아.

수현 서형준의 안경에선 뭐가 발견됐을 것 같아요?
수아 (불안한 기색이 새어 나오는) 그걸 내가 어떻게 알겠어요.
수현 몰랐겠죠. 그러니까, 그런 물건을 맨홀 안에 버리고 갔겠지. 거기엔 서형준을 죽인 범인… 바로 당신의 피가 묻어있었거든.
수아 (급격하게 떨려오는) 거짓말… 15년 동안이나 버려진 안경에서 그런 게 발견될 리가 없어.
수현 나도 처음엔 거짓말인지 알았어요. 그런데, 아무리 적은 양이라도 혈액이 묻어만 있으면 10년, 20년, 아니 100년이 지나도 DNA 검출은 가능하답니다. 현대 과학이 피해자에게 준 선물이죠.
수아 …(내색하지 않으려는 듯 한쪽 주먹을 꼭 쥐는데 보일 듯 말 듯 떨리는)

씬/7 N, 진양서 조사실 옆 관찰실

계철과 형사들, 그런 수아의 반응에 흥분하는…

계철 걸려들었어…
해영 이제부터가 중요해요.

씬/8 N, 진양서 조사실

수아를 더욱 거세게 압박하는 수현.

수현 당신이 세상에서 제일 똑똑하고 경찰 따위 당신 발밑에 있다고 생각하겠지만, 이번엔 틀렸어.

수아 ...(떨리는 눈빛으로 보는)

수현 당신은 15년 전 선일정신병원에서 서형준을 살해했어.

부들부들 떨리는 수아의 얼굴에서

- 인서트
- 1부 51씬, 해영의 추리 중 선일병원 뒤편 맨홀이 있는 공간에서 몸싸움을 하다가 형준 얼굴 때리는 수아. 안경 떨어지는데, 이 와중에 안경 다리 조금 접힌다. (안경 클로즈업) 뒤이어 무너지는 형준.
- 형준의 시신을 맨홀 쪽으로 끄는 수아. 그러다가 바닥에 떨어진 안경이 함께 시신에 딸려서 맨홀 안으로 시신과 함께 떨어진다.

- 다시 진양서 조사실로 돌아오면 계속해서 수아를 거세게 몰아가는 수현.

수현 왜? 윤정이를 납치하고 살해한 범죄를 숨기기 위해서, 돈 5천만 원이 필요했기 때문에... 당신은 김윤정 유괴사건의 범인이자, 서형준 살인사건의 범인이야. 당신은 이제 끝났어.

수아, 떨리는 눈빛으로 보다가 고개를 숙인다.

씬/9 N, 진양서 조사실 옆 관찰실

드디어 목전에 이르렀다. 더욱 긴장한 시선으로 유리창 너머를 바라보는 사람들. 공소시효는 이제 5분도 채 남지 않았다.

해영 말해... 죽였다고...

씬/10　　　N, 진양서, 조사실

수현, 역시 긴장한 시선으로 고개를 숙인 수아를 보는데... 천천히 고개를 드는 수아, 입가에 천천히 미소가 번진다.

수아　아직... 못 찾은 거구나...

수현, 얼굴빛 굳는다.

- 관찰실의 사람들의 눈빛도 굳고

수아　확실한 증거... 찾았다면... 이럴 필요 없잖아요... 시간도 없는데 기소하면 그만일텐데... (미소) 그죠...? 나한테 이런다고 내가... 범행을 인정할 것 같아요?

수아를 바라보는 수현.

씬/11　　　N, 진양서 조사실 옆 관찰실

하... 답답함에 뒷목 잡는 계철과 형사들. 해영, 답답한 얼굴로 시계 본다. 55분을 넘어서고 있다. 시간을 확인한 뒤 쾅 관찰실을 뛰어나가고...

계철　5분도 안 남았어! 그냥 조져버리자니까!
형사 1　(다급한) DNA 검사결과는 아직도 안 나왔어?

씬/12　　　N, 진양서 과학감식팀

쾅, 문 열리면서 뛰어들어오는 해영. 팩스 앞에서 초조하게 기다리고 있는 감식팀원과 시선 마주친다.

씬/13　　　N. 진양서 조사실

보일 듯 말 듯 눈빛 떨리는 수현을 바라보는 수아. 아까와는 전세가 역전됐다.

수아 (여유를 되찾은) 난... 아니에요. 선일정신병원을 다닌 건 맞지만, 난 그 사람들 죽이지 않았어요.

수현, 말없이 본다. 시간, 2분도 채 남지 않았다. 그때, 쾅 조사실 문 열리면서 한 손에 결과지를 들고 들어서는 해영. 수현, 수아 모두 해영을 바라본다.

해영 (뛰어온 듯, 거친 숨을 가다듬으며) 검사 결과 나왔습니다.

수현, 일어서서 해영을 본다. 수아, 역시 긴장한 시선으로 해영을 보는데..

- 관찰실의 계철과 형사들 다들 의아한 시선으로 해영을 본다.

해영 검사 결과, 서형준의 안경에 묻은 혈액에서 발견된 DNA와 윤수아 당신의 DNA가... 일치했어요.

수현 (본다)

수아 (눈빛 흔들리는)

해영 당신이 죽였어. 서형준도, 윤정이도, 열 두 살 밖에 안 된 아이를... 고작 돈 오천만원 때문에!

씬/14 N, 진양서 조사실 옆 관찰실

뭐야? 영문을 몰라하는 계철과 형사들. 형사 1, 과학감식팀과 통화한 듯, 전화하다가 뒤돌아보며

형사 1 아직 검사결과 안 나왔대. 저 새끼 누가 가서 말려.

계철 (조사실 보며) 아냐. 1분 밖에 안 남았어. 대답만 들으면 돼.

씬/15　　　N, 진양서 조사실

해영　왜 죽였어? 죽일 필요까진 없었잖아. 돈도 가로챘으면서 도대체 왜?
수아　(금방이라도 시인할 듯 해영을 바라본다)

그런 수아를 바라보는 수현. 시침 본다. 40초도 남지 않았다.

씬/16　　　N, 진양서 조사실 옆 관찰실

계철과 형사들도 제발… 바라보는데, 점차 흘러가는 초침.

씬/17　　　N, 진양서 조사실

천천히 입을 여는 수아.

수아　아니, 난… 죽이지 않았어.

수현, 맥이 빠지는 듯 눈을 감는다. 시계를 보는데 시계의 초침 빠르게 흘러가더니 째깍… 12시를 넘겨버린다. 그 시간이 어떤 의미를 갖는지 전혀 모른다는 듯이 다시 째깍째깍 흘러가기 시작하는 초침. 정적만이 가득한 조사실. 4씬부터 줄여져 오던 리얼타임 자막 00:00:00으로 바뀌며

*** 자막 - 2015년 7월 30일 00:00시. 김윤정 유괴사건 공소시효 종료.**

해영, 결국 끝나버렸다. 떨리는 눈빛으로 망연자실 서 있는데… 수아, 가만히 해영을 보다가 엷게 피식 웃는다.

수아　이제, 가봐도 될까요?

해영도 수현도 그저 망연자실 수아를 바라볼 뿐이다.

씬/18 N, 진양서 관찰실

관찰실의 계철, 형사들 역시 힘이 빠져서 바라보는데 울리는 전화벨.

계철 (전화받으면)
감식팀원(소리) 감식결과 나왔습니다. DNA, 99.98프로 일치합니다. 그 여자가 범인이 맞아요.
계철 아, 젠장! 왜 지금이야!

씬/19 N, 진양서 조사실 밖 복도

모두를 비웃는 듯 천천히 조사실을 걸어 나오는 수아. 관찰실에서 굳은 얼굴로 걸어 나오는 계철을 비롯한 형사들. 수아 뒤를 이어 조사실을 걸어 나오는 수현, 해영. 그 누구도 수아를 제지할 수 없다. 복도 저쪽에 있던 윤정 母 영문을 모르겠다는 얼굴로 그런 모습을 바라보는데... 수아, 천천히 복도를 따라 멀어진다. 그때 반대쪽 복도에서 다가오는 헌기, 수현쪽으로 다가와

헌기 선배님, 이거 백골사체가 걸치고 있던 의복에서 복원한건데 도움이 될진 모르겠네요.

수현, 그런 헌기가 내민 사진을 보다가, 서서히 눈빛 굳는다. 멀어지는 수아를 향해 뚜벅뚜벅 걸어가는 수현. 수아의 앞을 가로막고 선다. 수갑을 꺼낸 수현, 수아의 손목에 찰칵 채워버린다. 수아, 놀라서 차갑게 굳는, 조사실을 나선 해영도 놀라서 보는

수현 당신을 15년 전 사망한 서형준의 살인죄로 체포합니다. 묵비권을 행사할 권리가 있고 변호사를 선임할 수 있습니다.
수아 지금 뭐하는 거야?
수현 방금, 서형준의 사망추정시각이 나왔어요.

- 인서트
- 6씬에서 이어지는, 헌기가 복원중인 증거물. 서형준의 바지 주머니에서 나온 빛바랜 종이조각의 잉크를 복원하는데 성공한다. 복원한 종이조각을 보면 주차증이다.
- 1부, 해영이 스쳐지나갔던 주차장 바를 지나갔던 자동차. 운전석의 형준이 주차증을 뽑는다. 그런 주차증 익스트림 클로즈업하면 '2000. 7. 31. 00:05' 이란 표시.

- 다시 조사실 앞 복도로 돌아오면

수현 ...윤정이의 공소시효는 지났을지 모르지만, 서형준의 공소시효는 아직 하루가 남았어.

수아 ...말도 안돼. 이건...

수현 (뒤쪽에 서 있는 형사들에게) 연행해요.

형사들, 다가와 수아의 양팔을 잡고 연행하려는데...

윤정 母 윤정이는요?

다들, 윤정 母를 바라본다.

윤정 母 왜... 우리 윤정이는 안되는데요?

수현 (안타깝다) 죄송합니다. 피해자의 사망시각이 확실하지 않을 경우 사망추정시각으로 공소시효가 결정이 되요. 그러니까... 윤정이가 서형준보다 먼저 죽었을 수 있고, 더 후에 죽었을 수도 있지만, 법이, 피의자에게 유리하도록 되어 있기 때문에...

윤정 母 왜요?

수현 ...죄송합니다.

윤정 母 15년을 기다렸는데! 도대체 왜요!

바닥에 주저앉는 윤정 母. 수현, 그저 가만히 그런 윤정 母를 바라볼 수 밖에 없다. 조사실 앞에 서 있던 해영도 이 모습을 그저 망연자실 바라볼 수 밖에 없다. 형사들에 이끌려 멀어지는 수아. 뒤에 남은 해영, 수현을 비롯한 형사들. '왜요, 도대체 왜요?' 질문을 던지는 윤정 母에게 그 누구도 대답을 해줄 수 없다. 말없이 그런 윤정 母를 바라보는 해영과 수현의 모습에서

씬/20 D, 진양초등학교

아이들의 웃음소리와 함께 화면 밝아지면, 따뜻한 햇살아래, 진양 초등학교 교정으로 들어서는 해영. 한 손에는 하얀 국화가 들려져 있다. 학교 현관 앞에 다다르는 해영. 가만히 서서 아무도 없는 현관을 바라보는데... 그런 해영의 귓가에 과거의 빗소리가 들려온다.

- 인서트
- 현관 앞에서 엄마를 기다리고 있던 어린 윤정이의 모습.

- 현재로 돌아오면, 그때 윤정이가 서 있던 그 곳에 하얀 국화를 내려놓는다. 그리고 짧은 목례. 천천히 몸을 돌려 교문 쪽을 향해 걷기 시작하다가 다시 뒤돌아본다. 옅은 환영처럼 어린날의 윤정이가 해영을 바라보고 있는 듯 하다. 그런 모습을 바라보다가 다시 교문 쪽을 향해 걸어가는 해영.

씬/21 D, 도로 일각, 차 안

달리고 있는 해영의 차 안. 라디오에서 시사프로그램을 통해 흘러나오는 패널들의 목소리.

패널 1(소리) 공소시효는 누굴 위해 존재하는 겁니까? 서형준 살인사건은 해결됐지만, 같은 범인에게 희생당한 김윤정 양 유괴사건은 영원히 미제로 남게 됐습니다.

씬/22 D, 방송국 스튜디오

마주앉아 갑론을박을 벌이고 있는 패널들.

패널 1 올해 7월 31일 개정된 공소시효법에 의해 2000년 8월 1일 이후 발생한 사건의 공소시효는 폐지됐습니다. 하지만 그 전에 발생한 사건은요? 2000년 8월 1일 이전에 사람을 죽인 범인은 무죕니까? 그 전에 희생된 피해자들의 아픔을 위해서도 과거 모든 강력사건에 대한 소급 적용이 필요합니다.

씬/23 D, 수목원 일각

- 차를 타고 가을로 접어든 숲으로 둘러싸인 수목원 주차장에 도착하는 해영.
- 숲을 걸어가는 해영의 모습에서

씬/24 D, 방송국 스튜디오

패널 2 소급 적용은 매우 민감한 문젭니다. 이미 법적으로 무죄를 선고받은 범인들에게 법이 바뀌었으니 "당신은 다시 범인입니다."라고 할 순 없어요.
패널 1 범인들의 인권은 중요하고 피해자나 유가족의 인권은 중요하지 않습니까?
패널 2 소급 적용이 된다고 해도 문젭니다. 2000년 이전에 발생한 장기미제 사건의 경우는 증거나 증인이 없어서 해결될 가능성이 매우 낮습니다. 그런 미제 사건에 매달려 있다가 현재 터지는 강력사건을 놓치면, 또 다른 미제사건이 만들어지는 거예요.
패널 1 경찰청 차원에서 장기미제 전담팀을 만들어야죠.

씬/25 D, 수목원 일각

저 앞쪽으로 잣나무가 보인다. 수목장을 치른 듯, '박선우 1983년 ~ 2000년'이란 명패가 스치듯 보이고 그런 잣나무를 가만히 내려다보는

해영의 모습 위로

- 인서트
- 해영의 엄마를 붙들고 울부짖는 혜승의 가족.
- 수의에 포승줄이 묶여진 채, 고개를 숙이고 걸어가는 남자 고등학생들의 손, 발, 눈빛
- 겁먹은 얼굴로 '우리 형은 아니에요... 우리 형은 아니에요!'

- 다시 수목원으로 돌아오면 잣나무를 매만지고 있는 해영의 모습 위로

패널 1(소리) 경기남부 연쇄살인사건처럼 대표적인 강력사건들이 아직도 미제로 남아 우리 사회에 아픔을 주고 있습니다. 그 누군가는 나서야만 해요.

씬/26 D, 몽타주

- 경찰청 건물 앞으로 다가서는 범주의 자동차. '인주고 여고생 사건의 진실' '경기남부 연쇄살인의 재수사를 원한다' '초등생 테러 사건' 등등의 피켓을 들고 있는 1인 시위자들부터, 기자들로 아수라장이다. 자동차 안에서 그런 사람들을 바라보는 범주의 차가운 시선.
- 경찰청 건물 앞에 내려서는 범주에게 마이크를 들이대는 기자들.

기자 1 경찰청 차원에서 장기미제사건 전담팀이 신설되야 한다는 여론이 만만치 않습니다. 어떻게 생각하십니까?

- 국회 건물 앞 역시 점점이 1인 시위를 하고 있는 초췌한 유가족들 사이로 의원들을 태운 고급 세단들이 지나치고 있다. 그 위로 기자 1의 브리핑 소리

기자 1(소리) 지금 국민들이 질문을 던지고 있습니다. 사람을 죽인 범인의 죄가 인간이 정한 시간으로 사라질 수 있는 것인가... 누군가는 그 질문에 답을

해야 할 때입니다.

- 도주하는 용의자를 추격해 지하철 계단을 뛰어 올라가는 수현과 계철.

계철은 힘이 달려 계단을 뛰어 오르다 중도에 포기하는데... 수현, 지하철 입구 밖으로 나와 용의자를 덮쳐 넘어뜨린 뒤 수갑을 채우는데 문득 저 멀리 전광판 화면으로 '속보 형사소송법 개정안 국회 통과' 그런 전광판을 가만히 바라보는 수현의 눈빛.

- 기차역 대합실 텔레비전 뉴스를 바라보고 있는 사람들.
- 거리에서 스마트폰으로 뉴스를 보는 사람들.
- 허름한 가정집 텔레비전에서 흘러나오고 있는 뉴스 등 여러 곳에서 뉴스를 시청하는 사람들의 모습 사이사이 뉴스를 진행하는 앵커의 모습.

앵커 오늘 아침 국회를 통과한 공소시효와 관련된 형사소송법 두 번째 개정안으로 대한민국에서 발생한 살인, 방화, 유괴 등 죄질이 악랄한 모든 강력범죄에 대한 공소시효가 사라졌습니다. 이로써 2000년 유괴된 뒤 싸늘한 주검으로 돌아온 김윤정 양 유괴사건도 해결될 희망이 열렸습니다.

- 뉴스 사이사이 기차역 대합실 사람들 사이에서 검은 모자를 쓴 천구의 뒷모습. 뉴스를 보다가 떨려오는 손.
- 가정집 텔레비전, 뉴스를 가만히 바라보고 있는 경순의 뒷모습.

씬/27 D, 경찰청, 수사국장실

텔레비전을 가만히 바라보고 있는 범주의 얼굴 위로 앵커의 목소리 깔린다.

앵커 2000년 이전에 발생한 강력사건에 대한 공소시효까지 사라지면서 장기미제사건에 대한 수사도 급물살을 탈것으로 예상됩니다.

리모컨으로 텔레비전을 끄는 범주.

범주 단순하긴... 공소시효 하나 없앤다고 지금까지 안 잡혔던 범인들이 잡히는 것도 아니고... (누군가를 바라보며) 안 그런가?

범주, 시선 쫓아가면 맞은편에 앉아있던 치수다.

범주 서울 지방청에 정식으로 장기미제 전담팀이 설치될 거야. 네가 책임져. 사고 한번 쳤으니 이 정도 대가는 치러야지.

씬/28 D, 진양서 강력계 사무실

언제나처럼 바쁘게 일하는 수현의 얼굴 위로 누군가가 공문을 읽고 있다.

계철(소리) 진양서 강력 1팀, 경위 차수현.

화면 빠지면, 수현의 옆에 옹기종기 모여 수현에게 온 공문을 읽고 있는 계철을 비롯한 형사들이다.

계철 위 사람은 2000년 8월 31일 발생한 서형준 살인사건 해결에 매우 큰 기여를 하였기에, 그 능력을 인정하여 새로 신설되는 서울 지방 경찰청 장기미제사건 전담 수사팀... 뭐 이렇게 길어. 어쨌든 근무를 명함.

공문을 함께 읽은 형사들, 하나같이 수현을 안됐다는 듯 보는... 아랑곳하지 않고 일하는 수현

계철 그러게 그놈의 욱하는 성질 좀 버리라니까... 윗선이랑 고압선은 건드리지 않는 게 상책이야.

형사 1 좀 쉬다 온다고 생각하세요. 장기미제... 하자 전담팀에서...

그때, 문 열고 들어서는 형사 2, 손에 인사 명령서 들고 있다.

형사 2 김 형사님한테 인사명령 떨어졌는데요. 장기미제 전담팀으로...
계철 (부르르 떨려오는) 이런... 개 같은...

씬/29 D, 진양서 과학감식팀

열심히 감식 중인 헌기, 누군가 헌기 앞에 인사 명령서 두고 간다. 공문 확인하자, 어이없다는 얼굴로 이마 잡는다.

씬/30 D, 경찰청, 수사국장실

치수를 바라보는 범주. 눈빛이 서늘해지며

범주 장기미제 사건은 경찰의 치부야. 미제 사건을 건드린다는 건 그 치부를 건드린다는 거지. 공소시효니 뭐니 조용해지면, 자연스럽게 없어질 부서니까 조용히... 눈치껏 장단만 맞춰...
치수 ...
범주 15년 전... 이재한 때처럼...

재한의 이름이 거론되자 치수의 눈빛, 가라앉는다.

씬/31 D, 교도소 외경

씬/32 D, 교도소 면회실

면회실에 마주앉아 있는 수의 차림의 수아와 수현.

수아 우리 사이에 더 얘기할 건 없는 것 같은데..

수현, 수첩 안에서 재한의 사진을(경찰 시절 2000년대 정도의 증명사진으로) 수아에게 보여준다.

수현 혹시 이런 사람이 당신을 찾아가지 않았나요? 키는 185cm정도에 검은 코트를 입었어요.

수아 ...형사?

수현 형사라고 안 했을 수도 있어요. 그날 분명히 당신을 찾으러 간다고 나갔었어요.

수아 제정신이야?

수현 (보는)

수아 그때, 형사가 날 찾아왔다면, 난 그때 체포됐겠지. (사진 돌려주며) 더 할 말 없으니까 돌아가요.

수현, 지푸라기라도 잡고 싶은 듯 뭐라도 더 물어보고 싶지만, 이미 수아는 사라진 후다.

씬/33 N, 진양서, 강력계 사무실

늦은 밤, 아무도 없는 사무실. 힘 빠진 얼굴로 짐을 싸고 있는 수현. 책상 위 배트맨 액자도 상자에 넣다가 멈칫. 액자 뒤, 고정된 부분을 풀어서 안에 숨겨진 사진을 꺼내본다. 열려진 기동차량 조수석에 한쪽 다리를 올리고 어딘가를 바라보며 무전기를 들고 무전을 하고 있는 95년의 앳된 형사같이 꾸며입은 사복 차림의 수현과 운전석에 앉아서 수현이 바라보고 있는 곳을 가리키고있는 95년의 재한이 찍힌 사진이다. 그런 사진을 가만히 내려다보는 수현의 모습에서

씬/33-1 D, 과거, 95년, 형기대 사무실 외곽 주차장

멈춰져 있는 기동차량 주변에서 사진 촬영을 준비 중인 경찰 잡지 직원들. 그 사이 뻘쭘하게 서 있는 사복 차림의 수현. 옆에 서서 촬영을 구

경 중인 형기대 반장과 정제를 비롯한 형사들. 그때, 뒤쪽 주차장으로 들어서는 재한의 차. 차를 주차한 뒤 내려서는 재한, 뭔 구경났나? 반장과 정제 뒤쪽으로 가서 기웃거리며

재한 뭐하는데?

반장, 정제. 재한을 보자, 재한을 앞으로 밀며

반장 (경찰잡지 직원에게) 여기, 왔습니다. 얘가 기사론 딱이에요.
재한 (영문도 모르고 밀리면서) 뭐가 딱이야.
직원 이분이에요? 자, 빨리 타시고 촬영 시작하죠.
재한 (계속 밀리며) 뭔, 촬영을... (하다가 수현과 시선 마주치면) 넌 또 뭐야? 왜 근무복 안 입었어. 뭐 형사 놀이해?
수현 ...(겸연쩍게 미소 지으며) 그게... 저기...

그런 수현과 영문을 모르겠다는 재한의 모습에서

– 시간 경과되면 최대한 짜증을 참는 얼굴로 운전석에 앉아서 어딘가를 대충 가리키고 있는 재한과 기동차량 옆에서 역시 어딘가를 바라보며 무전기로 무전을 하고 있는 수현. 두 사람 모두 영 어설프다. 그런 두 사람의 모습을 연신 카메라로 찍고 있는 홍보직원. 그 뒤쪽에서 키득거리며 구경 중인 반장, 정제를 비롯한 형사들.

직원 남자 형사분, 좀 더 긴장감 있게 쳐다봐 주세요. 차수현 형사님도 눈빛에 힘 좀 주고요. 형사기동대 최초의 여자 형사다. 자부심을 갖고 무전기도 좀 더 꽉 틀어쥐고.

점점 화가 부글부글 끓고 있는 재한, 들릴 듯 말 듯 낮게

재한 형기대 최초의 여자 형사 같은 소리하고 있네. 기동차량 하나도 운전

못하는 애가 뭔 형사야.

수현, 재한의 소리가 다 들린다. 주눅 들고 미치겠는 눈빛

수현 죄송합니다... 선배님까지...

그런 수현이 답답하다는 듯 얼굴의 직원, 카메라에서 시선 떼고는

직원 그게 아니고요. 좀 더 눈빛이 살아있어야죠. 경찰 잡지에 실릴 사진인데, 그 정도로 어설퍼서 되겠어요?

재한도 답답해 미치겠다는 얼굴로 수현에게

재한 이왕 이렇게 된 거 빨리 끝내자. 눈깔이 빠지도록 힘주라고! 황소가 나타나도 갈아 마셔 버리겠다! 마이크 타이슨도 한방에 보내 버리겠다!

수현 (눈 부릅뜨며) 이렇게 말입니까?

'좋아, 그거에요' 연신 눈 부릅뜨고 투지에 불타있는 두 사람을 찍어대는 홍보직원의 플래시 세례.

씬/33-2 N, 현재, 진양서 강력계 사무실

두 사람이 함께 찍은 사진을 바라보는 수현의 눈가에 그리움이 가득하다. 그런 수현의 모습에서 시계 비추면, 또다시 11시 23분을 향해 흘러가고 있는 시계.

씬/34 N, 해영의 옥탑방

벽 한 면에 붙어있는 지성, 이보영, 임시완, 강소라, 송중기, 유아인 등 연예인들 사진으로 이뤄진 관계도. 그 사진들을 하나둘씩 떼내면서 기

자와 통화 중인 해영. 마지막 강소라 사진은 떼려다 다시 붙인다.

기자(소리) 진짜 대단해. 얘기한 그 시간에 딱 지성이랑 이보영이 나타난 거야. 다음에 뭐 또 없어?

해영 (벽을 보고 선 채) 이제 없습니다.

기자(소리) 무슨 소리야? 왜?

해영 (돌아서며) 재미가 없어졌거든요.

툭 전화 끊어버리는 해영. 강소라 사진보고 윙크. 그때, 11시 23분으로 넘어가고... 순간 어디선가 울리는 치치칙 치칙 하는 무전기의 잡음. 해영, 퍼뜩 정신을 차리고 부다다 달려가 가방 안에서 어버버 무전기를 찾아낸다. 역시 주파수가 흔들리고 있다.

해영 (무전기에 대고) 이재한 형사님? 형사님, 나에요 박해영! 형사님 덕분에 김윤정 유괴사건 해결했습니다. 뉴스 봤죠?

씬/35 N, 과거, 야산 일각

나무에 기대어 거친 숨을 쉬고 있는 재한의 귓가에 들려오는 해영의 목소리. (1부, 선일정신병원 갈 때와 동일한 의상)

*** 자막 - 2000년 8월 3일**

해영(소리) 그런데, 선일병원에 서형준의 시신이 있었던 건 어떻게 아신 겁니까?

씬/36 N, 현재, 해영의 집

궁금증으로 가득한 해영 질문을 퍼붓는다.

해영 도대체 어디서에 계신 거예요? 아무리 찾아도 못 찾겠던데... 그리고 날 어떻게 알고 있었던 겁니까?

씬/37 N, 과거, 야산 일각

재한, 무전기를 바라보다가 눈빛 서서히 가라앉는다.

재한 박해영 경위님... 나는 이게 마지막 무전일 것 같습니다.

씬/38 N, 현재, 해영의 집

해영 그게... 무슨...

씬/39 N, 과거, 야산 일각.

무전을 하는 재한의 얼굴에서 서서히 화면 빠지면, 가슴과 배 쪽에 피를 흘리고 있다.

재한 하지만 이게 끝이 아닙니다... 무전은 다시 시작될 거예요. 그땐 경위님이 날 설득해야 합니다. 1989년의 나를...

씬/40 N, 해영의 옥탑방

해영, 의아한 얼굴로 무전기 너머에서 들려오는 재한의 목소리를 듣고 있다.

재한(소리) 절대 포기하지 마세요. 과거는 바뀔 수 있습니다.
해영 그게 무슨 얘기죠? 도대체 무슨 얘길 하시는지..

순간, 무전기 너머에서 들려오는 '탕!!' 귀청을 울리는 총소리. 해영, 놀라서 무전기를 바라본다.

해영 ...형사님... 형사님? 거기 있습니까? 괜찮은 거예요?

하는데, 툭 끊어지는 무전기. 해영, 무전기를 치면서 '형사님!' '형사님!'하지만, 무전기 너머는 조용하기만 하다. 놀라고 떨리는 혼란스러운 시선으로 무전기를 바라본다. 그런 해영의 모습에서

씬/41 D, 광수대 건물 외경

씬/42 D, 광수대 사무실

널찍한 사무실 안. 사무실 안 좁은 복도를 사이에 두고 강력 1팀, 강력 2팀으로 나누어진 배치. 각 팀에는 대 여섯 명 정도의 강력계 형사들이 컴퓨터 작업, 혹은 전화, 서류 업무 등을 하고 있고, 그 사이 서류 들고 심부름하고 있는 20대 초반의 앳된 얼굴의 황의경(20대 초반, 남) 그런 광수대 사무실로 짐이 실린 박스를 들고 들어서는 계철과 헌기. 순간 오고 가던 근육질 덩어리 형사들, 그런 두 사람을 빤히 쳐다본다.

계철 뭐야. 형사 처음 보나?

그런 계철의 말에도 그저 가만히 두 사람을 보는 형사들. 계철, 그런 형사들 중 의경 발견하고

계철 너, 일루와봐.
의경 예?

하고 앞으로 나서려는 의경을 잡는 다혈질로 보이는 강력 1팀 강 형사(30대 초반, 남).

강 형사 어딜가?
의경 (난감한 눈빛으로 보는)

계철 (의경에게) 일루오라구.

강 형사 가지말라구

의경, 난감해서 두 사람 번갈아 보는데, 강 형사, 옆을 지나던 침착해 보이는 문 형사(30대 중반, 남)

문 형사 (강 형사에게) 그만해. (의경에게) 뭐해. 안내해드려.

의경, 그제야 계철과 헌기에게 다가가서 상자 받고 가려하고 문 형사, 형사들에게 들으라는 듯

문 형사 고작 몇 달 있다 없어질 사람들 아냐? 잘해줘라

계철, 욱해서 보는데

헌기 참으십쇼. 뭐 틀린 말도 아닌데.

형사들, 각자 일하러 자리로 흩어지고 의경과 함께 사무실로 걸으며

헌기 (의경 보고) 근데 요즘 광수대 물 좋아졌네. (계철 보고 의경 가리키며) 얘, 좀 나랑 분위기가 비슷하지 않아요?

의경 (뭐야? 보는)

계철 (의경에게) 니가 참아. 살다보면 이런 일도 있지 뭐 (하다) 넌 이름은 어떻게 되고?

의경 황의경입니다.

계철 그러니까, 이름이 뭐냐구?

의경 의경이라구요. 황의경.

계철 ...순경도 아니고 해경도 아니고... 뭐 이런 운명적인 이름이 다 있어?

하는데, 사무실 가장 끝에 다다른 의경 뒤돌아보며

의경 여깁니다.

계철, 헌기 보는데 기가막힌 얼굴이 되는.. 광수대 사무실 가장 끝 창고로 쓰던 듯한 공간. 볼품없이 초라한 구형 책상 네댓 개가 파티션도 없이 놓여 있고 미처 치우지 못한 박스며 집기류 잔재들이 남아있고 그 위로 '장기미제 사건 전담 수사팀'이란 팻말 매달려 있다.

씬/43 D, 광수대 사무실 내, 장기미제 전담팀(이하 장기미제 전담팀이라 칭함)

휑한 책상에 짐 내려놓고 기가 막힌 얼굴로 주변 두리번거리는 계철. 헌기는 여기저기 탈취제 뿌리면서 짐정리 하는 중이고...

계철 이거 완전 셋방살이가 따로 없네.
헌기 하, 냄새. 광수대 애들은 청소두 안하나...

그때, 짐들고 사무실 안으로 들어서는 수현.

계철 아, 차수현 경위. 사무실이 이게 뭐야. 모냥빠지게. 위에다 말 좀 해봐라.

수현, 매번 계철의 푸념을 무시한 듯 힐긋 보고 넘어가고 자기 책상 쪽으로 가는데, 빈 책상 하나를 본다.

수현 여긴 누구자리야?
계철 뭐 구색 맞춘다고 프로파일러 한 명 온다는게.. 제대로 된 인간이 오겠어? (하다) 설마... 지가 무슨 프로파일러라고 설치고 다니던 그 개자식이 오는 건 아니겠지? (손으로 입 가리며) 아냐... 말이 씨가 돼. 에이 아냐. 그럴 리 없어.

그때, 입구 쪽으로 들어서는 치수. 치수가 들어서자, 계철, 헌기 발딱 일어서고 수현, 어딘가 못마땅한 얼굴인데... 치수, 한 명씩 보다가 수현 책상 위에 들고 온 자료를 툭 던져놓는다. '경기남부 연쇄살인사건 개요'라고 적혀 있다. 다들, 멈칫해서 보는

수현 ...이게 뭡니까?

치수 다들 경찰 밥 먹은지 꽤 됐으니, 이 사건을 모르는 사람은 없겠지. 경기남부 연쇄살인사건. 대한민국에서 가장 대표적인 미제 사건이다.

씬/44 과거, 몽타주

- 밤, 어두운 시골 국도를 달리는 버스 한 대.
- 버스 안, 1987년 시절을 알 수 있는 광고판들에서 버스 내부 보이면, 늦은 밤. 몇 명 밖에 보이지 않는 손님들. 뒷문 쪽에는 피곤해 보이는 안내양. 버스를 운전하는 기사 보이는데, 승객들 중 귀에 이어폰을 꽂은 여대생, 하차하려는 듯 뒷문으로 다가간다.
- 국도, 정류장에 멈춰 선 버스 출발하고 나면, 버스에서 내린 여대생 홀로남고, 정류장의 밝은 불빛에서 서서히 어둠이 도사린 논두렁길을 따라 집으로 돌아가기 시작한다. 여대생이 듣고 있는 카세트 플레이어에서는 당시 유행하던 음악이 작게 흘러나온다. 그때, 야수처럼 논에서 튀어나오는 검은 그림자. 여대생을 난폭하게 낚아채고 반대쪽 논두렁길로 사라지고... 그리고 논두렁길 위에는 바닥에 떨어진 카세트 플레이어에서 흐르기 시작하는 당시의 유행가.
- 음악에 맞춰 점차 빠르게 교차되기 시작하는 화면. 논두렁길에 둘러진 폴리스 라인 너머, 시신으로 발견된 여대생을 살펴보고있는 경찰들의 모습. 현장사진 느낌으로 여러 각도에서 찍힌 스틸 컷들. 죽은 여대생은 몸이 두 손, 두 발이 등 뒤에서 하나로 묶여있고, 손발을 묶은 독특한 모양의 매듭도 줌으로 보여진다. 그 위로

치수(소리) 1987년 12월 3일, 경기남부 오성산 인근 논두렁길에서 최초의 피해자 발견.

이하, 더욱 빠르게 교차되는 사진들. 이후 피해자들 모두 등 뒤로 손발

이 함께 묶인 특정한 자세로 발견되고, 매듭 역시 항상 동일한 모양으로 묶여있다.
- 저 멀리 버스정류장이 보이는 오성산 근처에서 발견된 두 번째 피해자의 현장 사진.
- 논두렁 옆, 농수로에서 발견되는 세 번째 피해자.
- 논밭, 쌓아놓은 볏단 옆에서 발견되는 네 번째 피해자
- 야산 일각에서 경찰들에 의해 발견되는 다섯 번째 피해자.
- 갈대밭에서 발견되는 계숙의 시신.

그런 사진들 위로

치수(소리) 그 후로 삼년 동안 그놈에게 살해된 희생자만 무려 열 명. 등 뒤로 손발을 결박한 뒤 목을 조르는 범행 수법과 독특한 매듭. 비가 오면 죽는다. 빨간 옷을 입으면 죽는다. 사회적인 괴담까지 나돌 정도로 가장 유명했던 사건.

씬/45 D, 장기미제 전담팀

팀원들을 바라보며 얘기를 하는 치수.

치수 투입된 경찰 인력만 천여 명, 아무리 과학수사가 발달하지 못한 시대였다고 해도 범인의 그림자 하나 발견하지 못한 가장 치욕스러운 사건. 장기미제 전담팀의... 첫 번째 사건이다.

수현, 확 열받은 얼굴이고.. 계철, 헌기는 뜨악한 모습.

씬/46 D, 광수대 건물 복도

뚜벅뚜벅 누군가가 장기미제 전담팀을 향해 걸어오고 있다.

씬/47 D, 장기미제 전담팀

치수를 바라보고 있는 수현.

수현 경기남부 연쇄살인사건이요? 그냥 우리보고 놀라 그러시죠.
계철 어허, 차 형사! 계장님한테...
수현 26년 전 사건입니다. 수사자료, 현장 사진 하나 제대로 남아있는게 없는데 무슨 수사를 합니까. 게다가 이 인력으로는 불가능합니다.

하는데, 출입구 쪽에서 들려오는 목소리.

해영(소리) 해볼만 하겠는데요?

일동, 문쪽을 돌아보면 짐상자 들고 들어서는 슈트를 쫙 빼입은 해영이다. 수현, 잉? 어떻게 저 인간이... 계철 역시 해영을 알아보고 움찔, 헌기는 누구지? 치수는 이미 알고 있었던 눈치.

계철 (조용히) 왜 이놈의 감은 틀린 적이 없니...
해영 (들어와서 자기 책상 위에 짐상자 내려놓으며) 장기미제 전담팀의 역사적인 첫 사건인데... 경기남부 연쇄살인사건 정도는 되야죠. 안 그래요?

수현, 뭥미.. 하는 얼굴로 보는데

치수 다들 초면은 아니지? 앞으로 전담팀의 범죄자 행동분석과 범죄 유형 파악 그리고 자백 유도 전략 업무를 맡게 될 박해영 경위다.

해영, 수현에게 '오랜만...' 악수 건네려는데, 수현, 개무시하며 치수에게

수현 선무당한테 사람잡으라고 하시죠.
해영 (움찔) 선무당...
수현 (해영 쪽은 신경도 쓰지 않고 치수에게) 관련 학위도 없고, 경력도 없고, 수사연수원 교육과정도 안 거친 친구가 프로파일러요?

해영 (점점 기가 막힌)

수현 증거가 불충분한 장기미제 사건의 경우 프로파일러의 역할이 가장 중요합니다. 아무나 말고 제대로 된 친구로 주시죠.

해영 뭐요? 아무나?!

헌기, 이게 무슨 상황인가? 보는데

치수 차수현. 더 이상 지원은 없어. 받기 싫으면 받지 마. (시선 돌려 모두를 보며) 이 사건은 우리 경찰의 명예뿐 아니라 전 국민이 관심을 가지는 사건이다. 일하고 싶지 않은 사람은 당장 신분증 반납하고 빠져.

굳은 표정으로 나가버리는 치수.

해영 (수현에게) 아무나요?

수현 (기분 나쁘다 자기 책상으로 가서 앉는)

해영 (주변을 둘러보는) 이봐요, 다들 분위기가 왜 이럽니까?

계철 아니, 프로파일러란 사람이 그렇게 머리가 안 돌아가? 뇌가 없나?

해영 나?

계철, 그때서야 해영의 목에 걸린 신분증이 눈에 들어온다. '경위 박해영'에 시선 가는 계철. 하... 미치겠다.

계철 (하... 직급이 발을 잡는다)...그러니까... 인터넷에 경기남부 연쇄살인사건 치면 여기저기 사건에 대한 얘기들이 넘쳐나니까, 범인 쉽게 잡을거 같죠? (일부러 더 존칭에 힘주며 비꼬듯) 박해영 경위님 귀 파고 내 말 잘 들으세요. 그때 현장에서 발견된 머리카락, 혈흔 증거 다 없어졌어요. 설사 범인을 잡았다고 해도, 비교 가능한 DNA가 없다는 겁니다.

해영 머리카락, 혈흔 하나 남아있지 않다. 그러니까 문제라는 거예요. 증거물 관리하나 제대로 못했다는 거잖아요. 그뿐이 아니지. 대한민국에서 경기남부 연쇄살인사건 수사 엉망이었던 거 모르는 사람 있습니까?

수현 (그 순간 눈빛이 차가워지는)

해영 그 사건뿐만이 아닙니다. 다른 미제 사건도 똑같아요. 다들 바쁘고 시간 없다고 대충대충...

수현 (싸늘한) 지금 이게 애들 장난 같지...

해영 (보는)

수현 그 수사에 자신의 목숨을 바친 사람도 있어. 잘 알지도 못하면서 함부로 나불거리지 말라고.

해영, 그런 수현을 가만히 본다. 두 사람 사이에 흐르는 정적. 수현도 해영을 바라보는데

해영 (괜히) 지금, 같은 경찰이라고 편드는 거에요?

계철 아, 거 보자 보자 하니까 말 한번 더럽게 예쁘게 하네! 당신도 경찰 이잖아!

해영 경찰이라고 다 같은 경찰은 아니죠. 난 새로운 경찰, 그쪽은 옛날 경찰.

계철 (못 참겠다) 아, 이 뺀질이 새끼! 너 일루와바. 계급장 떼고 한판 붙자.

계철, 해영 잡으려고 몸 날리고 해영, 그 기세에 뒤로 물러나며 테이블 너머로 도망(?)치며 '어어, 진짜 이러다 한 대 치겠네' 계철과 해영, 왔다 갔다 정신없고 그런 계철을 말리는 헌기. 수현은 기가 막힌 얼굴로 난장판을 바라보는데, 진짜로 해영 한 대 패는 계철. 결국 개싸움이 되버리는데...

수현 (한숨만 나오는) 아... 진짜 가지가지 한다!

씬/48 N, 장기미제 전담팀

모두 퇴근한 듯 텅 빈 전담팀 사무실.

아까 난투극의 결과인 듯, 코에 휴지 박고 홀로 앉아서 치수가 놓고 간 '경기남부 연쇄살인사건' 서류를 검토 중인 해영. 하다가 머리 아픈 듯, 확 자료 집어던진다.

해영 봐봐, 대충대충... 과학이건 이성이건 찾아볼 수가 없어! 이러니 범인을 못 잡지.

하... 머리 아픈 듯 고개 돌리다가... 문득 생각난 듯, 가방을 바라본다. 가방 안에서 서류들 몇 장을 꺼내는 해영. 보면 모두 이재한이란 이름이 적힌 이력서들이다. 이재한이란 이름을 가만히 보는 해영.

- 인서트
2부, 40씬. 무전기 너머에서 들려오는 '탕!!' 귀청을 울리는 총소리를 듣고 놀라는 해영.

- 현재, 미제 전담팀 사무실로 돌아오면 이력서를 한 장 두 장 넘겨보는 해영.

해영(소리) 대한민국 경찰청에 보관된 이재한이란 이름의 이력서는 총 열다섯 장. 목소리로 가늠해 봤을 때, 50대 이상 제외하면 아홉 장. 현직에 있는 세 명 제외하면 여섯 장.

- 인서트
- 캡스 같은 보안업체에 있는 '대리 이재한'이란 명패. 틸업하면 재한과는 거리가 먼 다른 사람. '김윤정 유괴 사건이요? 난 그런 건 모르는데..'
- '대한 흥신소 소장 이재한'이란 명패가 놓인 책상에 앉아있는 또 다른 이재한 역시 고개를 가로젓는다. 낙담한 얼굴의 해영.

해영(소리) 이직한 사람들 중 김윤정 유괴사건과 관련이 없는 사람들이 세 명.

- 다시 현재, 회의실로 돌아오면 남은 이력서는 세 장. 첫 번째 이재한은 마흔 살. 2015년에 '근무 중 사망', 두 번째 이재한은 서른여섯 살, 2013년에 '퇴직' 그리고 마지막 이력서를 보면, 과거, 재한의 증명사진과 함께 이력이 씌여 있다.

1989년, 88올림픽 유도 국가대표 상비군 출신.
1989년~1991년, 경기남부 영산서. 직급 순경.
1991년~1994년, 서울 남부서. 직급 경장.
1994년~1999년, 형사기동대. 직급 경사.
2000년, 진양서. 직급 경사.
2001년, 직권면직.

해영 ...이 셋 중에 하난데...

씬/49 N, 거리 일각

밤, 저 앞 따뜻한 불빛이 흘러나오는 시계방을 보며 천천히 걸어오는 수현. 가게 앞에 도착하는데 유리문 너머 가게 안에서 시계를 수리 중이던 재한 父(60대 후반, 남)와 시선 마주친다. 수현, 보다가 미소로 꾸벅 목례. 재한 父, 오래 본 사이인 듯, 수현 보고 미소.

씬/50 N, 재한 父의 시계방

재한 父 한쪽 눈에 돋보기를 끼고 시계를 수리하고 있다. 그 옆에 믹스커피 마시며 기다리는 수현. 어딘가를 보면서 미소, 시선 쫓아가보면 시계방 위에 붙여진 부적이다.

수현 또 절 다녀오셨어요?
재한 父 뭔 절이야. 이제 끊었어. 부적 써두 약빨두 없고..
수현 (재한 父 보는)
재한 父 (여전히 시선은 시계 고치며) 요즘은 선 안봐?
수현 왜요? 선 봤으면 좋으시겠어요?
재한 父 아이고.. 여자 마음은 갈대라더니... 우리 아들내미 좋다고 목맬 땐 언제고...

하다, 시계 수현에게 건네며

수현	됐어요? (시계차는)
재한 父	이제 버려. 눈도 컴컴한 노인네 괴롭히지 말고
수현	(미소 지으며 보면)
재한 父	15년이잖아... 이제 그만 오라구...

수현, 말없이 미소 짓다가... 천천히 시선 돌려, 가게 한켠에 놓인 사진들을 바라본다. 재한과 재한 父가 함께 찍은 사진부터 재한의 사진들이 곱게 놓여 있다. 마지막 사진을 보는 수현. 처음 순경이었을 1989년, 풋풋한 모습의 재한이다.

수현	...선배님, 첫 사건이... 그 사건이었다고 하셨죠? 경기남부 연쇄살인사건...
재한 父	(다시 일하면서) 맞아. 그때 처음 경찰이 됐었어. 범인 잡겠다고 난리도 아니었지...
수현	(사진을 본다)
재한 父	(그때가 생각나는 듯 아련해지는) 그런데... 나중에 그러더라고... 자기 손으로 잡진 못했지만... 누군가는 잡아줄거라고... 자기 대신 누군가가 꼭 잡을거라고...

수현, 그런 재한 父를 보다가... 다시 1989년의 재한의 사진을 가만히 바라본다.

씬/51　　N, 과거, 경기남부, 야산 일각

어두운 야산, 컹컹컹 짖는 수색견들의 소리. 수많은 인원들의 플래시가 야산을 헤매고 있다. 그런 경찰들 중, 모자를 푹 눌러쓰고 수색 중인 누군가의 모습.

씬/52　　N, 장기미제 전담팀

이력서를 바라보고 있는 해영. 11시 23분에 도착하는 시계바늘. 또다시 '치치칙' 소리와 함께 울리는 무전기의 잡음. 이게 무슨 소리지? 고개 퍼뜩 드는 해영. 다급히 책상 서랍들에서 무전기를 찾는다. 가장 마지막 서랍에 있는 무전기를 꺼내들고는

해영 (다급히) 형사님! 이재한 형사님?

씬/53 N, 과거, 경기남부, 야산 일각

거대한 플래시를 들고 낑낑 흙먼지 투성이가 돼서 야산을 뒤지고 있는 누군가의 허리춤에 매단 무전기에서 소음이 들려오고, 무전기 받으려고 이것저것 하다가 플래시 떨어뜨리고 야산에서 으으으으 미끄러지는 누군가... 겨우 정신 차리고 무전기를 들고

재한 순 스물 둘, 경기 영산서 순경 이재한. 누구십니까?

씬/54 N, 현재, 장기미제 전담팀

해영 (재한 말투에 좀 의아한) 이재한 형사님... 맞습니까? 나 박해영 경위에요. 그 동안 무전이 없어서 걱정했어요. 무사하신 거죠?

씬/55 N, 과거, 경기남부, 야산 일각

어리바리, 경찰 모자를 고쳐 쓰는 누군가의 얼굴 이제야 확실히 보이는데 20대 초중반의 앳된 얼굴의 재한이다. 모자 눌러쓰느라, 잘 못 듣고 '박해영 경위'소리만 확실하게 듣는...

재한 경위... (짜증) 지금 찾고 있다고... 또 뭘 갖고 걸고 넘어지려고... (무전기 누르며) 순 스물둘, 경기 영산서 이재한. 새로 지원 나온 팀입니다. 관할서 형사님이십니까? 현재, 위치. 오성산 남쪽, 실종자 수색중입니다!

씬/56 N, 현재, 장기미제 전담팀

해영 (의아한) 실종자요?

씬/57 N, 과거, 경기남부, 야산 일각

재한, 치치칙 무전 잡음소리에 '실종자...'정도만 들려온다. 다시 빠른 어조로 수색과정을 설명하는 재한.

재한 (아씨.. 그거 하나 못 알아듣고... 더 크게 짜증을 숨기며) 현재 실종 장소로 추정되는 3번 국도를 따라 실종자 이계숙, 수색 중입니다.

씬/58 N, 현재, 장기미제 전담팀

해영, 뭔가 의아한 얼굴.

해영 이계숙... 오성산이요? 경기남부 연쇄살인사건 말씀하시는 겁니까? 7차 사건? 3번 국도, 아카시아 숲 옆 갈대밭에서 발견됐잖아요.

씬/59 N, 과거, 경기남부, 야산 일각

재한 (무슨 얘기지? 멈칫) 3번 국도 옆 갈대밭이요?

씬/60 N, 현재, 장기미제 전담팀

의아한 얼굴이 되는 해영. 앞쪽에 놓인 경기남부 연쇄살인사건 자료들 보다가

해영 대한민국 경찰 중에 그걸 모르는 사람도 있습니까? 7차는 3번 국도 옆 갈대밭. 8차는 현풍역 기찻길.

씬/61　N, 과거, 경기남부, 야산 일각

뭔 얘길 하는 거야? 하는 얼굴로 해영의 무전을 듣고 있는 재한.

해영(소리)　9차는..._

순간, 갑자기 들려오는 귀청을 찢을 듯 한 호루라기 소리.
놀라서 빠르게 그곳을 바라보는 재한, 다급히 뛰기 시작한다.

씬/62　N, 현재, 장기미제 전담팀

무전기 건너편에서 들려오는 호루라기 소리와 '어디야?!!' '발견됐습니다!!' 등등의 소음 들려오다가 뚝 끊어지는 무전. 뭐지? 혼란스러운 시선으로 무전기를 바라보는 해영.

씬/63　N, 과거, 경기남부, 야산 일각/국도변

어둠 속에서 어지럽게 흔들리는 몇 십개의 플래시 불빛들과 구둣발 소리/ 역시 호루라기 소리가 들려오는 곳을 향해 뛰어가고 있는 재한과 다른 순경들/ 달려가는 재한의 시선으로 소리의 근원지가 보이기 시작한다. 오바이트를 하고 있는 순경 1. 역시 입을 막고 충격으로 굳은 눈빛으로 갈대밭 쪽을 향해 플래시를 비추고 있는 순경들. 재한, 숨이 턱까지 차서 그런 순경들 옆으로 다가서는 순간, 재한의 시선에 들어오는 흐드러진 갈대밭 사이, 플래시 불빛에 비춰진 흙이 묻은 채 더럽혀진 여자의 보드라운 맨발이다. 숨이 멎을 듯 놀라 떨려오는 재한의 눈빛. 어지럽게 움직이는 플래시 불빛 사이로 보이는 광경. 역시 진흙이 묻은 채, 뒤에서 스타킹으로 결박된 두 손과 두 발. 헝클어진 머리카락 사이로 보이는 차마 감지 못한 생기가 사라진 두 눈. 누군가에 의해 살해된 스물한 살, 사망한지 2주 정도 경과된 이계숙의 시신이다. 겁먹은 시선으로 뒷걸음질을 하는 재한. 한 명 두 명 점점 더 모여드는 순경들. 무전을 때리는 순경들의 다급한 목소리. 우왕좌왕 마구 여기저기를 비추는 플레쉬 불빛들이 어지럽게 난무하는데, 뒤로 물러서던 재한의 시선에 들어오는 뭔가. 재한, 그곳을 향해 자신의 플래시를 비춘다. 갈대밭 너머, 무성한 아카시아나무 숲이다. 놀랍고 믿기지 않는 눈빛으로 아카시아 숲을 보다가, 갈대밭을 본다. 그리고 뒤돌아, 국도변을 바라보다가, 어둠에 휩싸인 국도로 걸어 나가는... 늦은 밤, 차 한 대도 지나다니지 않는 국도, 어딘가를 플래시로 비추는 재한. 바람에 삐꺽 소리를 내고 있는 '영산리 3km'라고 적힌 표지판이다. 표지판 한편 3번 국도를 뜻하는 ③이라는 번호를 비추는 플래시 불빛. 재한, 그런 표지판을 떨리는 시선으로 보다가, 아카시아 숲, 갈대밭을 혼란스러운 시선으로 바라본다. 그런 재한의 눈빛위로

해영(소리) 3번 국도, 아카시아 숲 옆 갈대밭에서 발견됐잖아요.

믿기지 않는 듯, 다시 한 번 주변을 빠르게 둘러보는 재한.

재한 도대체... 그 사람... 누구야?

혼란에 빠진 재한의 모습에서 빠지면, 어두운 국도변 한편에 걸려있는 '문익환 목사 방북 규탄대회 주최 대한자유총연합 일시 1989년 11월 25일'이라고 적힌 현수막이 펄럭이고 있다.

*** 자막 - 1989년 11월 4일**

씬/64 N, 현재, 장기미제 전담팀

해영, 도대체 뭐가 뭔지 모르겠는 얼굴로 바라보다가 시계를 바라본다. 11시 23분에서 24분으로 넘어가고 있다. 날짜 보면 2015년 10월 20일.

씬/65 D, 현재, 광수대 건물 외경

씬/66　　　　D, 장기미제 전담팀

8시 50분을 가리키는 시계. 사무실로 들어서던 계철과 헌기. 어느새 화이트보드에 가득 적혀진 경기남부 연쇄살인사건에 대한 개요. 1차부터 10차까지 적혀있는 피해자 이름과 장소 등... 빼곡하게 적어놓고 있는 해영이다.

헌기　헐... 대박.

계철　꼭 공부 못하는 애들이 이래.

그때 들어서는 수현, 힐끔 해영 보는...

씬/67　　　　D, 동장소

각자 책상에 앉아 있는 해영, 계철, 헌기. 수현, 그런 사람들을 보며

수현　다들 알겠지만, 어디가서 환영받을 생각은 꿈도 꾸지 마. 미제 사건을 다시 수사한다는 건. 당시 경찰들한테 너네 수사 잘못했다는 걸 인정하라는 거야. 그때 왜 그쪽은 안 파봤어? 왜 그렇게 무능했어... 우리가 해야 할 질문들이 이런 거란 거지. 살면서 들을 욕 앞으로 다 먹는다고 각오해. 그래도 그만큼 장수할 테니까 너무 억울해하진 말고.

계철　하... 내 팔자야...

수현, 계철의 반응 무시하고 두꺼운 명단을 테이블 위에 올려놓는다.

수현　당시 경기남부 연쇄 사건을 담당했던 형사들 명단이야. 한 명도 빠짐없이 모두 만나야 돼. 모두의 기억들, 모두가 갖고 있는 자료들을 긁어모아야, 우리만의 수사 방향이 생길 수 있어.

수현의 얘기 깔리면서 보이는 팀원들의 얼굴. 화이트보드에 적혀 있는 열 명의 피해자들.

수현 내가 유가족 맡을 테니까, 김계철 선배는 당시 수사했던 강력반 형사들을 담당하고, 뭐든 자료들이 생기면, 바로 박해영 한테 넘겨. 증거물은 정헌기 요원이 담당하고. 이상.

- 시간 경과되면
사무실 자기 책상위에 자료들을 펴기 시작하는 해영. 계철, 외출하려는 듯 웃옷 들다가 해영과 시선 마주치면

계철 옛날 형사님들 만나러 가볼까..

수현. 역시 외출하려는 듯 수첩 들고 웃옷 들고 나가려다가... 해영 힐긋 본다.

해영 비꼬려면 꼬세요. 난 나대로 수사할 테니까.

수현, 그런 해영 기가 막힌 듯 보다가 수첩 사이에 끼워놨던 불투명 비닐봉지에 든 빛바랜 사진들을 건넨다.

수현 밥 드실때 철도 좀 같이 드시지.
해영 (사진보는) 이게 뭡니까?
수현 팀웍이란 거다.

해영, 사진 꺼내보면 현풍역이 찍힌 현장사진들이다.

수현 아는 선배님이 개인적으로 보관하고 있던 사진이야. 7차 이계숙 사건이랑, 8차 현풍역 사건. 돌려드리기로 약속한 거니까, 잃어버리면 죽는다.

수현, 나가고 해영, 그런 수현 뒷모습을 보다가 피식 웃는... 다시 시선

돌려 수현이 주고 간 사진들을 한 장 두 장 보기 시작한다. 그런 사진들 중에서 현풍역 기찻길 사진에서

씬/68 **N, 과거, 현풍역 기찻길**

해영이 바라보던 전씬의 사진에서 석양이 내려앉고 있는 과거 현풍역 기찻길로 서서히 오버랩되는 화면. 기찻길 레일 옆으로 당시 유행했을 법한 구두를 신은 여자가 걷고 있다.

*** 자막 - 1989년 11월 5일**

그런 여자의 뒤를 쫓고 있는 듯한 남자의 운동화. 여자가 멈추면, 똑같이 멈추고, 다시 걷기 시작하면 은밀하게 그 뒤를따르른다. 여자의 얼굴 비추면, 참하고 청순하게 생긴 얌전한 차림의 원경(20대 초반, 여)이다. 뒤에서 누가 쫓아오는 걸 아는지 모르는지, 그저 조용히 갈 길을 가고 있는데...

씬/69 **N, 과거, 골목길 일각**

해가 완전히 진 기찻길 옆에 위치한 골목길. 당시의 허름하지만 정겨운 느낌의 작은 주택들이 다닥다닥 붙어있다. 그런 골목길을 꺾어드는 원경. 그 뒤를 바싹 붙기 시작하는 운동화. 자신의 집 문 앞에 도착한 원경, 가방 안에서 열쇠 꾸러미를 찾기 시작한다. 뒤에서 쫓던 발걸음, 마치 원경을 덮칠 듯, 더욱 빨라진다. 열쇠 꾸러미를 떨어뜨리는 원경, 그 뒤를 더욱 따라붙는 운동화. 원경, 매우 위태로워 보이는데 순간 삐걱 소리와 함께 문 열리면서 양손에 검은색 쓰레기봉투 들고 나오는 40대 후반의 이모, 원경과 마주친다. 이모 나타나자, 운동화 바로 옆의 전봇대에 숨는데..

이모 (쓰레기봉투 현관 옆에 놓으며) 이제 오니?

원경 (착한 미소) 예.

원경과 함께 집으로 들어가는 이모, 삐거덕 현관문을 닫으며 밖을 보는데, 닫히는 문 사이로 전봇대 위 가로등 불빛에 전봇대 뒤에 숨은 누군가의 발이 확연히 보인다.

씬/70 N, 과거, 원경의 집 마당

원경의 뒤를 따라 들어서는 이모 쯔쯔 혀를 찬다.

이모 오늘도 또 그놈이냐?

원경 (그저, 말없이 미소. 가방 놓고, 마당 수도꼭지에서 물 틀어, 손 씻기 시작하는)

이모 (부엌 앞에 놓인 또 다른 쓰레기봉투를 들며) 남자가 되갖구 좋으믄 좋다구 말을 하면 되지. 허구헌 날 뒤만 졸졸 쫓아다니니.. 그래도 경찰이랍시구, 지가 좋아하는 여자는 지켜주고 싶은가 보다.

씬/71 N, 과거, 골목길

조용해진 골목길, 가로등 불빛 사이로 슥 원경의 집 쪽을 바라보는 얼굴. 바로 재한이다. 원경의 집 동정을 살피는 눈빛에는 원경에 대한 설렘이 가득하다. 혹여라도 담 너머로 원경의 얼굴이라도 볼 수 있을까 싶어 은밀하게 문 쪽으로 다가가는데, 갑자기 삐꺽 문 열리며 쓰레기봉투 들고 나오는 이모와 정통으로 마주친다.

재한 (누가 봐도 어색한) 친구 집이 (어색한 걸음걸이로 지나가며) 이사갔나?

그런 재한의 뒷모습을 어이없이 보는 이모. 무안한 재한의 걸음걸이는 미친 듯이 빨라진다.

씬/72　　N, 과거, 현풍역, 기찻길

재빨리 골목에서 튀어나오는 재한. 뒤 보다가, 뒤따라오는 사람이 없는 걸 확인한 뒤, 휴... 다시 정신 차리고 걸어가다가, 저 앞쪽으로 현풍역 역사가 보인다. 멈칫... 그런 재한의 모습 위로

해영(소리) 대한민국 경찰 중에 그걸 모르는 사람도 있습니까?
7차는 3번 국도 옆 갈대밭. 8차는 현풍역 기찻길.

다시 고개 돌려, 어둠에 휩싸인 기찻길을 바라보는 재한의 시선에는 불안감이 감돈다.

재한 현풍역... 기찻길...

씬/73　　N, 과거, 오성서 사무실

낮은 조도의 형광등 불빛. 형사들의 책상 위에 놓인 타자기, 재떨이. 누군가 먹다 남은 듯한 짜장면 그릇들 아래 펼쳐진 당시 신문지들. 그런 사무실 곳곳에는 피곤에 찌들어 입을 벌리고 자고 있거나, 여기저기널브러져 있는 형사들. 그런 모습들에서 옆으로 팬하면, 사무실 한편에 설치된 작은 텔레비전과 비디오 플레이어. 앞에는 눈이 붉게 충혈된 노부부가 앉아서 화면을 바라보고 있다. 그 옆에는 역시 정말 피곤해 보이는 김창수 형사(당시 40대 중반)가 산더미처럼 쌓인 비디오테이프 중 하나를 플레이어에 넣고 있고

할머니 (눈 부비며) 난 이제 누가누군지도 모르것네. 벌써 3일째 아냐?
창수 그날 밤에 누가 휙 지나가는 걸 봤다면서. 그 놈 잡아야지.
할아버지 정말 시커먼 밤이었다니까.
창수 그래도 보면 감이 확 올 거야. 아버님 젊었을 때 해병대셨다며?

다시 플레이되는 화면 보면, 젊은 남자의 주민등록증 사진을 비디오로 찍은 화면이다. 한명 한명 흘러가는데..

할머니 (하품하며) 근데, 이걸 언제 다봐.

창수 이 근방 사는 젊은 남자애들이 한 둘이에요? 지금까지 이백 명 봤으니까, 앞으로 삼백이십 명 남았네. 자, 기운들 내시고...

그때, 똑똑 노크 소리와 함께 쭈뼛쭈뼛 들어서는 재한. 창수, 일어서서 그런 재한에게 다가가며

창수 누군데, 함부로 들어와?

재한 영산서 이재한 순경입니다. 담당형사님한테 드릴 말씀이 있어서...

창수 (다가오다 뒤돌아 노부부에게) 어어, 화면 보셔야지. 어딜 봐.

다시 창수 뒤돌아 재한에게 오는데, 이미 뒤쪽 노부부는 졸기 시작하고 있고...

창수 내가 담당형산데, 왜?

재한 그게... 말입니다. 수사팀에 박해영 경위님이라고 계십니까?

창수 박해영? 처음 듣는 이름인데... 그 사람은 왜 찾는데?

재한 그게.. 좀 이상한 무전을 들어서... 8차 사건이 현풍역 기찻길에서 벌어진다고...

창수 이게 진짜, 너 지금 사람 하나 더 죽어나가라고 굿하는 거야?

재한 아니, 제가 그런게 아니라, 무전기에서...

창수 나가. 지금 사람 바쁜 거 안 보여? 잠도 제대로 못 자서 죽겠구만. 재수 없게... 가라고!

돌아서서 다시 노부부에게 걸어가는 창수.

씬/74 N, 과거, 현풍역, 기찻길

밤, 과거의 현풍역, 기찻길. 드문드문 낮은 가로등 불빛 아래 기찻길은 음산하기만 하다. 한 손에 과일이 든 검은 봉지를 들고 빠른 걸음으로 걷고 있는 젊은 주부, 미선. 그런 미선의 뒤를 따라 걷고 있는 누군가의 모습. 모자를 깊게 눌러쓴 검은색 면 티를 걸친 남자의 뒷모습. 미선, 걷다가 이상한 느낌에 뒤를 돌아보면, 어느새 사라져 있는 남자. 기차역 한편에 정차해 놓은 커다란 트레일러들을 실은 기차 옆을 지나가는 미선. 한 칸씩 지나가는데, 어느새 기차 반대편에서 미선을 바라보며 걷고 있는 모자남. (얼굴은 모자를 눌러써서 잘 보이지 않는...) 그런 모습 위로 '짝!'하는 소리.

- 또 다른 기찻길.
보면, 플래시를 들고 걷고 있던 재한, 모기가 많은 듯, 자기 뺨을 친다.

재한 (아프다...) 아... 진짜 모기 씨...

하면서 걷다가, 자기가 지금 뭘 하고 있는 건지... 기가 막힌 듯 서는...

재한 내가 헛걸 들었나...

하다가 다시 플래시를 켜고 걸어가는 재한. 재한이 지나가는 곳, 바로 아까, 미선과 모자남이 걷던 바로 그 기차 옆이다.

씬/75 D, 현재, 장기미제 전담팀

'8차, 장소 현풍역 기찻길, 피해자 주부 이미선 나이...'라고 적혀져 있는 화이트보드에서 빠지면 여전히 현장 사진들을 검토 중인 해영. 기찻길 바닥에 뒹굴고 있는 사과들을 찍은 사진. 덤불 사이에 죽은 채 놓여 있는 미선을 찍은 사진을 보는 해영. 그런데 순간, 사진에 노이즈가 걸리는 듯, 사진이 흐릿해진다. 해영, 눈에 뭐가 꼈나? 이상하다. 눈을 부비고 다시 사진을 보는데..

씬/76　N, 과거, 현풍역 기찻길

기차를 지나쳐서 계속 걸어가는 재한. 앞을 비추는 플래시 불빛에 뭔가가 데구르르 굴러 온다. 보면 사과다. 뭐지? 더 앞쪽을 비추면, 달빛 아래 사과 한 두 개가 떨어져 있다. 의아한 얼굴로 떨어져 있는 사과를 쫓아가기 시작하는 재한. 그때 저 앞 수풀쯤에 봉지째 떨어져 있는 사과봉지. 재한, 의아한 시선으로 수풀 쪽으로 다가가다가 소스라치게 놀란다. 수풀 사이, 여자의 발이 나와있다. 헉... 기겁하는 재한. 순간, 겁이 몰려오면서 덜덜덜 떨리는 플래시를 든 손. 천천히 다가가 수풀 사이, 여자를 비추는데, 뒤로 묶인 손과 발. 그리고 입에 물린 재갈. 눈을 감은 채 죽은 듯 보이는 미선이다. 재한... 덜덜덜 떨면서 그런 미선의 얼굴을 플래시로 비추는 순간, 죽은 줄 알았던 미선이 눈을 번쩍 뜬다.
'억!!' 놀라 엉덩방아를 찧는 재한.

씬/77　D, 현재, 장기미제 전담팀

열린 창문 너머로 슥 들어오는 바람에 흔들리는 커튼. 화이트보드에 적혀진 글씨들 서서히 흔들리다가 저절로 움직이며 새롭게 변하기 시작한다. 눈에 뭐가 들어간 줄 알고 눈을 비비고 있는 해영이 보고 있던 사진들 위에도 바람이 살랑 불어오고... 해영, 다시 한번 사진을 확인하는데 깜짝 놀란다. 현풍역 사진들이 모두 오성동 놀이터 사진으로 변해있다. 놀라서 사진을 바라보는...

씬/78　D, 현재, 거리 일각

수첩을 보며 걷던 수현. 그러다가 지나가던 누군가와 부딪치며 수첩 떨어뜨리는... 떨어진 수첩 안의 글씨들, 역시 8차 이후부터 바뀌고

씬/79　D, 현재, 장기미제 전담팀

믿기지 않는 눈빛으로 사진을 바라보는 해영.

해영 이게... 도대체... 왜...

사진 보다가 고개 드는 해영, 더욱 소스라치게 놀라는 그런 해영의 시선 쫓아가보면 화이트보드, 자기가 직접 적은 글씨들 클로즈업으로 잡으면 '현풍역 미수 사건' '생존자 이미선'

놀라서 벌떡 일어서는 해영

씬/80 D, 현재, 거리 일각

78씬에서 이어지는, 수첩을 들어 올리는 수현의 손. 수첩에는 역시 '현풍역 미수 사건' '생존자 이미선'이라고 고쳐져 있지만 수현, 전혀 아무렇지 않게 수첩을 바라본다.

씬/81 N, 과거, 현풍역 기찻길

엉덩방아를 찧은 채 얼이 빠져 미선을 바라보고 있는 재한. 재한과 현재의 해영, 수현의 모습 교차되면서.

2부 끝

시그널 The Signal

3부

씬/1　　D, 현재, 장기미제 전담팀

믿기지 않는 얼굴로 화이트보드에 변한 글씨를 보고 있는 해영. '현풍역 미수사건' '생존자 이미선' 내가 정말 미친 건가? 정신 차리자 양 뺨 때려보다가 다시 보지만, 여전히 글씨는 변해있다. 그때, 뒤쪽으로 커피 들고 지나가는 헌기.

해영, 다급히 그런 헌기를 붙잡고

해영　저거... 정 형사님이 그런 겁니까?
헌기　무슨 소립니까?
해영　피해자 이미선이 생존자로 돼 있잖아요
헌기　(보다가) 맞잖아요. 생존자.

헌기, 자기 자리로 돌아가고... 다시 고개 돌려 떨리는 눈빛으로 화이트보드 이미선을 바라보는 해영.

씬/2　　D, 현재, 거리 일각

떨어진 수첩을 들어 올려 보고 있는 수현. '현풍역 생존자' '이미선'이란 부분을 보는데 울리는 전화. 해영이다.

수현　(전화받는) 왜?
해영(소리)　이미선 말입니다. 현풍역에서 살해당한...

수현, 수첩을 확인하다가

수현　...무슨 소리 하는 거야? 현풍역은 미수로 그쳤잖아.

씬/3　　D, 현재, 또 다른 거리 일각

혼란스러운 얼굴로 운전을 하며 수현과 블루투스로 통화중인 해영.

해영 (점점 더 혼란스러워 지는) 그게 무슨 소리에요. 미수라뇨! 이미선은 죽었어요. 분명히...

씬/4 D, 거리 일각

수현 박해영 프로파일러님. 글씨 못 읽어? 이미선은 그때, 살아났어. 분명히.

씬/5 N, 과거, 현풍역 기찻길

엉덩방아를 찧은 재한, 정신을 추스르는데 미선, 정신이 든 듯, '으으으으' 겁에 질려 뭐라 뭐라 외친다.

재한 (그제야 정신을 수습하고 다가가) 괜찮으세요?

하며, 미선의 묶인 손과 발을 풀려고 하는데, 미선, 더욱 겁에 질린 눈빛으로 뭐라 뭐라 한다.

재한 잠시만요. 곧 풀어드리겠습니다.

미선, 더욱 미친 듯이 비명과도 같은 괴성을 지른다. 그런 미선 시선 쫓아가보면, 재한의 등 뒤로 은밀하게 나타나는 모자 男, 들고 있던 쇠 파이프로 재한을 내려치려는 순간, 재한, 눈치채고 아슬아슬하게 몸을 날려 피하고, 다시 그런 재한을 내려치려는 모자 男에게 달려드는 재한. 한방을 먹이고, 엎치락뒤치락 하는 모자 男과 재한. 그러다가 재한의 손길을 뿌리친 뒤, 도주하기 시작하는 모자 男. 재한, 역시 다급히 정신을 차리고, 그 뒤를 쫓기 시작한다. 기찻길을 벗어나 골목길로 꺾는 모자 男.

씬/6 N, 과거, 골목길 일각/대로변

빠르게 도주하던 모자 男. 그 뒤를 쫓는 재한. 모자 男, 미로 같은 골목길에서 보일 듯 보일 듯, 자꾸만 사라진다. 그 뒤를 헐떡거리며 쫓는 재한의 시선. 이대로 놓칠 듯 보이는데... 드디어 골목이 끝나고, 한산한 시골 소읍 분위기의 대로변으로 나서는 순간, 휙 앞쪽으로 뛰어가는 검은색 티를 걸친 남자를 발견하고 덮친 뒤, 주먹으로 한 방 먹여버린다. 범인을 제압한 뒤 헉헉거리며 벌벌 떨리는 손으로 겨우 수갑을 채우는 재한의 등 뒤로 멀리 희미한 두 개의 점처럼 보이는 버스의 브레이크 등.

씬/7 D, 현재, 아파트 경비실 앞

경비실 창문을 두드리는 손, 보면 해영이다. 창문 열리면서 나오는 얼굴, 과거보다 훨씬 늙고 초췌해진 창수(70대 초반).

창수 무슨 일이시죠?

해영 (신분증 보여주며) 서울지방경찰청, 박해영 경위입니다. 경기남부 사건 담당 형사였던 김창수 씨 맞죠?

창수 (경찰 신분증 보자 얼굴 무섭게 매서워진다)

씬/8 D, 현재, 아파트 일각

아파트 뒤편, 인적이 없는 재활용 쓰레기장 같은 곳으로 걸어 들어오는 창수. 그 뒤를 빠르게 쫓는 해영.

해영 잠시만요. 하나만 확인하면 됩니다.

창수 가! 난 할 말 없어.

해영 현풍역이요. 거기서 이미선이 살아난게 확실합니까? 그때 무슨 일이 있었던 거예요?

'현풍역'이란 소리에 우뚝 멈춰서는 창수. 뒤를 돌아보는데 눈가가 더욱 매서워있다.

창수 모두... 그 빌어먹을 순경 놈 때문이야... (이를 갈 듯이) 영산서 소속 이재한 순경...

해영 (멈칫) 이재한...이요?

창수 이상한 무전을 받았다는 헛소리나 지껄이더니...

해영 (믿기지 않는) 무...전...

창수 그 놈이 모든 걸 망쳤어! 그놈이!!

믿기지 않는 얼굴로 무섭게 자신을 노려보는 창수를 보는 해영.

씬/9 N, 과거, 오성서 건물 앞

소식을 들은 듯, 쾅 건물 문 열리며 뛰쳐나오는 당시의 창수를 비롯한 형사들. 설마... 하는 기분도 있지만, 묘한 흥분과 긴장이 겹쳐 있다. 그런 건물 앞, 사이렌을 켜고 서 있는 순찰차에서 내려서는 재한. 여기저기 피투성이에 지친 얼굴로, 뒷문을 열고 누군가를 끌어내린다. 보면 수갑을 찬, 검은 티의 사내. 재한에게 맞은 듯 여기저기 멍이든 신경질적인 얼굴의 20대 초반의 최영신이다. 창수, 그런 영신을 일으켜 세우는

창수 (보다가 재한에게) 이놈이야?

재한 현장에서 체포했습니다. 이놈한테 당할 뻔 했던 증인도 있습니다.

창수, 그런 재한을 보다가... 영신을 본다.

영신 난 아닙니다...

영신 말이 끝나기도 전에 누가 말릴 새도 없이 영신에게 한방 먹여 버리는 창수. 뒤에서 말리는 형사들.

창수 (식식거리다가) 이놈 조사실로 연행해.

형사들, 영신을 끌고 건물 안으로 들어서고, 창수, 재한을 본다.

창수 수고했어.

창수 역시 들어가고 홀로 남은 재한. 그제야 긴장이 풀린 듯, 한숨 내쉬는... 뿌듯하고, 보람된 얼굴.

씬/10 N, 현재, 장기미제 전담팀

텅 빈 사무실,(다른 팀도) 불이 켜지면서 들어와 화이트보드 앞에 서는 해영. 다시 한번 화이트보드를 확인해본다. '현풍역 미수 사건' '생존자 이미선' 그 옆에는 '용의자 체포' '이름 최영신' 정도 글씨 보이고 해영, 멍하니 그런 글씨를 바라보는데...

- 인서트
- 1부 25씬. 진양서 건물 앞에서 무전을 받던 해영.

재한(소리) 김윤정 유괴사건 용의자 서형준 시신입니다. 엄지손가락이 잘려있어요. 누군가 서형준을 죽이고 자살로 위장한 겁니다.

- 빠르게 교차되는 장기미제 전담팀의 혼란스러운 얼굴의 해영.

해영(소리) ...서형준은 2000년에 죽었는데... 시신이라고 했어... 백골사체가 아니라...

- 인서트
- 2부 37, 39씬, 무전하고 있는 재한.

재한 ...나는 이게 마지막 무전일 것 같습니다. 하지만 이게 끝이 아닙니다... 무전은 다시 시작될거에요. 그땐 경위님이 날 설득해야 합니다. 1989

년의 나를...

- 다시 장기미제 전담팀의 해영

해영 2000년... 마지막 무전... 1989년의 이재한 순경...

- 2부, 53씬. 무전을 하던 20대 초반의 재한.

재한 순 스물둘, 경기 영산서 순경 이재한. 누구십니까?

- 2부, 60씬, 무전을 하던 해영

해영 대한민국 경찰 중에 그걸 모르는 사람도 있습니까? 7차는 3번 국도 옆 갈대밭. 8차는 현풍역 기찻길.

- 2부, 77씬. 바람에 커튼 흔들리며 저절로 움직이는 화이트보드. 흐릿해지면 오성동 놀이터 사진으로 변하는 현풍역 사진들.

- 현재, 장기미제 전담팀으로 돌아오면 믿기지 않는 표정의 해영의 모습 위로 창수의 목소리.

창수(소리) 모두... 그 빌어먹을 순경놈 때문이야... 영산서 소속 이재한 순경. 이상한 무전을 받았다는 헛소리나 지껄이더니...

해영, 혼란스러운 시선으로

해영 말도 안돼... 이건 말도 안돼...

하다가 멈칫한다. 어디선가 또다시 '치치칙' '치치칙' 무전기 잡음 소리가 들려오기 시작한 것이다. 떨리는 시선으로 바라보면 가방 안, 무전기다. 휙 시계보면 11시 23분. 여전히 들려오는 무전기의 잡음 소리. 무서운 거라도 본 듯 무전기를 바라보는데, 들려오는 재한의 목소리.

재한(소리) 순 스물둘. 영산서 소속 이재한 순경입니다!

해영, 가만히 떨리는 눈빛으로 무전기를 보는..

씬/11 N, 과거, 오성서 건물 앞

여전히 오성서 앞에 있는 재한, 무전기 너머에서 대답이 없자

재한 순 스물둘. 영산서 소속 이재한. 어디 서 누구십니까?

씬/12 N, 현재, 장기미제 전담팀

해영, 떨리는 시선으로 무전기 잡아챈 뒤

해영 ...당신... 누구야?

씬/13 N, 과거, 오성서 건물 앞

재한, 해영의 목소리가 들려오자 반갑고 신나는

재한 박해영 경위님? 나에요 이재한 순경!

씬/14 N, 현재, 장기미제 전담팀

해영 ...당신 진짜 누구야?! 나한테 무슨 짓을 한 거야?

씬/15 N, 과거, 오성서 건물 앞

재한 (영문을 모르겠는) 무슨 말씀인지 모르겠지만, (신이 난) 그것보다 범인을 잡았습니다. 현풍역 기찻길에서요.

씬/16 N, 현재, 장기미제 전담팀

해영 (멈칫)

씬/17 N, 과거, 오성서 건물 앞

재한 (그저 기분 좋고 밝은) 모두 경위님 덕분입니다. (하다) 그런데 진짜 궁금해서 그러는데요. 현풍역 기찻길은 어떻게 아신 겁니까?

씬/18 N, 현재, 장기미제 전담팀

해영 (자기도 미치겠다) 지금... 당신 나랑 장난하자는 거야? 당신 지금 어디야? 당장 갈 테니까 대답해. 어디냐고?

씬/19 N, 과거, 오성서 건물 앞

재한 어디긴 어디에요. 오성서 앞이죠. 방금 최영신 넘기고 나오는 길입니다.

씬/20 N, 현재, 장기미제 전담팀

영신의 이름을 듣고 굳는 해영. 해영, 다급히 변해버린 화이트보드를 바라본다. '현풍역 기찻길' '생존자 이미선' '용의자 체포' '최영신'이란 글씨. 무전기에서 들려오는 재한의 목소리.

해영 (떨리는) 최영신...? 정말... 당신이 최영신을 잡았어?
재한 예, 최영신이요. 머리에 피도 안 마른 백수놈이더라고요.

'최영신' 옆쪽을 보면 '나이 20세' '직업 무직' 그 옆쪽으로 이어지는 기록을 보는 해영의 시선.

해영 (아직도 믿기지 않는, 오히려 기가막히는) 정말... 거기가... 1989년이라구?

씬/21 N, 과거, 오성서 건물 앞

재한 (의아한) 그게... 뭔 소리세요? 경위님... 어디 아프십니까?

씬/22 N, 현재, 장기미제 전담팀

뭐가 뭔지 여전히 혼란스러운 해영.

해영 당신, 나하고 뭐 하자는 건지 모르겠는데... 정말... 정말 거기가 1989년이면... 최영신은 죽어.

씬/23 N, 과거, 오성서 복도

형사들에게 이끌려 조사실로 향하고 있는 영신. 그런데 얼굴빛이 긴장을 해서인지, 좋지가 않다. 발도 자꾸 엇갈리는... 그런 영신의 뒤통수를 갈기는 창수. '빨리 못 걸어?'

씬/24 N, 과거, 오성서 건물 앞

재한 예? 그게 무슨 소리예요. 최영신이... 왜 죽어요?

씬/25 N, 현재, 장기미제 전담팀

화이트보드에 적힌 글씨들, 보이면 '용의자 체포 최영신, 지병인 간질발작으로 조사 도중 사망' '8차, 오성동 놀이터. 피해자 황민주. 직업 버스

안내양 11월 5일 발견'

해영 최영신은 진범이 아냐. 최영신이 죽는 시간에 오성동 놀이터에서 여덟 번째 희생자가 죽을 거야. 정말 당신이 1989년 경찰이라면 막을 수 있겠지.

씬/26 N, 과거, 오성동 놀이터 앞

버스 회사를 퇴근하고 걸어 나오는 20대 초반의 민주. 또박또박 걸어가는데, 저 앞쪽으로 놀이터가 보인다. 그런 민주를 바라보는 불길한 시선.

씬/27 N, 과거, 오성서 복도

복도를 걸어가던 영신. 순간, 발작을 일으키면서 쓰러진다. 놀라서 그런 모습을 바라보는 형사들.

씬/28 N, 과거, 오성서 건물 앞

의아한 얼굴의 재한.

재한 도대체 그게 무슨..

하는데, 뚝 끊기는 무전. 재한, 다시 한번 무전기를 툭툭 치며 '박해영 경위님! 경위님!' 무전을 시도해 보지만, 무전기는 울리지 않는다. 그런 무전기를 바라보던 재한, 뭔지 모를 불길함을 느끼고 오성서 건물을 보다가 뛰어 올라간다.

씬/29 N, 현재, 장기미제 전담팀

역시 조용해진 무전기. 무전기를 바라보다가 설마 하는 시선으로 화이트보드를 가만히 바라보는 해영.

씬/30　　N, 과거, 오성서 건물

조사실을 향해 뛰어 올라가는 재한.

씬/31　　N, 과거, 오성동 놀이터

놀이터를 지나치던 40대 중반의 천구. 어둠 속에서 그네가 움직이고 있고, 그 뒤쪽 어둠 속에 쓰러져 있는 희긋한 물체. 갸웃하며 다가가 어둠 속을 응시하는데...

씬/32　　N, 과거, 오성서 복도

재한, 조사실을 향해 뛰어가는데, 저 앞쪽에 굳은 얼굴로 모여 있는 형사들.

재한　　(빠르게 다가가며) 무슨 일입니까? 왜요?

형사들 사이를 파고드는 재한. 믿을 수 없다는 듯, 바라본다. 바닥에 쓰러져 있는 영신. 창수 미친 듯이 영신의 가슴팍을 누르며 심폐 소생술을 해보고 있지만, 영신은 이미 숨이 멎은 상태다.

씬/33　　N, 과거, 오성동 놀이터

갸웃하며 그네 쪽으로 다가가던 천구, 헉! 놀란 비명을 지르며 뒤로 물러난다. 어둠 속에 손발이 묶인 채, 숨져 있는 민주의 시신이다.

씬/34　　N, 과거, 오성서 복도

놀라서 숨진 영신을 굳은 얼굴로 바라보고 있는 재한. 굳은 얼굴의 형사들. 여전히 심폐소생술 중인 창수. 그때, 저 멀리에서 다급히 달려오는 형사 1.

형사 1 또 다른 피해자가 발견됐어요!!
재한 (굳은 얼굴로 바라보는)
형사 1 오성동 놀이터에요... 여덟 번째... 피해잡니다.

창수, 그 말에 힘이 빠지는 듯... 비틀... 재한 믿을 수 없다는 듯, 그런 형사 1을 바라본다.

씬/35 N, 현재, 장기미제 전담팀

떨리는 시선으로 화이트보드를 바라보는 해영. 째깍째깍 영원처럼 흘러가는 시간. 이미 12시를 넘겼다. 그러나 글씨들은 변함이 없다.

씬/36 D, 현재, 도서관

도서관 신문 열람실에서 과거 빛바랜 신문철을 한 장 두장 넘기고 있는 해영. 11월 6일, 이미선이 살아난 다음날 신문에 멈추는 해영. 기사를 보는 해영의 시선 떨린다. '경기남부 8차 희생자 발생' '무능한 경찰, 진범이 아닌 무고한 시민을 체포' '용의자로 몰린 청년의 안타까운 죽음' 도배된 기사들이다.

해영(소리) (혼란스러운) 기사들도 다 바뀌었어...

혼란스러운 시선으로 기사들 보던 해영, 그러던 중 작은 하단 박스기사 하나를 보고 놀라서 멈칫한다. '말단 순경, 주부를 살리다'라는 헤드라인 아래, 주부 이 모 씨를 살린 순경은 강력계 형사가 아닌 순찰을 하던 말단 순경이란 내용의 기사. 한쪽에 작은 동그라미 사진, 흐릿한 20대의 재한의 사진. 하단엔 '이재한 순경'이란 이름. 사진을 유심히 바라보던 해영. 다급히 가방을 열어 이재한 형사들(?)의 이력서들을 꺼낸다. 한 장 두 장 넘기다가 진짜 재한의 이력서를 들고 과거 신문의 기사와 비교해본다. 이력서에 붙은 재한의 사진... 흐릿하지만 사진이 같다. 놀라서 재한의 이력서를 바라보는 해영. 1989년, 88올림픽 유도 국가대표 상비군 출신.1989년~1991년, 경기남부 영산서. 직급 순경.

해영(소리) (믿기지 않는... 그러나 믿을 수밖에 없는)... 이게... 도대체... 그... 무전이... 진짜였어...

충격에 빠진 얼굴로 이력서와 옛날 기사를 번갈아 보다가... 기사에 나온 '기적적으로 살아난 주부 이 모 씨'라는 글씨를 바라보는...

씬/37 D, 골목 일각

평범한 서울 인근의 작은 상점들이 다닥다닥 붙어있는 골목. 해영, 주소를 적은 종이쪽지를 보면서 두리번거리며 걷고 있다. 그때 저 앞쪽으로 보이는 허름한 치킨집. 저긴가? 하면서 천천히 다가가는데... 안에서 들려오는 목소리. 수현이다.

수현(소리) 잠시면 됩니다.
미선남편(소리) 나가라는 말 안 들려!!

해영, 무슨 소리지? 열려있는 치킨집 문 안을 빼꼼히 보는데..

씬/38 D, 치킨집 안

개업 준비 중인 듯한 치킨집 안. 주방 쪽에서 수현을 상대도 안 하겠다는 듯 묵묵히 정리하고 있는 50대 초반 정도의 미선의 남편을 수현이 계속 설득 중이다.

수현 경기남부 연쇄살인사건, 재수사를 하고 있습니다. 부인께서는 그 사건의 유일한 생존자셨어요.

미선남편 그때 형사들한테 다 얘기했다고. 어두워서 얼굴도, 아무것도 기억 안 난다고!

수현 그럼 외람되지만, 부인의 유품이라도 잠시 보여주시면...

순간, 수현의 얼굴에 확 뿌려지는 물세례. 수현... 아... 뚝뚝 물에 흠뻑 젖어 있는데... 그 맞은편, 부들부들 떨면서 대야를 들고 서 있는 미선 남편.

미선남편 당신 말대로 우리 마누라 그 험한 일을 겪고도 살아났어. 그런데, 그런 여편네를 죽인 게 누군 줄 알아? 당신 같은 사람들이야. 무슨 일을 겪었냐. 어떤 일을 겪었냐. 기억하고 싶지도 않은 일을 묻고 묻고 또 묻고.. 그러다가 병 걸려 죽게 만든 거라고!

수현 (물 뚝뚝 떨어뜨리면서도 예의 바르게 인사하는) 죄송합니다. 다음번에 다시 찾아뵙겠습니다.

씬/39 D, 치킨 집 밖 골목길 일각

치킨집을 나서던 수현, 밖에 서 있는 해영을 보고 우뚝 멈춰 선다. 서로 가만히 보다가

수현 (대충 손으로 물기 닦으며 간다) 여긴 웬일이야?

해영 (따라 걸으며) 맨날 이런 식입니까?

수현 맨날 이런 식이면? 겁나니? 우린 형사들한테만 욕먹는 게 아니야. 유가족들은 더하지. 범인도 못 잡은 무능한 경찰들인데...

그때, 뒤쪽에서 '저기요'하는 젊은 여자의 목소리. 해영, 수현 돌아보면 이십 대 중반의 평범하게 생긴 여자가 두 사람을 바라보고 있다.

씬/40 D, 카페

마주앉아 있는 수현과 해영, 20대 女.

20대 女 아빠 일은 죄송해요. 기자들도 그렇고 사람들이 계속 찾아와서.. 많이 힘들어 하셨거든요.

수현 (보다가) 실례지만, 혹시 어머님께 당시 사건에 대해서 들은 건 없나요?

20대 女 우리도 그 사건에 대해 들은 건 없어요.

수현, 해영 (말없이 보는)

20대 女 아까, 가게 안에서 들었는데... 엄마 유품이라도 보고 싶다고 하셨죠.

작은 가방 안에서 옷가지 몇 개와 책을 꺼내 건네는 20대 女. 그런 유품들을 살펴보는 수현. 해영, 옆에서 바라보고

20대 女 외출도 거의 없으시고, 집에만 계셔서... 많지는 않아요.

수현 혹시 메모나 일기, 그런 건 없었나요?

20대 女 아뇨. 그게 다예요.

그때, 책 사이에 끼어 있는 낡은 사진 한 장을 발견하는 수현. 책을 열어 확인하면, 과거, 20대 女가 아기였을 때 찍은 사진인 듯, 젊었을 때의 미선과 미선 남편이 아기를 안고 찍은 사진이다. 미선은 핏기 없이 초췌한 얼굴이지만, 그래도 아기를 다정하게 안고 있는..

20대 女 엄마가 살아있다고 해도, 그때 형사 분들한테 얘기한 게 다일 거예요. 정말 최선을 다해서 조사에 임하셨다고 하셨어요.

수현, 해영 (보는)

20대 女 그 사진이 있는 건, 그분 때문이라고 그러셨거든요. 현풍역 기찻길에서 엄마를 구해줬던 순경 분.

해영 (멈칫, 보는)

20대 女 그때, 엄마 뱃속에 제가 있었어요. 만약, 그때 그 순경 분이 조금이라도 늦었다면... 그분이 그 시간, 그 자리에 없었다면... 저도 엄마도 아마 이 세상에 없었을 거예요...

해영 (시선)

20대 女 그때, 누군지 가르쳐주지 않아서 직접 인사도 못 드리셨대요. 그래서 엄만 다른 형사 분들한테라도 잘해야 된다고 그러셨어요.

담담히 얘기하는 20대 女를 가만히 보는 해영. 자신과 재한이 살린 사람이다. 떨리는 눈빛으로 바라본다.

씬/41 D, 도로 일각

카페 앞, 해영과 수현에게 인사하고 돌아서는 20대 女.

수현 그런데, 하라는 자료 분석은 안 하고 여긴 왜 온 거야?

해영 (이유를 말할 수가 없다. 아직도 혼란스러운) 그게...

수현 대답해. 왜 유가족들 찾아온 거냐고.

수현, 해영 빤히 본다. 해영, 그런 수현 보다가

해영 만약에요.

수현 (보는)

해영 만약에... 과거에서 무전이 온다면... 어떨 것 같아요?

수현 (빤히 본다)

해영 말도 안 되는 황당한 얘기로 들리겠지만...

수현 과거에서 무전이 와서 유가족들 만나러 왔다? 그걸 변명이라고 하는 거야?

해영 (보는 하... 말이 안 통한다) 참... 말이 안 통하시는 경위님이시네. 됐습니다. 분부대로 얌전히 복귀하겠습니다.

해영, 휙 돌아서서 가는데

수현 소중한 사람을 지켜달라고 하겠지.

해영 예?
수현 과거에서 무전이 온다면...
해영 (보는)... 그러다 모든 게 더 엉망이 돼버리면요?
수현 해보지도 않고 후회하느니, 엉망이 되더라도 해보는 게 낫지 않겠어?

해영, 그런 수현을 보는...

씬/42 N, 해영의 옥탑방

책상에 앉아서 생각에 잠긴 해영의 모습 위로

재한(소리) 무전은 다시 시작될 거예요. 그땐 경위님이 날 설득해야 합니다. 1989년의 나를...

해영, 천천히 가방에서 무전기를 꺼내 바라본다.

재한(소리) 절대 포기하지 마세요. 과거는 바뀔 수 있습니다.

해영, 떨려오는 눈빛.

해영(소리) 왜... 이런 말도 안되는 일이 벌어졌는지 모르지만... 살릴 수 있어... 이 무전으로... 죽은 사람들을 살리고... 범인을... 잡을 수 있어...

- 시간 경과되면
- 가방 안에서 가지고 온 자료들을 하나둘씩 책상위에 내려놓는 해영
- 책상 옆 작은 화이트보드에 하나둘씩 채워지는 해영만의 수사기록. 칠판을 반으로 나눠서 한쪽은 '前', 다른 한쪽은 '後'. 과거의 기억과 변해버린 수사기록을 교차해서 적는 해영의 모습 위로

해영(소리) 이재한 형사와 무전을 하고 이미선이 살아나고 난 뒤 희생자는 한 명이

줄었지만… 피해자는 똑같아…

'前'부분에는 1차부터 10차까지 해영이 기억하고 있는 무전 전의 범행들을 적는다. 이미선도 포함된 1차부터 10차까지의 범행 기록들.

8차, 이미선 25세, 주부.
발견 장소 현풍역 기찻길, 발견 시간 11월 5일 밤 아홉시.
9차, 황민주 21세, 버스 안내양.
발견 장소 오성리 논두렁길, 발견 시간 11월 25일 밤 열한 시.
10차, 김원경 22세, 공무원.
발견 장소 현풍산 약수터 뒷길, 발견 시간 12월 10일 새벽 다섯 시.

'後'부분에 바뀌어진 수사기록들을 확인하며 바로 옆줄에 비교가 쉽게 바뀐 부분들을 적는 해영.

8차, 황민주 21세, 버스 안내양.
발견 장소 오성동 놀이터, 발견 시간 11월 5일 밤 열한 시.
9차, 김원경 22세, 공무원.
현풍동 골목길, 발견 시간 11월 7일 밤 아홉 시 반.

바뀐 수사기록, 범행시간이 퀵줌으로 비치는 화면.

해영(소리) …황민주… 김원경… 피해자들은 똑같은데 범행시간이 모두 앞당겨지고 범행 장소가 변했다.

수사기록을 바라보는 해영의 모습 위로

해영 무전으로 바뀐 현풍역 미수사건… 그때, 범인에게 무슨 일이 벌어졌어… 범행을 앞당길 수밖에 없었던 무슨 일이…

- 1차부터 9차까지 발견된 장소들을 확인하는 해영.

해영(소리) 범행을 저지른 장소는 주로 수풀, 갈대밭, 논두렁... 인적이 없고 관찰이 용이하지 않은 폐쇄적인 장소. 8차, 9차 피해자도 원래 살해된 장소는 논두렁길과 약수터 뒷길이었지만, 바뀐 장소는 놀이터, 골목길... 비교적 통행량이 많은 오픈된 장소다.

장소들을 혼란스러운 시선으로 바라보는 해영.

해영(소리) 범인의 사냥터가 바뀌었다. 도대체... 왜지?

씬/43 D, 장기미제 전담팀

아침, 전담팀 한쪽에 놓인 회의용 테이블에 둘러앉아 있는 팀원들. 테이블 위 수현과 계철이 가지고 온 자료들이 쌓여있고, 수현, 한 장씩 순서대로 적힌 피해자들 목록을 해영, 계철, 헌기에게 나눠주면서

수현 1차부터 9차까지 모든 피해자들의 인적 사항이에요.
계철 (심드렁한) 이 사건은 안된다니까...
수현 (계철에게) 그만 좀 하고 자료 좀 검토하시지.

수현의 한마디에 어쩔 수 없이 다시 자료 보는 척 하는 계철. 해영도 그런 사람들을 둘러보는...

해영(소리) 범행 사실이 바뀐 걸 아는 사람은... 나 뿐이다. 내가 찾아내야 해. 범행이 앞당겨진 이유를...

화이트보드를 바라보는 해영의 시선.

9차, 김원경 22세, 공무원.

현풍동 골목길, 발견 시간 11월 7일, 밤 아홉시 반.

해영(소리) 또 다른 희생자가 생기기전에... 범인을 찾아내야 해...

씬/44 D, 과거, 오성서 사무실

재한을 죽일 듯 노려보고 있는 형사 1, 2와 책상을 마주하고 앉아있는 재한. 그 뒤 역시 험악한 분위기의 다른 형사들.

형사 1 범인 얼굴은?
재한 ...모자 때문에 보지 못했습니다.
형사 1 (한심하다) 어디서 어떻게 놓친 건지는 알아?
재한 골목길까지 계속 쫓아갔었습니다. 분명히... 그놈이라고 생각했는데...
형사 1 묻는 말에만 대답해.
재한 ...잘 모르겠습니다.
형사 1 범인 얼굴도 모르고, 아무것도 모르겠다. (쾅 책상 내려치고는 분을 못 참겠다는 듯 재한의 멱살을 잡는) 네가 그러고도 경찰이냐? 네놈이야 시민 살린 순경이라 정직으로 끝났지. 창수 형님은 깜방가게 생겼다고!!

그런 형사 1을 뒤에서 만류하는 다른 형사들. 형사 1, 더 이상 볼일 없다는 듯 나가버리고 다른 형사들도 뒤이어 나간다. 재한, 맞은편 일어서는 형사 2에게

재한 수사팀에 박해영 경위란 사람 좀 찾아주십시오. 그 사람만 찾으면...
형사 2 헛소리 그만하고 신분증, 무전기 반납해.
재한 하지만...
형사 2 내놓으라고!!

재한, 어쩔 수 없이 신분증과 무전기를 형사 2에게 건넨다.

씬/45 D, 과거, 은창서 로비

'1989년 11월 6일'이란 달력에서 빠지면 그 옆에는 당시 유행하던 불조심 포스터. 문 열리면서 화난 얼굴로 들어서는 사복 차림의 재한. 손에 든 종이쪽지의 메모를 보면서 성큼성큼 걸어 들어간다. 메모 보이면 '은창서, 형사 관리과' 라고 적혀있다.

씬/46 D, 과거, 은창서, 형사 관리과 사무실

'쾅' 문 열리면서 들어서는 재한. 사무실 여기저기 책상에서 일하던 형사들, 뭔 일인가 싶어 보는

재한 박해영! 나와! 다 알아보고 왔어! (성큼성큼 들어서며) 박해영! 나오라고!

어리둥절해서 그런 재한을 보던 형사들 중 젊은 형사, 엉거주춤 일어나

젊은 형사 무슨 일로...
재한 너냐?

순간, 젊은 형사 대답할 겨를도 없이 멱살을 잡고 바닥에 메다꽂아버리는 재한. 그 위에 올라타 정신 못 차리는 젊은 형사를 잡고 흔드는 재한.

재한 너 뭐야? 너 때문에 엄한 사람이 죽었어! 어떡할 거야? 어떻게 책임질 거냐고!!

주변 형사들 그제야 놀라서 일어서는데, 그런 재한의 뒤쪽으로 다가서는 여자 경찰 한명.

여경 도대체 무슨 일로...
재한 (쳐다도 안 보고) 그쪽이랑은 상관없는 일이니까, 빠지십쇼!

여경 저 찾아온 거 아니세요? 내가 박해영인데...

젊은 형사의 멱살을 잡고 다시 흔들려던 재한... 멈칫하고는 뒤돌아 여자 경찰을 보는데... 가슴에 걸린 신분증 '경위 박해영' 불길함을 느낀 재한, 자신에게 깔려있는 젊은 형사의 겉옷을 살짝 들어보면 보이는 신분증 '경장 이상백'이다. 보다가... 공손하게 젊은 형사의 흐트러진 옷매무새를 정리해주고 발딱 일어서서 빠르게 사무실을 빠져나간다. 젊은 형사를 포함해 다들 뜨악한

젊은 형사 (저 자식 뭐야?) 야!!!

사무실을 빠져나가는 재한의 발걸음, 더욱 빨라진다.

씬/47 D, 과거, 동사무소 앞 거리 일각

힘없이 터덜터덜 걸어오는 재한. 그러다가 문득 고개를 들면, 저 앞 동사무소다. 재한, 가만히 서서 동사무소를 바라본다. 창문 너머로 책상에 앉아 일을 하고 있는 원경의 모습. 재한, 물끄러미 그런 원경을 바라보는데.. 창 안의 원경, 문득 고개 들어 창밖을 보는데 재한과 시선 마주친다. 화들짝 놀라 시선 돌리는 재한. 그러다가... 다시 곁눈질로 창문 너머 보는데, 원경이 사라져 있다. 어디 갔지? 까치발 해서 원경을 보려고 하는데, 허걱. 동사무소 정문으로 걸어 나와 재한을 향해 다가오는 원경이다. 헉!!! 재한, 뒤돌아서 빠르게 걸어 도망(?)치는데..

원경 이순경님.
재한 (정지상태)
원경 (다가와 재한을 보며) 괜찮으세요?
재한 (시선도 제대로 못 마주치는) 당연히... 괜찮죠. 뭐... 어디가 이상했...으면 좋으시겠어요? (고개 끄덕이는 둥 마는 둥) 그럼...

하고는 다시 걸어가는데

원경 이순경님.

재한 (뒤로 돌아 보는)

원경, 재한에게 줄 것이 있는 듯 뭔가를 주머니에서 꺼내려다가...

원경 (미소) 아니에요. 기운내세요.

고개 숙여 인사하고는 동사무소를 향해 걸어가는 원경의 뒷모습. 재한, 그런 원경을 보다가 용기를 쥐어짜낸 듯, 빠르게 다가가 주머니에서 전기 충격기 하나를 꺼내서 원경의 손에 쥐어준다.

재한 요즘... 워낙... 흉흉하니까...

얼버무리듯 얘기하고는 돌아서서 부다다 어색한 걸음걸이로 멀어지다가 코너를 돌고 나서야 참았던 숨을 몰아쉰다. 빼쭉 고개 내밀어 전기 충격기를 보고 피식 미소 짓다가 동사무소로 돌아가는 원경을 보면서 기운을 얻은 듯 밝아지는 재한의 얼굴.

재한 내가 내 손으로 다시 범인 잡고 만다. 남자답게 잡아서 감방에 집어넣고 특진하고 당당하게... 데이트 신청하고!

씬/48 D, 현재, 장기미제 전담팀

여전히 자료를 검토 중인 해영, 수현을 비롯한 팀원들.

수현 1차부터 9차까지 유가족들을 모두 만나서 피해자들에 대한 자료를 수집한 결과, 피해자들은 연령, 직업도 제각각이고 주거지 역시 달랐습니다. 하지만... 하나 공통점이 있었어요. 모두 버스를 타고 돌아오다가 죽임을 당했어요.

계철 대단한 공통점이다. 그땐 지하철도 없었을 땐데 버스를 타고 다니지, 걸어 다녔겠어?

수현, 빈정거리는 계철을 한번 보고는 테이블 옆에 설치된 모니터를 켜서 키보드를 달칵거린다. 모니터에 떠오르는 GeoPros화면. 영산시 일대 지도 위로 붉은 점 열 개가 연결돼 있다.

수현 1차부터 9차, 피해자들이 발견된 장소들을 GeoPros 프로그램에 넣어봤는데 현재의 한 버스 노선과 일치했어요. 1508번. 버스회사에 확인해보니 이 노선은 26년 전에도 운행됐대요. 예전엔 95번이였죠. 그런데 피해자들 모두가 그 버스를 타고 다녔어요. 게다가 8차 희생자, 황민주는 그 버스회사를 다니던 안내양이었죠. 우연치곤 너무 이상하지 않아요?

버스 얘기를 듣던 해영. 순간 뭔가가 뇌리를 스치고 간 듯,

해영 (작은 혼잣말) 버스...

해영, 자료를 뒤지기 시작한다. 다른 사람들은 눈치 채지 못하고 계속 회의하는

계철 야, 노선 봐봐. 영산시를 누비고 다녔네. 피해자들 말고도 영산 시민 절반은 타고 다녔겠다. 공통점이 아니라, 어쩔 수 없었던 거라고.

헌기 김 선배님 말씀이 맞아요. 범인 잡을 단서론 좀 부족하죠.

그때, 자료를 뒤지던 해영

해영 현풍역은요?

사람들, 그런 해영을 이상한 듯 보는데

해영	현풍역 근처에도 95번 버스가 지나갔나요?
수현	(버스노선 보다가) 맞아.

해영, 1989년 과거의 지도를 펼치고 수현에게

해영 위치가 어디쯤이죠?

수현, 어딘가를 가리킨다. 그런 버스정류장의 위치를 확인한 해영의 눈가에 확신이 들기 시작한다.

해영 차 형사님 말이 맞아요. 버스... 버스였어요.

씬/49 D, 과거, 현풍역 기찻길

이미선을 발견했던 그 덤불을 바라보고 있는 재한.

- 인서트
- 3부 5씬, 재한을 공격하는 범인. 엎치락뒤치락 몸싸움을 하다가 도주하는 모자 男.

- 덤불을 바라보고 있는 재한.

재한(소리) 분명히 그때 날 덮친 놈은 범인이었는데...

씬/50 D, 과거, 골목길 일각/대로변

모자 男을 쫓았던 골목길을 따라 걷다가 대로변까지 나오는 재한. 답답한 얼굴로 주변을 둘러본다.

재한(소리) 도대체... 어디서 놓친거지?

그때, 저 앞쪽 버스정류장에 와서 멈춰서는 95번 버스. 그러나 재한, 신경 쓰지 않고 있는데... 승객들을 태운 뒤 다시 출발하는 95번 버스. 재한을 스쳐 지나가다가 신호에 걸린 듯, 끼이익 브레이크 등을 밟는데... 순간, 재한 그 소리에 고개 돌려 버스를 바라본다. 빨간 브레이크 등을 바라보던 재한의 눈빛 변한다.

재한 설마...

씬/51 D, 현재, 장기미제 전담팀

수현을 비롯한 팀원들에게 얘기하고 있는 해영.

해영 범인은 현풍역에서 이미선을 습격했다가 실패하고 바로 한 시간 뒤에 오성동 놀이터에서 버스 안내양 황민주를 살해했어요. 그 다음 9차 희생자도 2일 후에 살해됐죠. 보통의 살인자들은 경찰에게 체포될 뻔한 위기를 겪고 나면 일정 기간의 냉각기를 가져요. 또다시 경찰에게 잡히면 어쩌나 두려움을 가지기 때문이죠. 그런데 이 범인은 오히려 현풍역 이후에 폭주를 하고 있어요.

수현 살인에 중독된 연쇄살인범의 범행 패턴은 언제건 변할 수 있어. 더 이상 자신을 억제할 수 없었을 수도 있고.

해영 만약 그래야만 했던 이유가 있었다면요.

수현, 의아한 얼굴로 해영을 보는데.. 테이블 위에 펼쳐진 당시 지도의 한 곳을 가리키는 해영

해영 여기가 이미선이 습격을 당했던 곳입니다. 그런데 갑자기 순경에게 들켰어요. 어디로 도주했을까요? 역사 쪽은 역무원이 상주하고 있으니 안되고 기찻길은 사방이 노출돼서 도주하기에는 불리해요. 그렇다면

남은 건(지도의 골목 부분을 가리키며) 이 골목길입니다.

수현 이 골목길 끝은...

해영 맞아요. 95번 버스가 지나가는 버스정류장이죠.

씬/52 N, 과거, 대로변/해영의 추리

3부 6씬, 과거 골목길에서 추격전을 펼치던 모자 男과 재한의 모습. 저 앞쪽으로 보이는 대로변. 재한의 시선이 아닌 대로변 쪽에서 비추는 화면. 골목길에서 뛰쳐나오는 과거의 범인, 저 앞쪽에서 출발하려는 95번 버스. 범인, 재빨리 버스에 올라타자 출발하는 버스. 그때, 뒤늦게 버스를 잡으려는 듯 뛰어오는 영신. 마침 골목길에서 뛰어나오는 재한, 그런 영신을 발견하고 덮친 뒤, 주먹으로 한 방 먹여버린다. 그런 재한의 등 뒤로 멀리 희미한 두 개의 점처럼 보이는 버스의 브레이크 등. 그런 버스 뒷창문으로 희미하게 보이는 검은 색 티셔츠.

씬/53 N, 과거, 버스 안/해영의 추리

출발한 버스 안, 뒷창문 너머로 저 멀리 영신과 몸싸움이 붙은 재한을 보는 누군가의 뒷모습. 그리고... 천천히 버스 안을 둘러보는 눈빛. 버스 안내양 황민주가 역시 창문 너머로 싸움이 붙은 재한과 영신을 보며 '뭐야? 싸움 났나봐?'보고 있다. 그런 민주를 가만히 바라보는 누군가의 시선. 그 시선, 민주에서 서서히 옆으로 향하면 버스 안의 유일한 승객, 이어폰을 들으면서 창밖을 바라보다가 민주와 그림자 쪽을 힐긋 바라보는 원경이다.

씬/54 D, 현재, 장기미제 전담팀

수현을 비롯한 일동, 다들 해영을 바라보고 있다.

해영 범인을 놓친 이유. 범인이 갑자기 범행을 서두른 이유... 모두 그 버스였어요. 8차, 9차, 무작위로 피해자를 고른 게 아니라… 버스 안에서 자기 얼굴을 본 목격자들의 입을 막기 위한 거였어요. 그래서 수사가 시작되기 전에 서둘러 죽인 겁니다.

계철 (그런 해영을 기가막힌 듯 보는) 뭐야. 그때 담당형사 나보다 먼저 만난 거예요?

해영 (보는) …?

계철 그때도 토씨 하나 안 틀리고 똑같이 그런… 황당한 얘길 하신 놈이 있었답니다.

해영 예?

계철 이미선을 살려낸 순경. 그 사람도 범인이 버스에 탔고, 그래서 황민주가 죽었다고 헛소리를 했대요.

해영, 재한이다.. 멈칫해서 보는데…

씬/55 N, 과거, 오성서 복도

형사 2를 앞에 두고 열변을 토하고 있는 재한.

재한 버습니다!

형사 2 (반신반의하는 표정으로 고깝게 보는)

재한 (안타까운) 95번 버스였어요! 그 버스에 탔던 사람들을 확인하면 그때 탔던 범인 얼굴을 알아낼 수 있을 겁니다! 그럼 범인을 잡을 수 있어요.

형사 2, 여전히 좋지 않은 눈빛으로 재한을 보는데, 옆에서 그 얘기를 듣던 형사 3, 다가와서

형사 3 안 그래도 8차 황민주 사건에 관련된 사람들, 지금 다들 조사 중이잖아요. 한번 확인이나 해보죠.

씬/56 N, 과거, 오성서 사무실

사무실 안으로 들어서는 재한과 형사 2. 각자 다른 책상에 앉아 형사들에게 조사받고 있는 40대의 순박해 보이는 버스기사 천구와 20대 초반의 민주의 동료 경순.

천구 (겁먹은 얼굴) 퇴근하다가 놀이터에 이상한 게 있어서.. 설마 그게 황양일 줄은 생각도 못했습니다.

경순 쪽 책상 비추면

경순 (역시 겁먹은) 민주 죽기 전에 마지막에 본건 맞는데요. 전 하나도 몰라요. 막차 타고 오자마자 피곤하다고 바로 퇴근했어요.

그런 경순을 지나치는 형사 2와 재한. 역시 조사를 받고 있는 천구에게 다가간다. 형사 2, 조사를 하고 있는 다른 형사에게 눈짓 보내곤, 천구를 보는

형사 2 이천구 씨?
천구 (돌아보는) 예.
형사 2 그날, 황민주가 탔던 막차버스 운전한 버스기사, 맞죠?
천구 (껌벅껌벅 보는) 예, 맞습니다.
형사 2 그때, 현풍역 버스 정류장에서 탄 손님 있었어요?
재한 검은 티셔츠에 20대 초중반 정도였을 겁니다. 기억나시죠?

그런 재한을 힐긋 보는 경순.

천구 ...(기억을 떠올리려는) 현풍역 버스 정류장이면... 마지막 정류장이어서 손님도 별로 없었어요.
재한 (반색하는) 그죠? 기억나시죠?

- 인서트

천구가 몰고 있던 95번 버스. 천구의 시선으로 보이는 현풍역 정류장. 정류장에 천천히 멈춰 선다.

- 다시 오성서 사무실로 돌아오면

재한 그때, 누군가 버스 안으로 뛰어 들어왔죠?
천구 ...어제 일이라 확실히 기억나는데요...

- 인서트
버스 안, 천구의 시선으로 보이는 화면.버스 앞 자동문이 열리는데.. 아무도 들어서지 않는다. 다시 닫고 출발하는 천구.

- 다시 오성서 사무실로 돌아오면

재한 (황당한) 아무도 타지 않았다고요? 확실해요?
천구 예. 어젯밤, 그 정류장에선 아무도 타지 않았어요.
재한 ...(믿기지 않는) 그럴 리가 없어요! 골목길까지는 분명히 그놈이였습니다. 정류장에서 놓친 거에요! (천구보는) 아저씨, 거짓말 하는 거 아니에요?

재한이 다그치자, 겁먹은 얼굴로 고개 젓는 천구. 그런 재한을 차갑게 바라보는 형사들.

형사 2 네 말이 사실이라면, 저 기사가 제일 먼저 죽었겠지. 안 그래? 범인 얼굴을 가장 잘 본 사람일 테니까...

재한, 혼란에 빠진 눈빛으로 형사를 본다.

씬/57 **D, 현재, 장기미제 전담팀**

자신의 추리가 틀렸다니... 가만히 계철을 바라보는 해영.

해영 그게... 정말입니까?

계철 그때 버스 운전했던 기사가 그랬답니다. 그 정류장에선 아무도 타지 않았다고...

해영, 답답한 얼굴로 생각에 잠기는데...

수현 지금도 살아있어?

계철 뭐?

수현 그 버스기사.

계철 왜? 범인이 그 기사도 죽였을까 봐? 내가 어제 만나봤는데 건강이 나빠졌는지 요양원에 있긴 했지만, 멀쩡하니 살아있었어.

- 인서트

카페, 계철과 마주 앉아 있는 70대에 접어든 천구. 뭐라고 대화를 하는 모습

- 다시 회의실로 돌아오면

계철 오래 전 일이지만, 똑똑히 기억 난대. 그 정류장에서 탄 사람은 없었다고...

수현 그 황민주를 마지막으로 봤다는 여자 동료는?

계철 이천구 만나고 나서 바로 집에 가봤는데, 어디 나갔는지, 없어서 못 만났어.

수현 (보다가) 주소 줘봐. 우리가 만나볼게.

계철 차 형사. 지금 뭐하자는 거야?

수현 다른 단서 있어?

계철 ...(말문 막히는)

수현 미제 사건은 과거 형사들이 놓친 부분을 찾아내야 돼. (해영 보며) 가서 재가 맞았는지, 아님 진짜 소설인지 확인해 봐야지.

씬/58　　　　D, 광수대 건물 복도

함께 걸어 나가는 수현과 해영.

해영　이제 좀 내가 믿을 만하죠? 내가 좀 지적인 사람들한테 통하는 게 있긴 있어요.
수현　(힐긋 보고는) 놀고 있다. 빨리 따라오기나 해.

수현, 아랑곳하지 않고 먼저 걸어가고... 해영, 어이없다는 듯 그런 뒷모습 본다.

해영　하... 사람 오기 생기게 하네.

씬/59　　　　N, 골목길 일각

다세대 주택이 밀집한 복잡한 골목 사이로 차를 몰고 있는 수현. 조수석의 해영은 창밖을 보면서 생각에 잠겨있다.

수현　거의 다 온 거 같은데.. 길이 왜 이렇게 복잡해. (하다 해영에게) 여기 아까 온 길 같지 않아?
해영　...(여전히 창밖보고 생각에 잠겨있는)
수현　삐졌냐?
해영　삐지긴 누가 삐집니까.
수현　근데 왜 대꾸가 없어?
해영　지금 뭘 하고 있을까요? 범인은...
수현　(힐긋 보는)
해영　범인은 살인에 완전히 중독이 돼 있었어요. 절대 그 맛을 참을 수 없는 놈이죠. 형사들을 갖고 놀고, 한 번도 수사선상에 오른 적도 없어요. 그런데 왜 끝냈을까요...?
수현　...

해영 죽었을거다. 이미 다른 죄로 체포가 돼서 감방에 있을 거다. 아니면 이민이라도 갔을 거다. 별의별 얘기들이 있었어요. 하지만... 만약에 아직 우리 주위에 있다면요.

씬/60 D, 또 다른 골목길 일각/차 안

사람들이 오고 가는 골목길, 누군가가 걷고 있는 뒷모습. 천천히 걷고 있는 누군가의 발. 그 사람의 시선, 오고 가는 여자들. 서서히 틸업되면 야구모자에 검은 점퍼를 입은 뒷모습. 재한이 골목길에서 쫓던 범인의 뒷모습과 거의 흡사하다.

해영(소리) 평범한 사람들은 아무것도 모르겠죠. 그 사람이 희대의 연쇄 살인마라는 걸...

그런 모자 男, 거리에서 골목 쪽으로 도는데, 바로 그 앞을 지나치는 수현과 해영의 차. 코너를 돌아 점점 멀어진다. 카메라 수현과 해영의 차 안 비추면 수현, 브레이크를 밟는다. 네비 한번 확인해보고는 차에서 내려서서 주소 확인하는 수현과 해영. 수현과 해영 눈앞의 다세대 주택을 올려다본다.

씬/61 N, 경순의 집 밖

외곽에 설치된 계단을 올라와 경순의 집 앞에 서는 수현과 해영. 창문 너머로 안에서 비치는 불빛과 텔레비전 소리. 초인종을 누르는 수현. 하지만, 아무 대답이 없다. 해영, 옆에 있다가 문을 쾅쾅 두드린다.

해영 계십니까? 경찰입니다.

하지만 묵묵부답. 수현, 창문 너머로 안을 확인하다가 멈칫. 창문 너머로 희미하게 보이는 여자의 발. 수현, 감이 불길하다. 다급히 해영을 밀치고 문고리를 열어보는데, 문이 열려있다. '쾅' 문 열고 들어가는 수현.

해영 이거, 무단 침입... 아 씨 몰라.

해영도 후다닥 뒤따라 들어가는데...

씬/62 N, 경순의 집

정적이 감도는 아담하고 초라한 경순의 집. 수현, 들어서서 주변 둘러보다가 문 열고 창문 너머로 보이던 안방문을 열어젖히는데 순간 안을 확인하고는 얼어붙는다. 뒤따라 들어오던 해영, 그런 수현과 쾅 부딪치고

해영 왜...

하며 수현 시선 쫓아가던 해영의 눈빛 역시 삽시간에 새하얘지면서 충격으로 휘청하다가 뒤로 넘어진다. 그런 두 사람의 시선 쫓아가보면, 뒤로 묶여진 손과 발, 생기를 잃은 눈빛. 과거 경기남부 연쇄살인사건의 희생자들과 똑같은 모습으로 싸늘하게 죽어있는 경순이다.

해영 (충격에 떨려오는) 저...저거... 저 매듭이요. 저거... 옛날... 그때랑 똑같아요.

경순의 손과 발이 묶여진 매듭을 비추는 화면.

해영 ...그놈입니다. 그놈이에요!

수현, 역시 긴장한 떨리는 시선으로 경순의 시신을 바라본다. 그런 두 사람의 모습 위로 들려오는 사이렌 소리.

씬/63 N, 경순집 외곽 골목길

여러 대의 순찰차들이 세워져 있는 외곽. 구경나온 주민들과 냄새를 맡고 몰려온 기자들로 북새통이다. 그런 골목길로 진입하는 봉고차에서 내려서는 계철과 헌기. 헌기는 감식팀 가방과 의상을 착용한 상태다. 그런 두 사람에게 몰려드는 기자들. 주변 순경들이 기자들을 막아보지만 역부족이다.

기자 1 살인사건 맞죠?

기자 2 대답해주세요. 수법이 정말 경기남부 연쇄살인사건하고 똑같은 겁니까?

기자 3 26년 만에 다시 범행이 시작된 겁니까?

기자 1 다시 범인이 나타난 거예요? 수사는 어디까지 진행된 겁니까?

그런 기자들을 뚫고 건물 안으로 들어서는 계철과 헌기.

씬/64 N, 광수대 건물 로비

로비로 빠르게 들어서는 치수. 범주와 통화 중이다.

범주(소리) 어떻게 된 거야?

치수 아직 확인되지 않았습니다.

치수, 통화를 하다가 멈춰 선다. 눈빛 가라앉는다.

치수 ...알겠습니다.

씬/65 N, 광수대, 광역 1계장실

파티션 너머에서 광역 1계장실로 들어서는 치수. 안에서 대기 중이었던 듯 한 수현, 치수가 들어서자, 자리에서 일어선다. 치수, '광역 1계장 안치수'라는 명패가 올려진 책상에 가서 앉으며

치수 사실이야?

수현 수법이 똑같은 건 사실이지만, 아직 확실하진 않습니다. 전담팀이 현장 검증 중입니다. 검증이 끝나면 어느 정도 윤곽이 드러날 겁니다.

치수 아직... 경기남부 연쇄살인사건과 동일범인지 아닌지는 확실하지 않다.

수현 예.

치수 ...현장에 나간 전담팀 불러들여.

수현 (보는)

치수 그 사건 관할은 경기청이야. 경기청 강력반이 그 사건을 맡을 거다.

수현 (눈빛 서서히 굳어지며) 경기남부 사건을 수사 중이었던 건 우리 전담팀입니다. 이 사건에 관한 정보도 우리가 더 많이 가지고 있어요. 공조를 해도 모자란 판에 수사에서 배제시키는 건 옳지 않다고 생각합니다.

치수 그러니까 공조하지 말라고.

수현, 그런 치수를 바라본다.

씬/66 N, 경순의 집 일각/몽타주

안방, 현장검증 복장으로 경순의 시신 사진부터 찍고 있는 헌기/ 현관, 장갑을 착용한 해영, 현관 잠금장치를 확인하고 있다/ 건물 1층쯤에서 집주인으로 보이는 아줌마를 상대로 '2층에 찾아오는 손님들은 없었나요?' 질문을 던지며 탐문 중인 계철, 그때, '끼이익' 멈춰 서는 기동대 차량의 브레이크 소리에 그쪽을 바라보는데...

씬/67 N, 경순의 집 밖

현관 잠금장치를 확인하던 해영, 계단 아래쪽에서 들려오는 '이게 얼마만이야'하는 계철의 환한 목소리. 보면, 계단 쪽에서부터 성큼성큼 올라오는 박 형사와 계철. 그 뒤쪽으로는 경기청의 단단해 보이는 인상의 형사들이다. 해영과 시선 마주치는 계철.

계철 | 경기청 형사들이야. 내 후배들. 이 사건에 관심 있어서 나왔나봐. 하기야 이 사건에 관심 없는 경찰이 어딨겠어. 야, 나도 깜짝 놀랐다. 범인이 26년 만에 다시 튀어나올 줄 어떻게 알았겠어. 우리가 수사 시작하니까, 겁먹은 거지. 얘가.

박 형사, 계철 얘기 들으며 피식 미소 지으며 올라오다가 해영 힐긋 보고 현관에서 사건 현장 보다가...

박 형사 누가... 관할서 허락도 없이 현장에 들어가래!!

놀라서 바라보는 헌기, 눈빛 굳는 해영. 당황하는 계철.

계철 야, 박 형사. 너 왜...
박 형사 이 사건 경기청에서 접수하니까, 다들 나가.
해영 (더욱 눈빛 차가워지는데)
계철 (해영 앞이라 더 오버해서 웃는) 얘가 진짜, 왜 이래. 야, 정보 필요하면 내가 뒤루 다 알아서 줄게.
박 형사 내가 선배님인 줄 알아요? 난 뒤로는 돈이건 정보건 안 받습니다. 그러다 누구처럼 강등당하면 쪽팔리잖아.
계철 (얼굴빛 변하는) 야, 진짜 너...
박 형사 똥물에도 파도가 있는데, 계급도 아래신 분이 함부로 야야 하시면 안되지.

계철, 열 받고 쪽팔리고 얼굴 붉으락 푸르락해지는데, 해영, 앞으로 나서며

해영 그럼, 계급 같으면 함부로 야야해도 되는 거지?

박 형사와 형사들, 이건 또 뭐야? 보는데 해영 눈하나 깜빡하지 않고

해영 이 사건, 우리 사건이니까 꺼져.
박 형사 뭐?

해영 이 바닥에 상도덕도 없어? 남의 밥상에 왜 숟가락을 디밀어?
박 형사 (기막힌)...너... 뭐야?
해영 장기미제 전담팀 프로파일러 박해영 경위다.
박 형사 (차가운 눈빛으로 보는) 경기남부 사건도 따지고 보면 우리 관할이었어.
해영 그러니까 우리가 지금 이 개고생 중이잖아. 그쪽에서 범인을 못 잡아서.

더 이상 못 참겠다. 박 형사와 함께 온 형사들, 험악한 얼굴로 앞으로 나서려는데 박 형사 제지하며

박 형사 26년 동안 잠잠하던 놈을 미제 사건 수사한다면서 들쑤셔서 자극한 건 너희들이야. 저 안에 피해자를 죽게 만든 건 바로... 너희들이라구!

그 말에 눈빛 흔들리는 해영.

해영 이게 진짜 말이면 다 하는 줄 아나?

박 형사와 해영, 서로 붙을 듯 하는데, 그런 두 사람 사이에 껴서 어떻게든 말려보려는 계철. 헌기는 재빨리 실내로 돌아가서 사진을 찍어대는데...

수현(소리) 지금 뭐하는 거야?!

뒤돌아보면, 굳은 얼굴의 수현이 이쪽을 보고 있다.

수현 여기 사건 현장인 거 안 보여? 개떼처럼 뭐하는 거야? 현장 훼손시킬 거야?
박 형사 야, 차수현. 우리도 좋아서 이래? 위쪽에서 까라니까 까는 거지.
수현 위쪽 같은 소리하고 있네. 시끄러운 사건 해결해서 진급하고 싶은 거 아냐.
박 형사 너 진짜 오랜만에 만나서 말 참 곱게 한다.

수현 그래. 그렇게 먹고 싶으면 이 사건 너희들이 먹고 떨어져. 대신 체하지 않게 조심해.

계철 차 형사. 그게 무슨...

수현 (보다가) 철수해.

해영 (놀라서) 안 됩니다.

수현 (해영 보고 강하게) 철수해.

수현, 계단을 내려가 버리고... 그런 수현을 바라보는 해영. '아! 씨!' 울분을 토한다.

씬/68 N, 경순의 집 건물 외곽

봉고차에 짐을 싣고 있는 헌기와 계철.

수현 난 국과수 가볼 테니까, 전담팀에 짐만 갖다놓고 퇴근해.

수현, 돌아서려는데 그 앞을 가로막는 해영.

해영 이렇게 진짜 끝낼 거예요?

수현 너도 좀 도와. 선배들 짐 좀 들어드리고.

수현, 다시 비켜서 가려는데, 해영 다시 가로막는다.

해영 (죄책감에 쌓인) 아까...그 형사말... 틀리지 않아요. 저 피해자는 우리 때문에 죽은 겁니다. 그러니까, 우리가 해야죠!

수현 (보다가) 뭔 소리야?

해영 ...맞잖아요. 우리가 수사를 시작해서 죽은 거예요.

수현 그래서? 수사하지 마? 범인 잡지 말고 가만히 있어? 저 사람을 죽인 건 범인이야. 우린 그 범인을 잡아야 되는 사람들이고.

해영 하지만 지금 그만두고 있잖아요!

수현 (보다가) 박해영… 너 이 팀에서 뭐하는 놈이야? 되다만 프로파일러긴 하지만 그래도 프로파일러잖아. 넌 내가 서울에서 증거 보고 증인이랑 씨름할 때, 아폴로 11호의 암스트롱처럼 달 위에서 날 봐야 돼. 증거도 증인도 사건도 멀리 하나의 점처럼, 절대 감정을 섞지 말고 봐야 된다고. 이렇게 감정적으로 나올게 아니라.

해영 (수현 얘기가 귀에 들어오지 않는 듯) 우리 때문에… 아니… 나 때문에 죽은 거에요. 그 무전만 아니었으면…

수현 뭐?

해영 돌려놓을 겁니다! 아직… 기회가 있다면…

해영, 돌아서서 뚜벅뚜벅 멀어진다.

수현 야!

하지만 멀어지는 해영의 뒷모습.

씬/69 N, 차 안

늦은 밤, 도로 일각, 지나치는 차량의 소음들. 한편에 세워진 해영의 차 안, 운전석의 해영, 경기남부 사건 자료들 이것저것을 뒤적이면서 메모를 하고 있다.

9차, 김원경 22세, 공무원.
장소 현풍동 골목길, 발견시간 11월 7일 밤 아홉시 반.
김원경, 야근 중 8시쯤 동사무소 출발.

메모를 하던 해영, 문득 고개 들면 저 멀리 빌딩 전광판에서 흘러나오고 있는 뉴스. 사건 현장에서 이동 침대에 실려 앰뷸런스로 옮겨지고 있는 하얀 천으로 덮인 경순의 시신을 찍은 영상 위로 띠자막 '재현된 26년 전의 악몽' '경기남부 연쇄 살인마가 다시 돌아왔다' 해영, 그런

뉴스를 바라보다가 조수석 쪽의 무전기를 바라본다. 그런 해영의 모습 위로

- 인서트
(빠르게 클로즈업으로 교차되면서) 경순의 시신의 모습

- 차 안, 해영, 눈빛이 흔들린다. 시간과 무전기를 교차해서 바라본다.

해영(소리) 무전이 온 시간은 언제나 11시 23분.

시간 11시 20분을 넘어서고 있다.

해영 제발... 살릴 수 있어... 제발...

씬/70 N, 과거, 오성서 사무실

지친 멍한 표정으로 앉아있는 재한. 그 앞에 앉아있는 형사 2와 형사 3.

형사 3 (재한과 함께 동선을 그린 지도를 바라보며) 그러니까 이 골목으로 범인을 쫓은 게 확실하다 이거지?
재한 예, 정말 버스정류장이었어요!
형사 2 (보다가) 근데 그날, 현풍역은 왜 갔던 거야?
재한 ....(말문이 막히는) 그게요. 그게... 순찰하려고...
형사 2 그날 확인해보니까 비번이던데?
재한 ....그게...
형사 2 너 처음부터 범인이랑 짜고 치는 고스톱이었던 거 아냐?
재한 (말도 안되는) 예? 제가 왜요?
형사 2 (보다가 형사 3에게) 얘, 지금까지 사건 발생 시각 알리바이 좀 알아봐.
재한 (억울한) 도대체 왜 이러세요? 제가 왜 그랬겠습니까?

씬/71 N, 과거, 오성서 사무실, 유치장

오성서 사무실 한편에 설치된 유치장 안에 쾅, 집어쳐넣어지는 재한. 재한, 다시 몸을 추스르고 철창 쪽으로 다가가보면 문을 잠그고 있는 형사 2.

재한 전 아닙니다! 제가 왜 그랬겠어요?
형사 2 아닌지 그런지는 우리가 판단해.

멀어지는 형사 2. 재한, 억울하고 분하다. 하지만 결국 체념하고 바닥에 털퍽 주저앉는다.

– 시간 경과되면
퇴근한 듯, 보이지 않는 형사 2, 3. 사무실 한켠에는 순경 한 명이 고개를 떨구고 자고 있고... 재한 역시 무릎을 안고 꾸벅꾸벅 졸고 있는데, 어디선가 환청처럼 들려오는 '치치칙' '치치칙' 무전기의 소음. 재한, 잠결에 고개 들어보면, 철창 너머 형사 2의 책상 위에 놓인 재한의 신분증 옆에 놓인 무전기다.

해영(소리) 이재한 형사님? 접니다! 박해영!

재한, 잠에서 아직 안 깬 듯, 고개 흔들면서 다시 무전기를 본다.

씬/72 N, 현재, 도로 일각, 차 안

무전기를 들고 있는 해영, 맞은편에서 대답이 없자, 초조하기만 하다. 시간은 11시 23분.

해영 듣고 있어요? 이재한 형사님!

씬/73 N, 과거, 오성서 사무실, 유치장

유치장 안의 재한, 그런 무전기 소리를 들으며 정신이 나는 듯 철창을

잡고 밖을 향해 억울한 얼굴로 소리치는

재한 저거... 저 무전. 저거, 저기요! 쟤가 그랬다고요. 현풍역에서 사람이 죽는다고!

그러나 완전히 곯아떨어진 순경 외엔 사무실엔 아무도 없다.

해영(소리) 사람이 또 죽었습니다.
재한 봐봐, 쟤 또 시작이야.

씬/74 N, 현재, 도로 일각, 차 안

경순의 죽음이 마음 아픈 듯, 떨리는 해영의 목소리

해영 나 때문에... 아니 우리 때문에 죽은 거예요. 거기가 정말 1989년이라면, 막아주세요.

씬/75 N, 과거, 오성서 사무실, 유치장

유치장 안에서 들려오는 무전기 소리를 듣는 재한.

재한 여보세요! 아무도 없어요?
해영(소리) 믿기진 않겠지만, 여긴 2015년입니다.
재한 ...이천십오... 저게, 미쳤구나.
해영(소리) 지금까지 범인은 잡히지 않았어요.

씬/76 N, 현재, 도로 일각, 차 안

해영 한 번의 기회가 남아있습니다. 경기남부 연쇄살인사건은 아직 한 명의 희생자가 남아있어요. 그때 범인을 잡으면, 현재도 바뀔 수 있습니다.

9차 희생자 김원경, 동사무소 직원이었어요! 1989년 11월 7일 밤 아홉 시 반, 현풍동 골목길!

씬/77 N, 과거, 오성서 사무실, 유치장

멀리서 울리는 해영의 목소리에 놀라서 멈칫하는 재한.

해영(소리) 내 말을 듣고 있는지 모르겠지만, 제발 부탁입니다. 범인을 잡아주세요.

충격으로 떨리는 재한의 시선.

재한 ...김원경... 동사무소 직원?

씬/78 N, 과거, 원경의 집 앞, 골목길 일각

퇴근하는 듯, 집으로 돌아가고 있는 원경. 그런 원경을 바라보고 있는 누군가의 불길한 시선. 금방이라도 덮칠 듯한데, 저 앞쪽에서 들려오는 이모의 목소리. 골목 앞에 나와 있던 이모다.

이모 왔니?

원경, 미소로 인사한 뒤, 집으로 들어가는데.. 재한이 숨어있던 집 근처 전봇대의 어둠에 서서 원경의 집을 바라보는 그림자.

씬/79 N, 과거, 오성서 사무실, 유치장

재한, 충격으로 떨려오는 눈빛.

재한 너... 진짜... 미쳤어?! 원경 씨가 왜 죽어?!!

씬/80 N, 현재, 도로 일각, 차 안

해영 나도 이 무전이 왜 시작됐는지 모르겠어요. 이 무전으로 뭐가 더 엉망이 될진 모르겠지만.. 바꿀 수 있습니다. 범인을 잡고... 사람들을 살릴 수 있어요.

씬/81 N, 과거, 오성서 사무실, 유치장

충격으로 떨리는 눈빛으로 무전기를 바라보는 재한.

해영(소리) 11월 7일, 밤 현풍동 이에요!
재한 (충격으로 멍했다가 순간 울컥하는) 너 이 새끼. 너 어디야? 어디냐고?!

하는데, 툭 끊기는 무전기.

재한 야! 야!! 대답하라고!

하지만, 무전기 너머는 조용할 뿐이다. 재한의 눈빛에 불길함이 감돈다. 재한 시선 너머 보면 날짜 이미 11월 6일. 시간은 밤 열두시를 넘어서고 있다.

재한 (철창을 잡고 흔들며) 여기요... 여기요! 아무도 없어요? 여기요!!

그런 재한의 모습과 차 안에서 꺼진 무전기를 바라보고 있는 해영 교차되면서.

3부 끝

시그널 The Signal

4부

씬/1　　D, 과거, 오성서 유치장

아침, 순경 외엔 아무도 없는 사무실로 들어서는 형사 2. 유치장 쪽에서 연신, 들려오는 '쾅쾅' 철창을 흔드는 소리. 형사 2, 들어서자 피곤한 얼굴의 순경, 다가선다.

형사 2　뭔데 아침부터 호출이야?

순경　아까부터 저럽니다.

형사 2, 유치장 쪽 보는데 초조한 얼굴의 재한이 철창을 붙잡고 소리를 치고 있다.

재한　여기요. 부탁입니다. 전화 한 통만 쓰게 해주세요!

형사 2, 열 받은 얼굴로 유치장으로 다가가 재한 앞에 서는

형사 2　어디에 전화하려고?

재한　오늘, 또 다른 희생자가 발생할지도 몰라요. 김원경입니다. 동사무소 직원.

형사 2　너, 돌았어? 어디서 개수작이야.

재한　예, 진짜 돌아버리겠어요. 그러니까... 전화 한 통만 쓰게 해주세요. 예?

형사 2　입 닥치고 조용히 있어.

형사 2, 멀어지면서 순경에게

형사 2　재, 잘 지켜봐.

재한, 안타까운 얼굴로 시계를 본다. 11월 7일 아침 여덟 시다.

씬/2　　D, 현재, 장기미제 전담팀

9차, 김원경 22세, 공무원.
현풍동 골목길, 발견 시간 11월 7일 밤 아홉 시 반.

라고 적혀 있는 화이트보드에서 빠지면, 밤새 화이트보드를 지켜보고 있었던 듯, 테이블 위에 엎드린 채 잠이 들어있는 해영. 순간, 창문 너머로 살랑 불어오는 바람에 눈을 뜬다. 그러다가 정신이 확 드는 듯 쾅 일어나서 화이트보드을 바라보지만, 과거는 바뀌지 않았다.

해영 (답답하고 초조한) 왜...

그때 전담팀으로 들어서는 수현, 화이트보드 앞에 선 해영을 한심하게 보는

수현 돌려놓겠다면서 여기서 밤새운 거야? 뭘 돌려놨는데? 화이트보드 돌려놨냐?
해영 ...난 이렇게 못 끝냅니다...
수현 (보는) 누가 끝낸데?
해영 (보는)

그때 계철, 헌기 들어온다. 두 사람 보다가 뭐지? 하는 얼굴로 책상 쪽으로 들어서는데...

수현 경기청 독이 잔뜩 올랐어. 지원사격이 장난 아니라는데...

(계철, 헌기, 해영) 뭔 소린가? 하는 얼굴로 본다

수현 그런데 증인도 부족하고, 주변에 CCTV도 거의 없어서 초동수사에 애 좀 먹나 봐.
일동 (무슨 얘길 하고 싶은 거지?)
수현 물론 시간이 지나면, 범인에 대한 가닥이 잡히겠지. 26년 전하고는 다

르니까... 수사기법도 워낙 발전했고... 하지만... 그전엔 우리가 유리해.

다들 멈칫해서 본다.

수현 공조수사에서 우릴 배제한 건 그쪽 실수야. 우리가 가진 정보가 훨씬 많거든.

해영 ...무슨 말씀이세요? 철수하라고 한 건 형사님이잖아요.

수현 현장에서 철수하라고 했지, 경기남부 사건 수사를 중단하자고 한 적은 없어.

해영을 비롯한 일동, 수현을 바라본다.

수현 경기청이 가져간 건 정경순 사건이고, 우리 사건은 경기남부 살인사건이야. 우리가 먼저 범인 잡으면 돼.

계철 단서가 부족하잖아.

수현 강력계 형사질 인맥이 절반이야.

계철 국과수, 그것 때문에 간 거였냐?

수현 오윤서 선생 얘기가 이번 피해자는 과거랑 틀리대. 26년 전엔 피해자를 먼저 묶은 다음에 살해했는데, 이번엔 죽인 후에 묶었다는 거야.

일동, 일순간에 눈빛 반짝한다.

해영 동일범이 아니란 겁니까?

수현 동일범인지 아닌지는 모르지만, 그건 확실해. 이번 범인은 경기남부 사건과 관련이 있다는 거...

해영 매듭이죠? 경기남부 사건 범인이 특이한 매듭으로 피해자들을 묶었다는 건 외부에 알려졌지만, 어떤 매듭인지 사진이 공개된 적은 없어요. 그런데, 이번 사건 범인은 정확하게 26년 전 범인과 똑같은 매듭으로 묶었어요.

수현 이번 사건 범인을 잡으면, 경기남부 범인도 알아낼 수 있을 거야.

헌기 어쩐지 선배님답지 않게 순순히 물러선다 했습니다. 이럴 줄 알고 좀 챙겨온 게 있는데...

일동, 보면 가방 안에서 깨진 컵 유리조각이 담긴 증거물 봉투 꺼내들며 씨익 미소 짓는 헌기다.

헌기 피해자 시신 밑에서 업어왔습니다. 지금 당장 분석 들어가죠.

전담팀을 나가는 헌기.

계철 주변에 CCTV가 없어서 애먹는다고 했지?

수현, 해영 계철을 보면

계철 대신할 만한게 있어. 신고를 받고 출동할 때 움직이는 CCTV 하나를 봤거든.

- 인서트
- 봉고차를 타고 경순의 집으로 향하고 있던 계철. 경순의 집 근처 편의점 앞에 정차한 물품들을 운반하고 있는 운반차량을 본다.

- 사무실로 돌아오면

계철 그 근방에 같은 편의점이 세 곳이야. 비슷한 시간에 운반을 했을 테니까, 계속 그 근방을 돌아다녔겠지. 운반차량엔 100프로 블랙박스가 달려있어. 내가 수단과 방법을 가리지 않고 경기청 놈들보다 먼저 찾는다. 박 형사, 이 새끼 죽었어.

윗옷 들고 뛰어나가는 계철. 단둘이 남은 수현, 해영을 보며

수현	우린 제대로 한번 돌려보자.

씬/3 D, 동장소

테이블 위에서 정경순의 집 도면을 그려놓고 회의 중인 수현과 해영.

수현	처음 도착했을 때부터 시작해보자.
해영	현장에 도착했을 때 창문은 안에서 잠긴 상태였어요. 현관 잠금장치도 전혀 손상되지 않았고요.
수현	강제로 들어간 흔적도 없고, 실내도 몸싸움의 흔적도 없었어. 정경순과 안면이 있는 면식범일 가능성이 커.
해영	범인은 26년이나 쥐 죽은 듯 있다가 재수사가 시작되자, 살인을 저질렀어요. 범행 동기는 증거인멸일 가능성이 큽니다.
수현	면식범에 증거인멸... 아무리 생각해도 95번 버스기사가 의심스러워 그 버스기사는 정경순, 황민주와 아는 사이였고 그 사건과도 관련이 있는 사람이었어.
해영	(고개 가로저으며) 경기남부 연쇄살인사건의 범인에 대해 여러 전문가들이 프로파일링을 했어요. 나도 마찬가지고요. 의견들이 엇갈리긴 하지만, 다들 공통적으로 얘기한 건 나이였습니다. 정상적인 이성 교제를 한 번도 못해본 이십 대 초반, 많아도 스물세 살 이전이죠. 게다가, 최영신이 체포되던 때, 그 버스기사는 버스를 운전 중이였어요. 범인으로 보기엔 무리가 있습니다.

그때, 울리는 수현의 핸드폰. 계철이다.

수현	어떻게 됐어?

씬/4 D, 거리 일각

거리 한편, 회수한 블랙박스 메모리를 증거물 봉투에 넣으며 통화 중인 계철.

계철 아슬아슬했어.

저 앞에 보이는 편의점으로 들어가고 있는 경기청 형사들. 그런 형사들을 보고 휴... 안도의 한숨을 내쉬며

계철 까딱했으면 경기청 놈들한테 뺏길 뻔했네. 걔네들, 수사가 장난 아니게 빠른데.

씬/5 D, 장기미제 전담팀

전화를 끊고 해영을 보는 수현.

수현 시간이 없어. 너는 버스회사로 가서 좀 더 조사해봐. 난 요양원에 가서 그 버스기사를 만나볼게. 뭐라도 건지면 바로 연락해.

일어서서 나가는 수현. 해영, 그 뒤를 따르려다가 화이트보드의 글씨를 다시 한번 확인해본다.

9차, 김원경 22세, 공무원.
현풍동 골목길, 발견 시간 11월 7일 밤 아홉 시 반.

초조한 시선으로 그런 글씨를 바라보는 해영.

씬/6 N, 과거, 동사무소

1989년, 11월 7일 달력, 그리고 저녁 일곱 시 반을 향해 가고 있는 시계에서 빠지면 야근 중인 원경과 여직원. 여직원, 퇴근 준비를 하면서

여직원 언니는 안 들어가? 벌써 일곱 시 반이야.

원경 하던 것만 마저 하구 들어갈게. 먼저 가.

여직원, 원경에게 인사하고 건물을 나간다. 원경 홀로 남는 동사무소. 동사무소 창문 너머 어두운 밤거리. 지나치는 자동차들 너머 길 건너편에서 원경을 바라보고 있는 모자를 눌러쓴 그림자.

씬/7 N, 과거, 오성서 사무실

아침과는 다른 순경 2, 교대를 한 듯 사무실로 들어서는데 어디선가 들려오는 신음소리. 순경 2 뭐지? 보면, 유치장 안에서 배를 부여잡고 아파하고 있는 재한이다.

순경 2 야, 너 뭐야?

재한 ...배... 배가 너무 아파요... (더욱 힘들어하는 신음소리)

순경 2, 놀라서 문을 따고 들어가서 재한을 일으켜 세우려는 순간, 순경 2의 멱살을 잡고 유도기술로 뒤로 던져버리고 조르기에 들어가는 재한.

재한 (조르기 하면서) 미안합니다. 설명할 시간이 없어요.

결국, 기절하는 순경 2를 확인하는 재한. 빠르게 유치장 밖으로 나간다. 시계 확인하면 벌써 여덟 시다. 다급히 책상 위의 무전기와 권총을 들고 사무실을 뛰어나간다.

씬/8 N, 과거, 현풍동, 원경의 집

쾅쾅쾅 문 두드리는 소리에 놀라서 나오는 이모. 문을 열면, 땀범벅이 된 재한이다. 놀란 얼굴로 자신을 바라보는 이모에게 숨 쉴 틈도 없이

재한 원경 씨는요? 들어왔나요?

이모 아뇨. 아까 야근한다고...

재한, 눈빛 떨려오며 곧바로 골목 쪽을 향해 멀어진다.

씬/9 N, 과거, 현풍동 골목 일각

재한, 불안하고 초조한 시선으로 빠르게 주변을 두리번거리며 '원경 씨!' 연신 이름을 불러대며 어두운 골목길 사이사이를 헤매기 시작한다. 손목시계 확인하면 저녁 여덟 시 사십 분이다.

해영(소리) 9차 희생자 김원경, 동사무소 직원이었어요! 1989년 11월 7일 밤 아홉 시 반, 현풍동 골목길!

재한의 흔들리는 시선으로 보이는 불길한 골목길들.

재한 제발... 제발...

하면서 골목길 코너를 도는데, 쾅 부딪치는 누군가... 정신 차리고 보면, 천구다. 천구, 재한을 알아보고 멈칫 하지만, 재한은 정신이 없다. 그냥 지나치려다가

재한 혹시 젊은 여자 못 봤어요? 얼굴 하얗고, 머리가 여기까지 오는데...

천구 (보다가 더듬더듬 오른쪽을 가리킨다)

재한 (이미 몸은 천구가 가리킨 쪽으로 달려가며 빠르게) 감사합니다.

오른쪽 어두운 골목길 쪽으로 사라지는 재한을 보는 천구. 다시 천천히... 시선을 돌려 반대편 골목길 쪽을 바라본다.

씬/10 N, 현재, 장기미제 전담팀

계철이 회수한 블랙박스 화면을 노트북과 연결해서 빠르게 돌리며 검색 중인데, 헌기, 자료를 들고 들어선다.

계철 뭐 나왔어?
헌기 내가 누굽니까. 하나 건졌죠.
계철 누군데?

놀라서 일어서려다가 계철, 멈칫 다시 화면을 본다. 누군가 낯익은 얼굴이 화면을 스쳐 지나간 후다. 블랙박스 화면을 빠르게 정지시키고 뒤로 돌리는 계철. 뭔가를 발견하고 놀라는.. 화면에 잡힌 사람, 바로 천구다.

계철 (블랙박스 시간 확인하고는) 내가... 이천구를 만난 그날이네. 내가 정경순을 찾아갈 걸 알고 먼저 선수를 친 거야.
헌기 이천구요? 지문 주인 이름도 이천구였어요.
계철 (그 소리에 놀라서 보다가 다시 CCTV 화면 보며) 범인은... 버스기사 이천구였어...

씬/11 N, 세훈요양원 건물 외곽

교외에 위치한 아담한 세훈요양원 건물 앞에 차를 세우는 수현. 그런 수현을 바라보는 누군가의 시선, 건물 안 창문 너머로 수현을 바라보고 있는 늙은 천구다.

씬/12 N, 버스회사 사무실

직원과 마주 앉아 얘기를 하고 있는 해영.

직원 정경순 씨는 1990년 퇴직한 거 말고는 기록이 없어요. 안 그래도 아까 형사 분들이 오셨을 때, 다 말씀드렸는데...

해영	(멈칫) 형사분들이요? 경기청에서 다녀갔나요?
직원	예.
해영	(답답해지는 얼굴... 그러다가) 95번 버스에 대해서도 물어보던가요?
직원	예? 95번이요? 그런 얘긴 없었는데...
해영	26년 전에 운행한 버슨데요. 그 버스에 대해서 알만한 분 없을까요?

씬/13 N, 버스회사 차고지

헤드라이트를 켜고 들어서서 정차하는 버스에서 내려서는 60대의 김 기사. 그런 김 기사를 기다리고 있던 듯 다가서는 해영.

– 시간 경과되면
차고지 한편에서 얘기를 나누고 있는 김 기사와 해영.

김 기사	기억나요. 그때 안내양 한 명이 죽어서 회사도 분위기가 되게 안 좋았어.
해영	그때, 일에 대해서 뭐 들으신 거 없으세요?
김 기사	나야, 잘 모르지. 그때 내가 쉬는 날이었거든. 천구 형님이 잘 아시겠지. 그래서 경찰서도 불려가고 그랬거든요.
해영	...이천구 씨를 잘 아십니까?
김 기사	그럼. 같은 버스 고정 기사였으니까... 근데, 그 일 있고 얼마 안돼서 그만뒀어요. 나쁜 일이 생겼거든.

씬/14 N, 세훈요양원 데스크

데스크에서 간호사와 얘기 중인 수현.

간호사	성함이 어떻게 되신다고요?
수현	이천구요.
간호사	(천구의 이름 듣고 고개드는) 이천구 씨요? 이천구 씨는... 환자분이 아닌데...

수현 (의아하게 보면)
간호사 이천구 씨는 환자가 아니라 보호자세요.
수현 보호자요?

그때, 울리는 수현의 핸드폰. 계철이다.

수현 왜?

씬/15 N, 광수대 건물 주차장

차량에 빠르게 올라타고 있는 계철, 출발하면서

계철 이천구 만났어?
수현(소리) 아뇨. 아직...
계철 이천구가 범인이야. 지문, CCTV 모든 게 일치해.

씬/16 N, 세훈요양원, 데스크

수현, 굳은 얼굴로 전화 끊으며

수현 (다급히) 그 병실, 몇 호에요?

씬/17 N, 버스회사 차고지

김 기사와 얘기를 나누는 해영

해영 나쁜 일이요?
김 기사 아들이 사고를 당했어. 그거 살려보겠다고 퇴직금 땡겨서 나갔지. 그 이후론 못 봤는데...

그때 울리는 해영의 핸드폰. 김 기사에게 눈짓하고는 조금 떨어진 곳으로 가는

해영 박해영입니다.
계철(소리) 세훈요양원으로 빨리 와요.
해영 무슨 소리예요?
계철(소리) 이천구가 범인이었어요.
해영 ...그럴 리가 없습니다. 이천구는 경기남부 범인과 프로파일링이 맞지 않아요.
계철(소리) 프로파일링이고 나발이고 빨리 그쪽으로 출동해요.

해영, 툭 끊긴 전화를 혼란스러운 시선으로 본다.

해영 그럴 리가 없어... 이천구는 최영신이 잡힐 때, 버스를 운전 중이었는데... 범인일 리가... 그리고 나이도...

하다가 멈칫... 설마 하는 얼굴이 되는 해영. 고개 돌려, 김 기사에게 다가가

해영 몇 살이었나요?
김 기사 예?
해영 그때요. 사고를 당했을 때, 이천구 씨 아들이 몇 살이었습니까?
김 기사 ...고등학교 졸업하구 바로니까 스무 살쯤 됐지...

해영, 설마... 하는 얼굴.

씬/18 N, 세훈요양원 건물 복도

6층 엘리베이터 문 열리며 복도로 내려서는 수현. 낮은 조도의 불빛만이 켜져 있고 텅 비어 있는 복도다. 수현, 품안에서 권총을 꺼내들고,

주변을 경계하며 609호를 향해 다가간다.

씬/19 N, 버스회사 차고지

김 기사의 얘기를 듣고 있는 해영.

김 기사 마누라는 젊었을 때 죽고, 혼자 힘으로 키운 애였어. 천구 형님이 아들 혼자 집에 놔두는 게 눈에 밟힌다며 매일 버스에 태우고 다니면서 지극 정성이었지. 그 기억이 좋았는지, 커서도 종점까지 하루 종일 타고 다니고 그랬거든 나두 몇 번 태워줬어요. 몸이 약해서 취직도 못하고 집에만 있는 게 딱하기두 하고...

해영 (눈빛 굳어지며) 95번 버스를... 계속 타고 다녔다고요.

- 인서트
- 3부 48씬, GeoPros 화면 옆에서 얘기하던 수현.

수현 피해자들은 연령, 직업도 제각각이고 주거지 역시 달랐습니다. 하지만... 하나 공통점이 있었어요. 모두 버스를 타고 돌아오다가 죽임을 당했습니다.

- 과거, 해영의 추리
- 95번 버스 안, 가장 뒷자리에 탄 누군가가 타고 내리는 사람들을 계속 보고 있다. 1차 희생자 여대생을 눈여겨 바라본다.
- 2차, 3차 사진에 나온 피해자들 모두 버스에 타고 있는 모습들 그런 피해자들을 바라보는 누군가의 시선 그 위로 수현의 목소리

수현(소리) 1차부터 9차, 피해자들이 발견된 장소들을 GeoPros 프로그램에 넣어봤는데 현재의 한 버스노선과 일치했어요. 95번이였죠. 피해자들 모두 그 버스를 타고 다녔어요.

- 현재, 김 기사의 얘기를 듣고 있는 해영의 모습 위로

해영(소리) 이천구가... 범인이 아니라면...

씬/20 N, 세훈요양원 병실

609호 문을 삐꺽 열고 들어서는 수현. 안을 보면 스탠드 불빛 아래, 침대 위에 잠들어 있는 환자만 있을 뿐, 텅 비어 있다. 수현, 천천히 침대 위로 다가간다. 중년의 창백한 진형이 잠들어 있다. 그 밑 침대에 적힌 이름 보면 '환자 이진형, 보호자 이천구'라고 적혀 있다.

씬/21 N, 도로 일각, 차 안

굳은 얼굴로 빠르게 차를 몰고 있는 해영의 모습 위로

해영(소리) 거짓말이었다면... 만약 이천구가 거짓말을 할 수밖에 없는 상황이었다면...

씬/22 과거, 몽타주

- 밤, 95번 버스를 몰고 정류장으로 들어서는 천구. 정류장에 세우고 앞문을 연다. 아무도 타지 않는 손님. 천구, 문을 닫는 버튼을 누르려는데...
- 밤, 골목길에서 튀어나오는 범인, 출발하려는 버스를 발견하고는 용수철처럼 버스에 올라탄다.
- 밤, 버스 안, 놀라서 그런 범인을 바라보는 천구.

천구 너...

그제야 보이는 범인의 얼굴, 하얗고 신경질적으로 보이는 20대의

진형이다.

진형 (다급히) 출발해요. 빨리요

천구, 그런 진형을 이상하게 보다가 차를 출발시킨다. 창문 너머로 버스를 잡으려고 뛰어오는 영신을 덮치는 재한의 모습 얼핏 보이고, 버스 안내양 민주가 창문 너머로 싸움이 붙은 재한과 영신을 보며 '뭐야? 싸움 났나봐?' 보고... 그런 민주를 보는 진형. 시선 돌려, 버스안의 유일한 승객, 이어폰을 들으면서 창밖을 바라보다가 진형을 힐긋 보는 원경을 본다. 그제야, 고개 돌려 진형을 보는 민주.

민주 진형아, 밖에서 무슨 일 있었어?
진형 (그런 민주 보다가) 아뇨. 아무 일 없었어요.

- 과거, 버스회사 차고지 종점에 서는 버스. 내리는 원경과 인사하는 천구.

천구 잘 가요. 공무원 양반.
원경 (미소 지으며 멀어지는)

그 뒤를 따라 내리는 무표정한 진형. 민주도 따라 내리며

민주 아, 피곤해. 빨리 들어가 봐야겠다.

옷 갈아입으러 들어가는 듯 사무실로 들어가는 민주.

천구 좀만 기다려라. 같이 들어가게
진형 나 먼저 갈게요. 집에서 봬요.

- 3부 31씬. 퇴근하는 천구

이상한 인기척을 느끼고 놀이터 그네 쪽으로 다가가던 천구, 헉 놀란 비명을 지르며 뒤로 물러난다. 어둠 속에 손발이 묶인 채, 숨져있는 민주의 시신. 그런 민주의 시신 너머 어둠 속으로 뛰어가고 있는 건, 자기 아들 진형의 뒷모습이다. 믿기지 않는 얼굴로 그런 진형을 바라보는 천구.

- 인서트

버스회사 차고지에서 해영에게 얘기하고 있는 김 기사.

김 기사 천구형님이 입버릇처럼 얘기했었어. 아들을 위해서라면, 뭐든 하겠다고.

- 3부, 56씬, 형사 2에게 증언을 하고 있는 천구.

천구 어젯밤, 그 정류장에선 아무도 타지 않았어요.

그렇게 대답하는 천구, 재한이 다그치는 소리와 함께 카메라 틸다운되면 테이블 밑의 천구의 손 벌벌 떨리고 있다.

씬/23 N, 과거, 현풍동 골목길

4부, 9씬에 이어지는 상황. 재한이 사라진 골목 쪽을 보다가, 반대편 골목을 바라보는 천구의 눈빛에 죄책감이 서서히 피어오른다. 가슴이 아픈 듯 부여잡는...

씬/24 N, 과거, 또 다른 현풍동 골목길

천구가 가리킨 쪽 골목길을 빠르게 훑어보는 재한. 그때, 저 멀리에서 '아악!' 여자의 비명소리. 놀라서 쳐다보는 재한.

재한 안돼...

씬/25 N, 현재, 세훈요양원 병실

진형을 내려다보고 있던 수현. 그때 울리는 핸드폰 벨 소리, 해영이다.

씬/26 N, 도로 일각, 차 안

빠르게 차를 몰고 있는 해영.

해영 이천구가 아니에요. 증거인멸을 위해 정경순을 죽인 건 이천구였을 겁니다. 하지만, 진짜 경기남부 연쇄살인사건의 진범은 따로 있어요.

씬/27 N, 현재, 세훈요양원 병실

해영과 통화를 하고 있는 수현.

수현 그게... 무슨...

수현, 통화를 하며 잠들어 있던 진형 쪽으로 몸을 돌리는데 어느새 눈을 뜬 진형이 무표정한 시선으로 수현을 바라보고 있다. 순간 머뭇거릴 틈도 없이 수현의 목을 잡고 조르기 시작하는 진형. 수현, 그 기세에 권총과 핸드폰을 바닥에 떨어뜨린다. 핸드폰 너머로 들려오는 해영의 목소리.

씬/28 N, 현재, 도로 일각, 차 안

해영, 핸드폰 너머로 들려오는 쿵 소리에 멈칫하며

해영 차수현 형사님?

건너편에서 아무 소리가 없자, 불안한 해영

해영 차 형사님! 내 말 듣고 있어요? 차 형사님!

하지만, 수화기 건너편 수현은 묵묵부답이다.

씬/29 N, 세훈요양원 병실

수현의 목을 거세게 조르는 진형, 수현 숨이 차오르는 상황에서 진형의 양손을 잡고 떼보려 하지만, 진형의 힘이 거세다. 순간, 진형의 얼굴에 한방을 먹여버리는 수현. 그러나 진형, 손을 놓지 않는.. 더 숨이 막혀 온다. 수현의 시선에 들어오는 스탠드.

씬/30 N, 세훈요양원 건물 밖

건물 앞으로 빠르게 다가와 '끼이익' 멈춰 서는 차에서 내려서는 해영. 반대편에서 다가오던 차 역시 빠르게 멈춰 서면서 내리는 계철

해영 (일행 발견하고 다급히) 차수현 형사가 연락이 안 됩니다!

씬/31 N, 세훈요양원 건물, 6층 복도

6층 복도를 뛰며 609호를 찾는 해영, 계철. 저 앞, 병실 쪽에서 쾅 소리가 들려오고, 그쪽을 향해 뛴다.

씬/32 N, 세훈요양원 병실

'쾅' 문을 열고 총구를 겨누면서 들어서는 해영과 계철. 안을 보면 헉헉거리고 있는 수현. 바닥에 깨진 스탠드 잔해들. 침대의 진형, 피가 흐르는 머리를 부여잡고 괴로워하고 있다.

해영	(수현에게) 괜찮아요?
계철	뭐야? 이천구는? 서 놈은 누구야?
해영	저놈입니다. 경기남부 연쇄살인사건의 진범은 이천구가 아니라 저놈이에요!
진형	죽이려고 한 거 아니에요. 눈을 떴는데 저분이 총을 들고 있어서... 놀라서 그런 거예요.
수현	(숨을 몰아쉬며 힘겹게) 아냐. 박해영 말이 맞아. 쟤가 범인이야.
진형	(세차게 고개 가로젓는) 난, 아니에요!

그때, 울리는 계철의 전화벨, 헌기다.

씬/33 N, 장기미제 전담팀

놀란 얼굴로 텔레비전을 바라보며 통화 중인 헌기.

헌기 텔레비전 보고 있어요?

헌기의 시선 쫓아가면 '긴급 속보, 경기남부 연쇄살인범 드디어 모습을 드러내다'라는 띠자막. 화면에는 경기청 앞을 가득 메운 기자들의 모습들 위로 기자의 목소리 깔리고 있다.

기자(소리) 온 국민을 공포에 떨게 만들었던 경기남부 연쇄살인범이 26년 만에 결국 경찰의 손에 체포됐습니다.

씬/34 N, 경기청 건물 앞

기자들과 소식을 듣고 몰려온 유가족들로 아수라장인 경기청 건물 앞. 인파를 뚫고 건물 앞에 멈춰 서는 기동대 차량. '팡' '팡' 터지는 카메라 플래시들. 몰려드는 유가족. 경찰들이 인간띠를 만들어 보호하는 가운데, 문이 열리고 수갑이 채워진 채 내려서는 범인, 바로 천구다. 그런 천구에게 누군가 계란을 집어던진다. '미친놈' '내 새끼 살려내!' 등등 욕설과 기자들의 질문 세례들이 쏟아지는 가운데, 묵묵히 고개를 숙인 채, 건물 안으로 끌려들어 가는 천구의 모습 위로

기자(소리) 26년 만에 재개된 경찰의 수사망이 압박해오자, 스스로 자수를 선택한 범인은 방금 전 이곳 경기청으로 압송돼 조사를 받고 있습니다.

씬/35 N, 경기청 조사실

강한 조도의 불빛 아래 앉아있는 무표정한 천구. 앞에 앉은 조사관을 향해

천구 제가... 그랬습니다. 정경순도 내가 죽였고.. 26년 전, 그 사람들도 모두 제가 죽였어요.

그런 천구의 얼굴에서

수현(소리) 이천구는 범인이 아닙니다.

씬/36 N, 광수대, 광역 1계장실

마주 앉아 있는 수현과 치수.

수현 정경순은 이천구가 죽였을 겁니다. 그리고 자기가 잡힐 꺼라는 걸 알고, 자기 아들 죄까지 모두 뒤집어쓰려는 거예요.

치수 ...그 아들은? 자기가 죽였다고 인정했어?

수현 ....아뇨.

치수 다른 증거는?

수현 ...확증은 없습니다.

치수 경찰 조직에 대해서 너도 잘 알겠지. 여론이 주목하는 이런 사건의 경

우, 경찰이 용의자를 잘못 체포했다는 걸 인정하기는 쉽지 않아. 경찰 조직이 용의자한테 놀아난 꼴이 되니까...

수현 ...

치수 이천구의 자백을 뒤집을 정도의 증거 없인, 아무도 전담팀 말을 믿어주지 않을 거야.

씬/37 N, 장기미제 전담팀

계철, 헌기와 함께 책상에 앉아있는 해영.

계철 오랜만에 힘 좀 썼는데, 뭐 망통이구먼. 이 사건은 이제 물 건너간 거야.

헌기 ...(답답한 한숨 쉬다가 얼굴에 미스트 뿌린다)

계철 (기가 막힌) 뭐 하냐?

헌기 답답해서 그럽니다. (다시 한 번 분노의 미스트질)

해영, 답답한 얼굴로 앉아 있다가 시계를 본다. 11시를 넘어가고 있다.

씬/38 N, 광수대 주차장

주차장에 세워진 차 안 운전석에 앉아있는 굳은 얼굴의 해영. 한 손에는 무전기를 들고, 시선은 시계를 향해 있다. 빠르게 흘러가는 시계의 초침, 11시 23분을 넘어서는데... 해영이 기다리던 '치치칙' 무전기의 소음이 들려오기 시작한다.

해영 (다급히 무전기에 대고) 형사님! 이재한 형사님 거기 있어요? 나에요 박해영.

씬/39 D, 과거, 재한의 방

간소하지만 깔끔하게 정리된 재한의 방. 앉은뱅이책상 위에 놓인 무전기의 계기판이 흔들리고 있고, '형사님, 듣고 있어요?'하는 해영의 목소리가 들려온다. 화면 빠지면 무표정한 얼굴로 무전기를 바라보고 있는 재한. 천천히 무전기로 손을 뻗어 송신 버튼을 누른다.

재한 예, 듣고 있습니다.

씬/40 N, 현재, 차 안

해영 마지막 희생자는요? 어떻게 됐습니까?
재한(소리) ...
해영 김원경, 동사무소 직원이요. 아직 살아있나요?

씬/41 D, 과거, 재한의 방

원경의 이름이 나오자, 서서히 떨려오는 재한의 눈빛.

재한 ...범인은요?

씬/42 N, 현재, 차 안

재한의 낮은 목소리에서 뭔가 불길함을 느끼고 멈칫하는 해영.

씬/43 D, 과거, 재한의 방

재한 거기 2015년이라면서요. 범인 잡았어요?

씬/44 N, 현재, 차 안

해영 형사님... 무슨 일이에요? 무슨 일... 있는 거죠?

씬/45　　　　D, 과거, 재한의 방

재한　범인 잡았냐고 묻잖아요. 범인 잡았어요?

해영(소리)　...그게...

재한　(답이 없는 무전기를 보다가)...버스 기사. 이천구... 그 사람입니까?

씬/46　　　　N, 현재, 차 안

해영　(멈칫)...

씬/47　　　　D, 과거, 재한의 방

재한　...(서서히 눈가에 살기가 피어오르는) 그 사람이죠? 그 사람... 맞죠?

씬/48　　　　N, 현재, 차 안

해영　...아니에요. 그 사람은...

씬/49　　　　D, 과거, 재한의 방

재한　(해영의 말 끊고 다그치는) 그 사람이 아니면 누군데? (참았던 분노가 끓어오르며 이성을 잃는) 내가 가서 죽여 버릴 테니까 대답하라고!!

씬/50　　　　N, 현재, 차 안

해영　(재한의 반응에 당황한) 형사님... 왜...

씬/51　　　　D, 과거, 재한의 방

재한　(떨려오는) 사진으로만 봤겠지... 그저... 사진 몇 장에 희생자 이름... 직업, 발견 장소, 시각... 그게 당신이 아는 전부겠지만... 난 아냐...

슬픔에 찬 재한의 모습에서

- 인서트
- 4부, 9씬. 원경을 찾아 골목길을 헤매다가 천구와 부딪치는 재한.

재한 혹시 젊은 여자 못 봤어요? 얼굴 하얗고, 머리가 여기까지 오는데...
천구 (보다가 더듬더듬 오른쪽을 가리킨다)

- 4부, 9씬. 천구가 가리킨 쪽을 향해 원경을 찾다가 멀리에서 들려오는 여자의 비명소리를 듣고 놀라서 쳐다보는 재한.
- 더욱 다급해진 얼굴로 골목길을 뛰기 시작하는 재한, 코너를 도는데 뭔가를 발견하고 순간 힘이 빠지는 듯, 무너진다. 그런 재한의 시선에 걸리는 길바닥에 떨어져 있는 원경의 가방.
- 재한의 방, 무전을 하고 있는 재한.

재한 ...며칠 전만 해도... 살아있는 사람이었어. 날 위로해주고 웃어주던... 착하고 열심히 살던 사람이었는데..

- 현풍동 골목길, 넋을 잃고 바라보는 재한. 원경의 가방에서 서서히 그 옆으로 이동하면 묶여있는 원경의 손, 발. 그리고 이미 싸늘하게 식기 시작한 원경이다. 믿기지 않고, 믿을 수도 없는 광경에 바들바들 떨면서 그저 바라만 보다가 '아... 아... 안돼!!' 외치는...
- 밝게 미소 짓는 원경의 영정사진으로 오버랩 되면, 원경의 장례식장. 외롭게 빈소를 지키는 이모, 사진을 보며 통곡하고 그런 모습을 붉게 충혈된 눈빛으로 바라보는 재한.
- 재한의 방, 무전을 하다가 다시 아픈 기억이 떠오르는 듯 눈빛 붉어진다. 그러다가 다시 범인에 대한 분노가 배어나오는

재한 그 미친 새끼도... 똑같이 죽여 버릴 겁니다. 내 손으로... 죽일거에요.

씬/52 N, 현재, 차 안

재한을 최대한 진정시키려는 해영.

해영 (다급히) 안 됩니다. 그럼 당신도 똑같아져요. 범죄자가 된다고요. 형사님, 듣고 있어요? 아직 기회가 있습니다!

씬/53 D, 과거, 재한의 방

책상 위에 던져진 무전기 너머에서 들려오는 해영의 목소리.

해영(소리) 안내양 중에 정경순은 범인을 알고 있었어요. 그 여자를 조사해야 합니다. 형사님! 이재한 형사님!

그러나 화면 빠지면, 이미 재한은 사라지고 없다.

씬/54 N, 현재, 차 안

해영, 연신 '형사님' '형사님' 부르다가 무전기를 보는데.. 이미 무전기는 꺼져 있다. 답답한 얼굴로 핸들 쾅 내려치는 해영. 순간 문득 뇌리를 스치고 지나가는 무언가... 눈빛 멈칫하는

해영 ....정경순...

씬/55 N, 현재, 장기미제 전담팀

전담팀에 모여 얘기를 나누고 있는 수현, 해영, 계철, 헌기.

수현 정경순?

해영 예. 정경순은 이천구를 협박하고 있었어요. 그게 뭐였는지 모르겠지만, 분명히 이진형이 진범이라는 증거였을 겁니다. 그걸 찾아내면, 진범을 밝힐 수 있어요.

계철 그런 게 있었으면 경기청에서 벌써 발견했겠지. 사건현장이건 이천구 물건이건 탈탈 털었을 텐데...

해영 맞아요. 이천구도 정경순을 죽인 뒤에 집안을 뒤졌지만, 발견하지 못했어요. 그러니까... 그 물건은 애초에 집이 아닌 다른 장소에 있다는 거죠.

계철 거기가 어딘데?

해영 이제부터 알아내야죠.

계철 하... 나 참. 어떻게요?

해영 경기남부 살인사건의 공소시효는 2004년이었어요. 그때까진 이천구를 협박할 수 있는 돈줄이었으니 애지중지했겠지만, 그 이후엔 어딘가에 처박아 놨겠죠. 그런데.. 공소시효가 풀려버린 겁니다.

- 인서트
- 2부, 26씬, 몽타주 중, 텔레비전을 통해 뉴스를 바라보고 있는 경순의 뒷모습. 서서히 화면 돌면 경순임이 드러난다.

- 다시 전담팀으로 돌아오면

해영 공소시효가 풀렸다는 뉴스를 보고 다시 그 물건이 돈줄이 되겠다고 느꼈을 때... 정경순이 가장 먼저 뭘 했을까요?

수현 그 물건이 잘 있는지 확인하러 갔겠지.

계철 설마, 재 얘길 믿는 거야?

수현 경기남부 공소시효가 풀린 날은 10월 1일이야. 그날, 정경순의 행적을 확인해보면... 이진형이 진범이란 증거를 찾을 수도 있어.

계철 이번 수사 결과 발표 수사국장님이 직접 하신대. 그런 사건을 왜 또 엎으려고 그래. 계장님도 반대하는데, 꼭 이래야 해? 우리 좀 조용히 살자.

수현 나랑 박해영은 정경순 집 한번 더 수색해 볼게. 선배랑 정헌기는 정경순 카드 기록, 핸드폰 통화 기록, 인적 사항 좀 알아봐 주세요.

계철 하지마!!

씬/56 N, 거리 일각

경순의 집을 향해 달려가는 해영의 차 안.

해영 (힐긋 수현 보며) 괜찮아요?

수현 (보면)

해영 그... 목이요.

수현 범인한테 당해서 쪽팔려 죽겠는데 괜찮겠냐?

해영 그러게 남자 혼자 있는 데를 왜 들어가요?

수현 ...(문득 눈빛 가라앉는) 남자 여자 가릴거면 수갑 놔야지.

해영 (힐긋 보는데)

울리는 수현의 핸드폰. 계철이다.

수현 (전화 받는) 알아봤어?

계철(소리) 10월 1일 정경순 핸드폰, 카드 내역 알아봤는데 단서가 될 만한 게 없어.

수현 대충대충 알아본 거 아냐?

계철(소리) (왕억울) 카드 한도 초과였고, 핸드폰 통화한 사람도 없었어! 못 믿겠으면 시키질 말던가!

수현, 답답해지는...

씬/57 N, 경순의 집

현장 수사가 끝난 흔적이 역력한 경순의 집안으로 뛰어드는 수현과 해영.

해영 (주변을 둘러보며) 정리정돈과는 거리가 먼 게으른 성격이에요. 치밀하게 숨기지 않았을 겁니...

수현 시끄럽고

해영 (보면)

수현 그냥 뒤져.

- 시간 경과되면
- 서랍 하나 열어서 꼼꼼하니 뒤지는 해영. 옆에서 들려오는 와장창 소리. 보면 다른 서랍 빼내서 뒤집어엎는 수현이다. 바닥에 떨어진 물품들 빠르게 훑어보는... 그런 수현의 모습을 황당해서 보는 해영.

해영 맨날 이런 식입니까?

수현 (계속 뒤지며) 응, 시간 없을 땐 항상 이런 식이야.

- 책장 안 책들 확 바닥으로 밀어제치는 수현.
- 완전 엉망이 된 집안, 장롱 안을 열어본다. 장롱 안 옷들을 밖으로 다 내놓고 뒤지는 수현, 옷걸이에 걸린 옷들 주머니까지 꼼꼼하니 뒤지는 해영.

해영 (뒤지는 와중에) 10월 1일은 쌀쌀한 날씨였어요. 두꺼운 옷 위주로 찾는 게 빠를 겁니다.

수현 (계속 찾는)

해영 여자들은 아무리 옷이 많아도 자주 입는 옷이 따로 있습니다. 소매가 해졌거나 향수 냄새가 밴 옷을 찾아... (멈칫)

하는데, 멈칫하는 해영의 기색을 알아채는 수현. 해영, 뒤지던 코트 주머니에서 꾸깃꾸깃 구겨진 얇은 종이 한 장을 꺼낸다. 고속버스 티켓. 목적지는 선양시. 날짜 보면 10월 1일이다.

해영 (보란 듯) 정리정돈하고 거리가 먼 게으른 성격이라고 했잖아요.

서로 시선 마주치는 두 사람.

씬/58 D, 도로 일각

어느새 아침이 된 도로를 달리고 있는 해영의 자동차. 빠르게 악셀을 밟고 있는 해영. 조수석의 수현의 모습 위로 계철의 목소리.

계철(소리) 선양시 인근에 정경순의 사촌 언니가 살고 있어. 전입 기록을 확인해 봤는데 2002년부터 2004년까지 그 집에서 같이 살았더라고.

씬/59 D, 농가 일각

농가에 딸린 어두컴컴한 창고 안을 뒤지고 있는 해영. 그런 창고 입구에서 대화중인 경순과 비슷한 또래로 보이는 사촌 언니와 수현.

언니 얼마 전에 갑자기 연락도 없이 오긴 왔었어요.
수현 뭘 찾으러 오지 않았나요?
언니 모르겠어요. 인사도 없이 창고로 들어가길래, 지가 놔두고 간 짐 보러 왔나 싶었죠.

그때, 창고를 뒤지던 해영, 뒤죽박죽 쌓여있는 농기구들 사이, 낡은 커다란 짐가방을 발견한다.

해영 (가방을 들어 보이며) 이겁니까?
언니 예.

가방을 열어 안의 내용물들을 꺼내보는 해영. 그 옆으로 다가오는 수현.

수현 (안의 내용물들을 살펴보며 언니에게) 혹시 이 짐 손대셨나요?
언니 아뇨. 제가 왜...

하는데, 가방 안을 뒤지던 해영의 눈빛 멈칫한다. 가방 안, 한쪽 옆으로 끼워져 있는 검은 비닐봉지. 천천히 봉투를 열어보는 해영, 그 옆에서 그 모습을 지켜보는 수현. 봉투 안 내용물을 확인한 두 사람 눈빛, 떨려 온다.

씬/60　　　　D, 몽타주

- 경기청 건물 앞에서 브리핑 중인 기자 1

기자 1　　26년이란 긴 시간 동안 베일에 가려졌던 경기남부 연쇄살인사건. 그 전말이 오늘 밝혀질 수 있을까요?

- 경기청 기자회견장

여기저기 카메라를 설치하기 바쁜 카메라맨들의 분주한 손길. 테이블마다 앉아서 노트북 앞에서 회견을 준비 중인 기자들.
그런 모습들 위로

기자 1(소리)　　잠시 뒤 이곳 경기청 사건 브리핑실에서 예정된 경기남부 연쇄살인사건 수사보고에 전 국민의 눈과 귀가 집중되고 있습니다.

씬/61　　　　D, 세훈요양원 병실

순경 두 명이 서서 지키고 있는 진형의 병실 문 쾅 열리면서 들어서는 해영. 진형, 무슨 일이지 고개 들어보는데.. 다짜고짜 다가와서 진형의 윗옷을 벗겨버리는 해영.

진형　　(반항하는) 이게 무슨

순간, 진형의 어깨 부분에 난 화상 자국을 발견하는 해영.

씬/62　　　　D, 경기청 복도

기자회견장으로 향하고 있는 범주와 보좌관, 박 형사를 비롯한 경기청 형사들. 문 앞에 다다르면 범주에게 정중하게 브리핑할 자료가 정리된 파일(서류철) 넘기는 박 형사.

범주　수사결과 모두 확실하겠지?

박 형사　범행 장소, 범행 수법 모든 게 이천구의 자백과 일치합니다. 이천구가 이 사건의 범인이 확실합니다.

범주　(흡족한 미소) 수고했어.

씬/63　　　　D, 기자회견장

기자회견장으로 들어서는 범주. 단상으로 올라서는 범주를 향해 터지는 플래시 세례들. 긴장한 얼굴로 범주를 바라보는 기자들. 범주, 단상에 올라서서 그런 좌중의 모습을 한번 훑어본 뒤

범주　지금부터 경기남부 연쇄살인사건의 수사 결과 보고를 시작하겠습니다.

더욱 빠르게 터지는 플래시들.

범주　지난 10월 22일 발생한 경기지역 정 모 씨의 살인사건의 수법이 26년 전 경기남부 연쇄살인사건과 흡사하다는 판단을 내린 수사팀은 주변 CCTV 영상과 지문, 혈흔 증거 등으로 유력한 용의자를 발견하였습니다.

그때, 앞문 열리면서 들어서는 수현. 다급히 온 듯, 거친 숨을 고르고... 범주와 기자들의 시선 수현에게 쏠리고... 범주, 그런 수현 일견한 뒤, 개의치 않고 계속 자료 읽어 내려가는데... 뚜벅뚜벅 범주에게 다가오는 수현, 단상 위로 증거물 봉투에 담긴 증거물(전기충격기)과 DNA

검사 결과지를 내려놓는다. 범주, 뭐야? 하는 시선으로 서류철을 읽어 내려가는데 눈빛 굳는다. 기자들, 그런 범주를 보고 웅성웅성하기 시작하고... 범주, 서류철의 내용을 가만히 바라본다. '무슨 내용입니까?' '수사 결과 발표를 계속해 주세요' 기자들 손을 들고 하나둘씩 소리치는데... 그제야 천천히 고개를 드는 범주, 수현을 한번 보고 난 뒤, 다시 기자들을 향해 천천히 입을 연다.

범주 정 모 씨 살인사건을 수사하던 도중, 결국 26년 전 경기남부 연쇄살인사건의 진범을 밝혀내는 데 성공했습니다.

노트북 키보드를 쳐내려 가는 기자들의 손길, 더욱 빨라지며 '자수한 이천구가 범인이 맞습니까?' '증거가 발견됐나요?' 질문들이 쏟아지는데...

범주 (그런 기자들을 보다가) 이 사건의 수사 결과 발표는... 사건 수사를 담당한... 서울지방청 장기미제 전담팀 차수현 경위가 맡겠습니다.

범주, 천천히 몸을 돌려 수현을 바라본다.

범주 (낮은) 각오는 돼 있겠지.

수현, 그런 범주에게 고개 끄덕 목례한 뒤, 단상으로 올라간다.

수현 10월 22일 발생한 정 모 씨 살인사건을 수사하던 전담팀은 수사 도중, 과거 경기남부 연쇄살인사건의 범인을 잡을 수 있는 결정적인 증거를 발견했습니다.

씬/64 D, 경기청 조사실

고개를 푹 숙이고 있는 조사실의 천구. 그런 조사실로 들어서서 천구의 맞은편에 앉는 해영. 천구 고개 들어 해영을 본다.

해영 (보다가) 경찰서에서 조사를 받을 때... 그때부터 시작이었던 거죠?

천구 흠칫해서 보는데...

씬/65 N, 과거, 오성서 사무실

3부, 56씬.
사무실에서 천구에게 질문을 해대던 재한과 형사 2.

형사 2 그날, 황민주가 탔던 막차 버스 운전한 버스기사, 맞죠?
천구 (껌벅껌벅 보는) 예, 맞습니다.
형사 2 그때, 현풍역 버스 정류장에서 탄 손님 있었어요?
재한 검은 티셔츠에 20대 초중반 정도였을 겁니다. 기억나시죠?

그런 재한을 힐긋 보는 경순의 시선

씬/66 N, 과거, 오성서 복도

조사를 받던 형사에게 배웅을 받는 천구와 경순.

형사 협조해 주셔서 감사합니다.

하고는 들어가는 형사. 천구, 먼저 걸어가려는데, 경순 뒤에서 문득

경순 근데요. 검은 티셔츠에 20대 초중반이면... 진형이랑 인상착의가 비슷하네요. 아까 버스에 있었잖아요.
천구 무... 무슨 소릴 하는 거야?
경순 진형이는 어떤 정류장에서 탄 거예요?

천구 그게... 처음부터 같이 타고 있었어.

말 둘러대고는 먼저 돌아서서 사라지는 천구를 미심쩍은 시선으로 보는 경순.

씬/67 N, 과거, 현풍동 골목길 일각

4부, 9씬. 천구에게 '혹시 젊은 여자 못 봤어요? 얼굴 하얗고, 머리가 여기까지 오는데...' 묻고 있는 재한의 모습을 누군가 골목길에 몸을 숨긴 채 보고 있다. 천구 오른쪽 가리키고 재한, 오른쪽으로 뛰어가면, 반대편을 바라보는 천구. 그러다가 멀어진다. 숨어있던 골목에서 나오는 경순, 천구가 마지막으로 바라봤던 그곳으로 걸어간다.

씬/68 N, 과거, 또 다른 현풍동 골목길 일각

골목길을 따라 걷고 있는 경순. 그때, 저 앞쪽에서 들려오는 '악!' 하는 여자의 비명소리. 경순, 겁먹은 얼굴로 고개만 내밀어 보면, 저 앞쪽 어둠 속에서 반항하는 원경을 제압하려는 진형. 순간, 원경 가방 안에서 전기 충격기를 꺼내서 진형에게 한방을 먹인다. '치치칙' 어깨에 충격기가 꽂히면서 화상을 입은 진형, 순간 원경을 놓치고 쓰러진다. 원경, 그새를 틈타 비틀비틀 도주하는데... 진형, 충격이 그다지 강하지 않았던 듯, 뒤이어 곧바로 그런 원경을 쫓아 어둠 저 너머로 사라진다. 경순, 그 모습을 보다가 천천히 그 현장으로 다가간다. 바닥에 떨어져 있는 전기 충격기.

씬/69 D, 현재, 기자회견장

증거물 봉투에 들어있는 전기 충격기를 기자들에게 보여주는 수현. 터지는 플래시들.

수현 숨진 정 모 씨가 보관해 오던 증거물에는 경기남부 사건의 마지막 희생자인 김 모 양의 지문과 혈흔, 그리고 범인의 DNA가 함께 검출됐습니다. 이 증거물로 체포된 진범은 26년 전, 척수 손상으로 인한 하반신 마비로 요양원에 입원해 있던 이천구의 아들, 이진형입니다.

씬/70 D, 현재, 경기청 조사실

조사실에 해영과 마주 앉아 있는 천구. 아들의 소식을 들은 듯, 충격으로 부들부들 떨기 시작한다.

천구 ....우리... 아들은 아냐. 우리 애는 그럴 애가 아니라고. 우리 불쌍한 아들놈... 엄마 없이 얼마나 외롭게 컸는데...

해영 (그런 천구를 보는) 진짜... 끔찍하네요.

해영, 열 받은 얼굴로 가지고 온 가방에서 희생자들의 사진을 꺼내, 테이블 위에 한 장씩 펼쳐놓는다.

해영 1차 피해자, 대학생 최은영. 2차, 두 아이의 엄마였던 박순희, 3차, 결혼을 앞두고 있던 직장인 김윤주. 4차, 다음날이 생일이었던 김말순.

천구, 사진들을 감히 못 보고 시선을 돌린다. 그런 천구의 어깨를 잡아 사진을 코앞에 들이대는 해영.

해영 똑바로 봐요! 당신한테만 소중한 가족이 있었던 게 아닙니다. 이 사람들한테도 소중한 가족들이 있었다고요! 이 사람들한테 정말 아무런 감정이 없어요? 당연히 미안해야 하는 거잖아요!

천구 (버럭 사진들을 테이블에서 치우며) 아무것도 모르면서... 아무것도 모르면서 함부로 말하지 마!

해영 (보는)

천구 ...우리... 불쌍한 아들놈은 벌써 죗값을 치렀어. 그때... 죗값을 치렀다고!

과거를 회상하며 눈가가 붉어지는 천구를 바라보는 해영.

씬/71 **N, 과거, 천구의 집**

허름한 집 마당을 쓸고 있는 천구. 그때, '쾅' 철문 열리면서 굳은 얼굴로 들어서는 재한. 천구, 갑작스러운 재한의 방문에 놀라서 뒤로 물러서는데 재한, 그런 천구를 죽일 듯 노려보다가... 한발자국 두발자국 다가와서 품 안에서 권총을 꺼내 천구의 멱살을 잡고 코앞에 겨눈다.

천구 (겁에 질려) 아... 안돼...

그러나 분노에 가득 차서 이성을 잃고 천구를 바라보는 재한. 순간, 어디선가 들려오는 '끼이익' 문 열리는 소리. 그쪽을 바라보는 천구의 눈빛 굳어지고, 그 눈빛을 쫓아 집 건물 쪽을 바라보던 재한의 눈빛도 변한다. 문을 열고 나오던 진형과 시선이 마주친 것이다. 검은 티, 검은 모자.

- 인서트
3부, 6씬. 현풍동 골목길 뒤를 쫓던 검은 티, 검은 모자.

- 진형을 바라보는 재한의 얼굴 급격하게 떨려온다. 저놈이다... 저놈이 진범이다. 눈이 확 뒤집힌 재한, 진형 쪽으로 총구를 돌리는데, 천구 그런 재한을 몸으로 밀어버리고.

진형, 그 새를 틈타 다시 문 밖으로 도주하기 시작하고. 재한, 자신을 만류하는 천구의 손을 미친 듯이 뿌리치고 진형의 뒤를 쫓기 시작한다.

씬/72 **N, 몽타주**

- 도로 위, 도주하는 진형, 그 뒤를 쫓는 재한.

- 도로 한편, 건물 공사장으로 도주하는 진형, 그 뒤를 쫓는 재한.
- 아직 뼈대만 완성된 공사장 건물 위층으로 도주하는 진형. 위로 위로 올라간다.

씬/73　　　　N, 공사장 일각

계단을 올라 더 올라가려는 진형의 다리를 뒤에서 잡아버리는 재한. 진형, 결국 바닥에 털썩 넘어지고 그런 진형의 멱살을 잡고 재한, 들고 있던 총으로 진형을 겨누려는데, 진형 격렬한 반항. 결국 권총 떨어지고 다시 진형 계단 쪽 말고 난간 쪽으로 도주. 그런 진형을 몸을 던져 제압해 버리는 재한. 정신 못 차리는 진형을 사정없이 패기 시작한다.

재한　왜!! 이 미친 새끼야!! 도대체 왜!!

이성을 잃고 미친 듯이 진형을 패는 재한의 붉게 물든 눈빛 위로

- 인서트
- 3부, 원경의 미소 짓는 모습.
- 4부, 죽어있는 원경의 마지막 모습
- 다시 공사장으로 돌아오면, 여전히 진형을 패고 있는 재한.

재한　도대체 왜!!!

이성을 잃고 진형에게 다시 주먹을 날리려는 재한. 순간, 재한의 뒤통수로 날아드는 각목. 재한, 옆으로 쓰러진다. 재한 뒤에서 각목을 내려치고 부들부들 떨고 있는 천구. 피투성이가 된 진형, 그제야 '컥컥' 거리며 숨을 몰아쉬고 머리에서 피를 흘리는 재한, 서서히 고개를 든다.

재한　(천구를 보는) 그래서... 아들이라서... 거짓말 한 거예요? 아무도 타지 않았다고?

천구	...우리... 아들은 아냐... 그때 버스엔 아무도 타지 않았어.
재한	그때... 아저씨가 제대로 증언만 했어도... 죽지 않았을 거예요. 지금... 살아있었을 거라고요!
천구	무슨 말 하는지... 모르겠네. 우리 아들은 아냐...
재한	(그런 천구가 답답한) 제발... 그만 하세요. (진형을 보며) 여기서 끝이 아닙니다. 더 죽일거예요. 또 사람을 죽일 거라고요!
천구	...그때... 버스에 있었던 사람들은... 아무도 없어. 나만... 남았지... 내 목에 칼이 들어와도... 우리... 아들은 아냐.

재한, 가만히 그런 천구를 보다가 눈빛 가라앉는다.

재한	(숨을 가다듬다가 결심한 듯) 목에 칼이 들어와도 안 된다면... 어쩔 수 없네요. 증인도 증거도 없으니... 내 손으로 끝낼 수 밖에.

재한, 말릴 새도 없이 땅에 떨어져 있던 권총을 잡아든다. 놀란 진형, 피를 흘리면서 미친 듯이 피하려고 난간 쪽으로 향하고 재한, 권총을 들고 뚜벅뚜벅 그런 진형에게 다가선다. 천구, 놀라서 재한을 붙잡으려고 하지만, 재한 거칠게 천구를 바닥으로 밀친다. 총구를 올리며 다가서는 재한의 기세에 뒤로 비틀비틀 물러나던 진형, 순간 균형을 잃고 뒤로 넘어지다가 그만 난간 밑으로 떨어져 버린다. 재한, 흠칫 놀라 빠르게 난간으로 다가가 보면 아슬아슬 난간을 붙잡고 버티고 있는 진형. 재한, 자기도 모르게 그런 진형에게 손을 내밀고, 그런 재한을 바라보는 진형의 입가에 순간 미소가 스쳐 지나간다. 그런 진형을 바라보던 재한... 찰나 같은 시간이 지나고... 재한, 내밀던 손을 천천히 거둔다. 진형의 입가에 미소가 사라지고, 서서히 미끌어지는 진형의 손. 천구의 '안돼!!!' 절규가 깔리며 결국 서서히 추락하기 시작하는 진형. 그런 진형을 가만히 바라보는 재한의 떨리는 손.

씬/74　　N, 현재, 경기청 조사실

부들부들 눈물을 흘리는 천구.

천구 그 미친놈이... 우리 아들을 저 모양으로 만들었어... 그런데... 무슨 벌을 더 받으라고!

해영 (보다가) 그... 미친 놈... 이재한 형사가... 막은 거예요. 더 이상의 살인을...

씬/75 D, 과거, 병실/병원 복도

열린 병실 너머로 다리가 움직이지 않는다는 걸 알고 '으악!!' 패닉이 된 진형. 발작하다가 침대 옆으로 떨어지고 어떡하든 일어서려 하지만, 뜻대로 되지 않자, 더욱 발악한다. 그런 진형을 안타깝게 보던 천구, 병실 문 너머에서 이 모든 모습을 가만히 바라보는 재한을 발견한다. 재한에 대한 감정이 폭발할듯하지만, 부들부들 떨면서 최대한 참는 천구.

천구 가... 다신 오지마.

재한 ...의사한테 그랬다면서요. 아들이 발을 헛디뎠다고...

천구 ...(노려보는)

재한 난 가서 당신 아들한테 내가 무슨 짓을 했는지 자수할 겁니다. 그러니까 당신 아들도 자수시키세요.

천구 무슨 말을 하는지 모르겠네. 내 아들도 자네도 경찰에 자수할 만한 일은 없었어. 내 아들은 발을 헛디딘 거고, 자넨 거기에 있지도 않았어.

재한 ...끝까지 숨길 생각이군요.

천구 우리... 아들놈... 당할 만큼 당했어. 안 보여? 앞으로 반병신이 돼서 살아야 해. 평생 침대 위에서 살아야 한다고.

재한 당신 아들이 어떤 짓을 했는지... 적어도 피해자들의 가족은 알아야 합니다. 자수 시키세요.

천구 (재한을 보다가)...내 아들은 엄마 없이 자란 불쌍한 놈일 뿐이야... 앞으론 더 불쌍하게 살겠지... 그런 놈을... 더 불쌍하게 만들 순 없어. 돌아가...

천구, 뒤돌아 병실로 들어가서 문을 닫는다. 재한, 그런 모습을 붉게 충혈된 눈으로 바라보는...

씬/76 D, 현재, 경기청 조사실

해영을 바라보는 천구의 눈빛에 아직도 독기가 남아있다.

천구 우린 그동안 충분히 괴로워하면서 대가를 치렀어. 그 지긋지긋한 사건을 다시 시작하지만 않았어도... 모두 다 잊고 살았을 텐데.. 왜?.. 왜 다시 끄집어낸 거야. 왜?!

해영 ....만약... 그때 당신 아들이 이재한 형사한테 죽었다면... 당신은 잊을 수 있었겠어요? 아무 일 없었다는 듯 웃고 떠들고 먹고 자면서 행복하게 살았겠냐고요.

천구 ...(멈칫하는)

해영 사랑하는 가족들 품이 아니라, 차가운 땅에서 공포에 떨다가 죽은 사람들이에요. 누군가는... 적어도 잊지 말아야죠. 정경순도... 똑같습니다. 돈에 눈이 멀어 사람을 협박했지만, 죽을죄를 짓진 않았어요. 그 죽음도 난 기억할 거예요.

천구를 바라보던 해영, 조사실을 나선다.

씬/77 D, 경기청 건물 복도

조사실에서 걸어 나오는 해영. 모든 사건이 끝났지만, 해영의 얼굴은 왠지 밝지만은 않다. 걸어 나오다가 창가에 서서 가만히 서 있는데, 뒤쪽에서 다가와서 옆에 서는 수현.

수현 다들 술 한잔하러 간다는데...

해영　　(다시 창밖을 보는) 됐습니다.
수현　　(보다가) 다른 거라도 찾아.
해영　　(보는)
수현　　술을 마시건, 권투도장에 가서 때려 부수건 뭐라도 찾아보라고.
해영　　…
수현　　사람 죽은 거 처음 봤지? 살인사건은… 아무리 많이 경험해도, 익숙해지지가 않아. 처음이라서 그런 게 아냐. 죽은 사람을 보는 건 앞으로도 똑같이 힘들 거니까 뭐라도 찾아봐. 잘 이겨내는 법을…

해영, 그런 수현을 가만히 보다가 수현 쪽으로 한 걸음 다가선다. 수현, 뭐지? 약간 뒤로 몸을 빼는데, 한 걸음 더 다가오는 해영. 갑자기 수현 목을 살피는 듯 손을 올린다.

수현　　지금 뭐 하는 거야?
해영　　(예의 가벼운 톤으로) 여자 목이 이게 뭡니까?

수현, 뭐야? 하는 얼굴로 해영 본다. 해영 시선 쫓아가면, 수현의 목에 아직도 남아있는 붉은 손자국.

해영　　차 형사님도 술 마시지 말고, 병원이나 가봐요.

돌아서서 뚜벅뚜벅 걸어가던 해영. 멈칫하다가 돌아서서

해영　　그리고… 처음 아니에요. 사람 죽은 걸 본거…

수현, 해영의 가라앉은 눈빛을 보고는 멈칫. 해영, 이내 돌아서서 다시 뚜벅뚜벅 멀어진다. 그런 해영의 모습에서

씬/78　　D, 과거, 해영 母의 집 밖/집 안/해영의 회상

지방 허름한 단독주택 앞. 초등학생 해영이 가방을 메고 해영 母의 집 앞에 서서 초인종을 누르지만 아무도 나오지 않는다.

해영 (머뭇거리며) 엄마!... 형!...

하지만, 집안에선 인기척이 없고... 삐걱 문을 열고 어두컴컴하고 초라한 단칸방으로 들어서는데... 순간 멈칫한다. 방바닥에 붉게 퍼진 피. 그 피를 쫓아가면, 방 저쪽에 숨져 있는 선우. 손목에서 흘러나온 피, 하얀 팔, 실루엣 등 어린 해영의 흔들리는 시선으로 보이는 단편적인 화면들이 거칠게 보인다.

씬/79 N, 해영의 옥탑방

책상에 앉은 해영. 책상 위에는 프로파일링과 관련된 원서들. 서적들. 모니터에는 인주 사건에 대한 짤막한 요약 기사 떠있고... 그렇게 작업을 하던 해영. 문득 생각에 잠기다가, 책꽂이의 책 한 권을 빼든다. 책 사이를 좌라락 넘기다가 보면, 그 사이에 꽂혀있는 빛바랜 1999년도 야구장에서 찍은 선우와 어린 해영의 밝게 웃고 있는 사진. 가만히 내려다보다가 그리운 듯, 옅은 한숨을 내쉬는... 그런 해영의 모습 위로

수현(소리) 뭐라도 찾아봐. 잘 이겨내는 법을...

씬/79-1 N, 형기대 건물 비상구 복도

비상등이 켜져 있는 어두운 비상구 복도로 천천히 걸어 들어오는 수현. 비상구 계단 중간쯤을 가만히 바라본다. 그런 수현의 눈빛에서

씬/79-2 N, 과거, 동장소

수현이 바라보던 바로 그곳에 쭈그리고 앉아있는 수현. (96년 정도 배경의 근무복 차림을 생각했습니다.) 어두운 얼굴로 숨죽여 눈물을 찔끔거리고 있는데, 아래층 계단 쪽에서 들려오는 발걸음 소리. 수현, 놀라서 부동자세로 일어서고 가게에서 음료수를 사오는 듯, 검은 비닐봉지를 들고 아래층에서 올라와 사무실로 향하는 문을 열려고 다가가는 재한과 시선 마주친다.

재한 뭐하냐?
수현 (운게 들통 날까봐, 시선 피하며) 아닙니다.

재한, 수현을 힐긋 보고 알만하다는 얼굴로 그냥 문 열고 들어가려다가 맘에 걸리는 듯 잠시 생각하다가 수현이 있는 층계층을 향해 올라오는데 수현, 주눅 든 얼굴로 옆으로 비켜서고... 그런 수현 보다가 수현이 쭈그리고 앉았던 옆에 털썩 앉는 재한.

재한 앉아. 뭐 좀 먹었냐?

수현, 우물쭈물 서서 보다가 재한이 아직 불편한 듯, 거리 두고 앉는데 재한, 봉투 안 뭐 줄거 없나 뒤져보는데, 담배에 음료수뿐이다. 결국 1리터짜리 음료수를 꺼내서 건네는 재한.

재한 이거라도 좀 먹어.

수현, 받으면서도 이게 뭔가 싶고... 재한, 자기도 1리터짜리 하나 따서 마시며

재한 울었냐?
수현 아뇨...
재한 나도 그래.
수현 (보는)

재한 나도 그렇고, 저 안에 짐승 같은 형사 놈들도 그렇고 자주 울어. 사람이 죽은 걸 보고 멀쩡한 사람이 어딨겠냐.

수현 ...(다시 생각나는 듯 눈시울 붉어지는)

재한 그러니까... 잡아야지.

수현 (다시 고개 들어 보는)

재한 우리가 이렇게 힘든데... 유가족들은 어떻겠어. 유가족들이 흘린 눈물은 바다 같을 거다. 거기서 우리가 덜어 줄 수 있는 양은 많아봤자, (수현이 들고 있는 1리터짜리 병과 자기가 들고 있는 병보며) 이 정도 뿐이야.

수현 ...

재한 그런 생각으로 죽을 각오로 범인 찾아내서 수갑 채우는 게 우리 일이라고.

수현, 그런 재한을 본다.

재한 우는 것도 좋은 방법이고, 뭐든 잘 이겨낼 수 있는 방법을 찾아봐.

씬/79-3 N, 현재, 동장소

전씬, 과거의 수현이 앉아있던 그 자리에 똑같은 모습으로 앉아있는 현재의 수현. 옆으로 천천히 시선 돌리지만, 과거에 함께 해줬던 재한은 사라지고 없다. 텅 빈 재한의 자리를 바라보는 수현의 눈빛엔 그리움이 비친다.

씬/80 D, 단독 주택 앞

초인종을 누르고 있는 검은 정장을 걸친 해영. 문 열리면서 나오는 사람, 26년 동안 더욱 수척해진 원경의 이모다.

씬/81 D, 이모의 집

거실에 걸려있는 환하게 웃고 있는 원경의 사진을 바라보고 있는 해영.

그런 해영의 시선에서

- 인서트
4부 51씬, 무전을 하던 재한.

재한 (떨려오는) 사진으로만 봤겠지... 그저.. 사진 몇 장에 희생자 이름... 직업, 발견 장소, 시각... 그게 당신이 아는 전부겠지만... 난 아냐...

- 다시 이모의 집으로 오면, 여전히 원경의 사진을 바라보고 있는 해영의 모습 위로

재한(소리) ...며칠전만 해도... 살아있는 사람이었어. 날 위로해주고 웃어주던... 착하고 열심히 살던 사람이었는데...

그런 거실로 찻잔을 들고 들어서는 이모.

- 시간 경과되면
함께 찻잔을 앞에 놓고 마주앉아 있는 해영과 이모. 이모, 그런 해영 보다가 벽에 걸린 원경의 사진을 보며

이모 이제... 지두 편히 눈 감겠죠. 그 어린게... 결혼도 못하고 죽었으니... 그런데... 그게 사실인가요?
해영 예?
이모 신문 보니까, 우리 원경이가 갖고 있던 물건으로 범인을 잡았다고...
해영 예. 맞습니다. 조카분이 아니었다면, 범인을 잡을 수 없었을 거예요.
이모 ...(회한에 찬...) 우리 원경이가 아니라... 이 순경 때문에 잡은 거네요.
해영 ...(보는) 이 순경이요?
이모 ...(엷게 웃는) 원경이가 좋아하던 사람이었어요.

씬/82 D, 과거, 몽타주

- 거리를 걷는 원경. 문득 고개 들어보면 저 앞에 세워져 있는 검은색 고급 국회의원 차량에 신호위반 딱지를 떼고 있는 재한이다. '이 분이 누군지 알아?' 난리가 난 보좌관. 그러나 여전히 뚱한 얼굴로 딱지를 들이미는 재한. 복장 터지는 보좌관. 그런 모습을 보다가 웃음 짓는 원경.

- 동사무소, 원경의 창구 앞에 서 있는 정복 차림의 재한.

재한 (잔뜩 얼어서) 그... 빼빼뺑... 뺑소니범 이... 인적사항... 좀...

그런 재한의 모습에 미소 짓는 원경.

- 2부, 68씬. 원경의 뒤를 쫓고 있는 재한. 나름 자기는 몸을 숨긴다고 쫓아오는데, 이미 원경은 알고 있는 듯, 힐긋 뒤쪽을 보다가 미소 짓는다.

- 3부, 47씬. 원경의 손에 전기 충격기를 쥐여주던 재한의 모습.

- 과거, 원경의 집. 가방 안에서 전기 충격기를 꺼내들고 미소 짓고 있는 원경. 그런 원경을 기가 차다는 듯 보는 이모.

이모(소리) 처음으로 선물 받은 거라고... 애처럼 좋아했어요. 반지나 목걸이도 아니고, 그딴 걸 받았냐고 놀렸었는데...

씬/83 D, 이모의 집

얘기를 나누고 있는 이모와 해영.

해영 그... 이 순경님이란 분, 이름이 이재한이었나요?
이모 ... 맞아요. 이재한 순경... 그 사람이었어요.

과거를 회상하는 이모의 얼굴에서

씬/84　　D, 과거, 재한의 집 밖

전씬의 이모의 얼굴에서 서서히 과거의 젊은 이모의 모습으로 오버랩되는 화면, 재한의 문을 두드리고 기다리다가 재한이 문을 연 듯, 문을 열고 놀라서 굳어있는 재한을 바라보고 있는 이모다.

씬/85　　D, 과거, 재한의 집

서로 마주 앉아 있는 재한과 이모. 이모, 재한의 방을 한번 훑어보는데, 앉은뱅이책상 위에 '사직서' 보다가 이모, 천천히 재한을 본다. 재한, 죄책감에 가득해 이모의 눈도 제대로 못 마주치고 있는데... 그런 재한 앞에 편지 봉투 하나를 내려놓는 이모. 재한, 의아한 얼굴로 이모를 보는데

이모　(눈가가 붉게 물들며) 원경이가 고민을 많이 했어요. 이 순경님이 안 좋아하면 어쩌나...

재한, 봉투의 내용물을 꺼내는데, 군데군데 피가 묻은 영화표 두 장이다. 심장이 쿵 내려앉는 재한.

- 인서트
3부 47씬. 멀어지는 재한을 부르는 원경.

원경　이 순경님.
재한　(뒤로 돌아보면)

원경, 재한에게 줄 것이 있는 듯 뭔가를 주머니에서 꺼내려는데 원경의 뒤쪽에서 바라본 화면, 원경의 손에는 영화표가 들려있다. 그러나 주저

하는 손, 다시 주머니 안에 영화표를 넣으며

원경 (미소) 아니에요. 기운내세요.

- 재한의 방, 떨리는 시선으로 영화표를 내려다보는 재한.

이모 (눈가가 적셔오는) 원경이가 순경님... 많이 좋아했었어요. 말주변 없고 무뚝뚝해도 누구 앞에서 굽히지 않고 옳은 일하는 사람이라고... 그게 제일 좋다 그러더라고요.

피 묻은 영화표를 바라보는 재한. 금방이라도 울 것 같은 얼굴이다.

씬/86 N, 과거, 재한의 집

어두운 방 안, 홀로 무릎을 안고 멍하니 앉아있는 재한. 어딘가를 바라보고 있다. 방 한편에 걸린 경찰 정복이다. 그때, 어디선가 들려오는 무전기의 '치치칙' 잡음 소리. 재한, 가만히 고개 돌려, 책상 쪽을 보면, 책상 아래(?) 같은 곳 아무렇게나 놓여 있는 무전기다.

해영(소리) ...이재한 형사님... 듣고 있습니까?

하지만, 재한 무전기를 가만히 바라만 보고 있는데

씬/87 N, 현재, 해영의 옥탑방 옥상

서울, 야경이 내려다보이는 옥상, 별이 반짝이는 하늘 아래, 무전을 하고 있는 해영. 답이 없는 무전기를 바라보다가

해영 형사님... 경기남부 연쇄살인사건... 범인 잡았어요.

씬/88 N, 과거, 재한의 방

재한, 고개 돌려 무전기를 본다.

씬/89 N, 현재, 해영의 옥탑방 옥상

대답이 없는 무전기. 해영, 다시 송신 버튼을 누르려는데...

재한(소리) 어떻게... 어떻게 잡은 거죠?

씬/90 N, 과거, 재한의 집

무전기에 얘기를 하고 있는 재한.

재한 증거가 나왔습니까? 뭐죠? 어디에 있어요?

씬/91 N, 현재, 해영의 옥탑방 옥상

해영 (무전기를 보다가)...그때는... 안돼요.

씬/92 N, 과거, 재한의 방

재한, 멈칫해서 무전기를 보는

해영(소리) 형사님이 발견했어도, 그때 과학 감식 기술로는 범인을 잡을 수 없습니다.

씬/93 N, 현재, 해영의 옥탑방 옥상

해영 하지만... 형사님 덕분에 잡을 수 있었습니다. 형사님이 증거를 남겨줬어요. 지금 아무리 기술이 발달했다고 해도 증거가 없었다면, 또다시 범인을 놓쳤을 겁니다. 형사님이 범인을 잡은 거예요.

씬/94 N, 과거, 재한의 방

가만히 무전기를 바라보는 재한.

해영(소리) 늦었지만... 범인을 잡았습니다. 감사합니다.

결국, 진형이 벌을 받았다. 무전기를 내려다보는 재한의 눈빛,

씬/95 D, 과거, 영화관

허름한 영화관 안으로 천천히 들어서는 재한. 드문드문 시간을 때우러 온 듯한 관객들 사이로 한걸음, 한걸음 내려오다가 멈춰 선다. 원경이 사놓은 영화 좌석이다. 두 자리... 그중 한 자리의 주인은 절대 올 수 없다. 가만히 빈자리를 바라보는 재한.

- 시간 경과되면
코미디 영화가 상영 중인 듯, 관객들은 연신 웃음을 터뜨리고 있다. 그런 관객들 사이 홀로 앉아 있는 재한은 자꾸만 눈물이 차오른다. 손으로 거칠게 눈물을 훔쳐보지만, 눈물이 좀체 멎지 않는다.

씬/96 N, 몽타주

- 꺼진 무전기를 바라보다가 별이 빛나는 하늘을 바라보는 해영
- 수갑이 채워진 채 휠체어에 앉혀진 진형, 형사들에게 둘러싸여 경기청 건물 안으로 옮겨지고 있다. 주변을 둘러싼 기자들. 플래시 세례. 울부짖고 실신하는 유가족들의 모습.
- 재한 父의 시계방. 유리창 너머로 보이는 모습. 재한 父와 수현이 나

란히 앉아 진형이 체포돼서 경기청으로 압송되고 있는 모습이 흐르는 뉴스를 바라보고 있다. 재한 父, 재한이 생각나는 듯, 눈가가 촉촉해지고 수현, 말없이 옆에서 티슈 한 장을 건넨다.

- 과거, 영화관. 눈물을 삼키는 재한.
- 옥상에서 하늘을 바라보는 해영의 모습 보이면서.

4부 끝

시그널 The Signal

5부

씬/1　　　　D, 국과수 복도

복도를 빠른 걸음으로 뛰어오는 수현. 저 앞쪽으로 특수부검실이 보인다.

씬/2　　　　D, 국과수, 특수부검실

똑똑 노크 소리와 함께 문 열리며 들어서는 수현. 스테인리스 침대에 백골사체의 뼈들을 하나씩 맞춰놓고 있는 연구사. 그 옆에는 커피 잔을 들고 연구사와 수다를 떨고 있던 듯한 윤서다.

윤서　차 형사님. 또 (백골사체 눈짓으로 가리키며) 이분 때문에 오신 거예요?
수현　남잔가요?
윤서　성별은 남자예요. 키는 000센티미터, 치아의 발달 상태로 봤을 때 사망 당시 나이는 30대 초중반.
수현　(약간 긴장하는) 발견 장소는요?
윤서　(차트 보며) 13번 국도 인근 야산에서 발견됐대요.
수현　(윤서의 손에서 차트 빼앗아 보며) 13번 국도 확실해요?
윤서　그런데... 어깨가 매끈해요.
수현　(보는)
윤서　오른쪽 어깨에 철심이 없다고요.
수현　(실망하는 표정)
윤서　근데, 진짜 궁금해서 그런데 누굴 찾는 거예요? 형사님, 모쏠인 거야 유명하니, 애인은 아닐 거구...
수현　(윤서 입 막으려는 듯, 차트 윤서의 가슴에 확 안겨주며, 연구사에게) 수고하세요.

하고는 문을 열고 나가는... 윤서와 함께 있던 연구사 호기심 어린 표정으로

연구사　왜 저러는 건데요?
윤서　백골사체만 들어오면 저래요. 30대에 어깨에 철심을 박은 시신을 찾나 봐요.

연구사 그 사람이 누군데요?

윤서 글쎄요... 확실히는 모르겠지만, 정말 보고 싶은 사람이거나... 정말 죽었으면 싶은 사람이거나... 둘 중 하나겠죠.

씬/3 D, 국과수 로비

터벅터벅 정문을 향해 걸어 나오는 수현. 그때, 저 앞쪽으로 보이는 숙직실 간판. 지나가려다가 잠시 멈춰 서서 그 간판을 바라보는 수현의 시선에서

씬/4 D, 과거, 형기대 사무실

*** 자막 - 1995년 9월 1일**

형기대 사무실로 들어서는 정복 차림 여경의 뒷모습. 그런 여경을 이건 뭔가 싶은 얼굴로 바라보고 있는 산짐승 같은 강력계 형사들의 모습 사이사이 여경의 광난 구두, 가슴에 달린 '순경 차수현'이란 명찰 보이다가 형기대 반장 앞에 각 잡고 서서 경례 붙이는 여경. 그제야 얼굴 보이면 20대의 앳된 수현이다.

수현 (앳된 소리로 열심히) 순경 차수현은 1995년 9월 1일 자로 서울청 형사기동대 근무를 명 받았습니다. 이에 신고합니다!

반장을 비롯한 형사들, 멍하니 보다가
반장, 정신 차리고 박수 짝짝짝 치자 다른 형사들도 정신 차리고 박수친다.

반장 (여자 다루기가 어색한) 뭐...그래... 잘 왔어. 왜 여기로 자원했는지는 모르겠지만... 뭐 그렇게 무서운 사람들은 아냐. 긴장 풀고 잘 지내 보자고...

수현 예!!!

반장 어.... 뭐... 질문있나?

수현 ...어... 질문... 해도 됩니까?

반장 그럼 그럼, 해. 해.

수현 ...(순진한 얼굴) 야근이나 숙직할 일이 많다고 들었는데... 여자 숙직실은 어딥니까?

반장을 비롯한 형사들, 끔뻑끔뻑한 얼굴로 서로를 바라보는

씬/5 D, 과거, 형기대 숙직실

불 꺼진 숙직실 안. 별안간 '팟'하고 불이 켜지며 마구 들어서는 형사들. 옷걸이에 걸린 남자 속옷, 재떨이, 벽에 붙은 야한 달력 사진까지 부다다 챙기기 시작한다. 그중 20대 후반의 김정제 형사, 두툼한 이불더미 확 잡아채는데, 안에서 꿈틀하는 누군가... 보면, 이불을 부여잡고 있는 잠이 덜 깬 1995년의 20대 후반의 재한이다.

재한 (비몽사몽) 뭐야?

정제 빨리 일어나. 방 빼란다.

흐리멍덩한 눈으로 올려보는 재한의 얼굴 위로

재한(소리) 방, 못 빼!

씬/6 D, 과거, 형기대 사무실

여전히 알몸에 이불을 돌돌 말고 있는 재한, 반장 앞에 서서 강력히 항의 중이다. 그 옆엔 정제가 답답한 얼굴로 서 있고...

재한 여기가 무슨 목욕탕입니까? 남성용 여성용 따로 있게? 그리고 저기 내주면 우린 어쩌라고? 나가서 노숙하라고요?

반장 3층 창고 숙직실로 개조해줄게. 그때까지 좀 참아.

재한 창고라니! 창고라니! 우리가 재 때문에 왜 창고에서 자야 되는데요!

정제 우리 대 최초의 여순경이래. 형기대의 마스코트라잖아.

재한 마스코트 같은 소리하고 있네.

반장 암튼 입 닥치고 잘들 모셔(하다가 재한 보며) 아이고... 넌 여자두 있는데 꼬라지가 이게 뭐냐.

재한 (더 열받는) 3일 내내 잠복하다가 어제 겨우 옷 빨았습니다. 그리고 겨우 눈 좀 붙이다가 쫓겨났잖아요.(흘러내리는 이불 끝을 토가처럼 어깨 너머로 연신 넘기며) 어쨌든 이건 아니라고 봅니다.

씬/7 D, 과거, 형기대 숙직실 입구/숙직실

조금 열린 문 너머로 숙직실 안을 보고 있는 이불 두른 재한과 정제. 숙직실 안에 핑크색 새 이불 깔고, 세트인 분홍 베개 정리해 놓고 있는 수현을 어이없이 보고 있다.

정제 그래... 이건 아닌 것 같다.

재한 그지?

말없이 가위바위보 하는 정제, 재한. 한판에 지는 재한을 숙직실 안으로 쾅 집어넣고 문 닫아버리는 정제. 문 닫히는 소리에 '엥?'보는 수현. 재한, 밀려버린 바람에 엉거주춤 수현을 보다가 그래도 선배의 체면을 살려보려는 듯 허리춤에 손 올리며

재한 차수현 순경? 지금 입고 있는 그 옷이 무슨 뜻인지 압니까?

수현 예?

재한 그 옷을 입는 순간부터 여자고 남자고 없는 겁니다. 범인도 남자, 여자 따져가면서 잡을 겁니까?

수현 그게... 전...

재한 그리고... (다가와 수현의 코앞에 주먹 갖다 대며) 한 번만 더 여자 짓 하면서 민폐 끼치면 그땐 뒤진다.

그런 재한을 토끼눈이 돼서 바라보던 20대의 앳된 수현의 모습에서

씬/8 D, 현재, 국과수 로비

여전히 멍하니 과거에 빠져있는 수현. 입가에 엷은 미소... 그러나 이내 씁쓸한 눈빛이 된다.

씬/9 D, 현재, 장기미제 전담팀

이른 아침, 모두 출근 전인 듯, 홀로 책상에 앉아있는 해영. 재한의 이력서를 내려다보고 있다.

- 인서트
4부, 83씬에 이어지는 이모 집에서 얘기를 나누던 해영과 이모

해영 그 사건 이후에도 이재한 순경을 본 적 있습니까?
이모 그럼요... 매년, 원경이 죽은 날, 원경이 묘지로 찾아오곤 했어요. 계속 경찰을 한다고 하더라고요. 걱정했는데... 밝아 보였어요. 건강해 보이고...
해영 요즘도 연락하시나요? 만난 적이라도...
이모 (엷은 미소) 아뇨. 언젠가부터 연락도 없고... 원경이한테도 오지 않았어요. 아무래도 시간이 지났으니까... 잊을 만도 했겠죠.
해영 (그런 이모를 보다가) 혹시... 그게 2000년부터 아니었나요?
이모 ...글쎄요. 정확히 몇 년도인지는 기억이 안 나네요.

- 다시 전담팀으로 돌아오면
재한의 이력서 중 '2001년, 직권 면직' 부분을 바라보는 해영의 시선.

씬/10 D, 광수대 건물 복도

출근하는 듯 사무실을 향해 걸어오는 치수. 그런 치수를 기다리고 있던

듯한 해영.

해영 여쭤볼 게 있습니다.

치수 (보고는 그냥 스쳐 지나치는)

해영 (그런 치수를 따라 걸으며) 2000년 김윤정 유괴사건 때, 진양서에 계셨었죠? 그때, 같은 서 강력계에 계셨던 형사님을 찾고 있습니다. 이재한이란 형사님이요.

순간, 치수, 멈춰 선다. 눈빛 미미하게 떨린다. 해영, 그런 치수를 이상한 듯 보는

해영 같은 강력계에 있던 분... 맞죠?

치수 (천천히 날카로운 눈빛으로 해영을 보는) 이재한 형사는 왜 찾는 거지?

해영 ...개인적인 이웁니다. 2000년까지 진양서에 있다가 2001년에 직권면직이 됐다고 나오던데, 왜 면직이 된 거죠?

치수 ...경찰관이 면직되는 이유는 알고 있나?

해영 ...지능 저하, 판단력 부족, 책임감 결여, 인격장애 등의 정신장애, 채무과다 등 도덕적 결함으로 알고 있습니다.

치수 그 외에 또 한 가지, 직무수행이 불가능한 경우가 있지.

해영 (보면)

치수 ...실종.

해영 (놀라서 보는) 실종이요? 이재한 형사가요? 도대체... 왜... 어떻게 실종이 된 건데요? 그 사건은 강력계 누가 담당했죠? 수사기록은 남아있나요?

놀라서 자기도 모르게 질문을 쏟아내는 해영을 가만히 보던 치수.

치수 ...그 수사는 강력계가 하지 않았어. 감사관실에서 담당했지.

해영 ...(놀라서 굳는) 감사관실에서요?

씬/11 D, 청문 감사관실

감사관실 직원, 테이블에 앉아있는 해영에게 노란 서류 파일을 건넨다.

직원 신청한 자룝니다.

직원 사라지고 해영, 서류 파일을 열어보면, 가장 위 '진양서 강력계 이재한 경사 실종사건 수사보고'라는 제목. 다급히 한 장 한 장을 넘기는 해영의 시선을 따라 퀵줌 되는 수사자료의 글씨들. '2000년 8월 3일, 김윤정 유괴사건 수사 도중, 상관의 출동 지시 명령에 불복하고 잠적' '2000년 8월 10일. 이재한 경사 실종사건, 감찰과로 인계' '서울 동부지역 불법 장기밀매 조직원 김성범 검거 및 취조 도중, 진양서 강력계 이재한 경사에게 정기적으로 상납금을 건넨 사실 진술' '수사 도중 불법 장기밀매 사건 외 13건의 수사를 축소 은폐한 대가로 총 2억 천만 원의 현금을 착복한 증거 발견' '감찰과의 수사를 감지한 이재한 경사 도주 의혹' '본인 소유의 자동차가 13번 국도변에 버려진 채 발견' '8월 3일 이후 핸드폰, 신용카드 사용이 확인되지 않음' '용의자 소재불명' '시효 만료로 수사 종결' 수사자료를 읽어내려가는 해영의 눈빛, 의혹으로 가득하다. 그러다가 마지막 장을 넘기는데, 수사 자료에 첨부된 2000년 당시의 재한의 사진. 그 하단에는 키, 체중, 특징 등이 적혀있다. '오른쪽 어깨에 철심을 박은 수술로 인한 흉터 자국'

씬/12 D, 경찰청, 수사국장실

테이블을 사이에 두고 마주 앉아 있는 범주와 치수.

범주 ...(차가운 눈빛) 박해영? 걔가 이재한 뒤를 캐고 다녀? 어디까지 냄새를 맡은 거야?

치수 걱정 마십시오. 이재한 형사에 대한 수사 자료는 완벽합니다. 지금까지 15년 동안 아무도 눈치채지 못했어요. 그런데... 맘에 걸리는 게 하나 있습니다... 박해영은 어떻게 이재한을 알고 있는 걸까요?

범주 뭐?

치수 이재한이 실종된 건 2000년입니다. 그때 박해영은 열몇 살 꼬마였죠. 서로 알고 지냈을 리가 없습니다. 박해영의 친인척, 친분관계를 샅샅이 조사 해봐도 이재한과 그 어떤 연결고리도 없었어요.

범주 ...뭐가 어찌 됐건, 옆에서 지켜봐. 이재한이 왜 실종됐는지... 그것만은 그 누구도... 절대 알아선 안 돼.

생각에 잠기는 치수의 표정.

씬/13 N, 진양서 건물 외경

씬/14 N, 현재, 진양서, 증거물 관리실

증거물 관리실 직원과 얘기 중인 치수.

직원 (컴퓨터로 증거물 목록들 확인하는데) 이재한 형사 내사사건 증거물들은 벌써 폐기됐는데요.

치수 폐기? 언제?

직원 얼마 되지 않았습니다. 7월 27일이요.

치수, 잠시 생각하다가 알겠다는 듯 뒤를 돌아 나가려다가

치수 폐기업체가 그날 몇 시에 다녀갔는지 확인되나?

씬/15 N, 진양서, CCTV 관제실

한쪽에 마련된 책상에 앉아있는 치수. CCTV 관제실 직원, 그런 치수에게 USB를 하나 건넨다.

직원 말씀하신 날짜, CCTV자룝니다.

- 시간 경과되면

치수, 컴퓨터에 뜬 CCTV 화면을 돌려보다가 뭔가를 발견하고 멈춘다. 치수의 시선 쫓아가면, 증거물 폐기 탑차가 서 있는 후문 쪽 CCTV. 전화를 받다가 탑차 쪽으로 접근하고 있는 해영의 모습. 그리고 다시 나오는 해영의 손에 들린 무전기. 치수, 그런 화면을 가만히 바라본다.

씬/16 N, 선일정신병원 건물 외곽 뒤편

건물 뒤편 맨홀 쪽으로 천천히 다가오는 해영. 김윤정 유괴사건 수사의 여파인 듯, 현장용 테이프들이 나뒹굴고 있다. 해영의 시선, 맨홀 쪽을 바라보면 환상처럼 과거로 변하는 현장. 서형준의 시신이 있던 맨홀 앞에서 무전을 하고 있는 과거의 재한.

재한 김윤정 유괴사건 용의자 서형준 시신입니다. 그런데 엄지손가락이 잘려있어요. 누군가 서형준을 죽이고 자살로 위장한 겁니다.

그런 과거의 재한을 바라보는 현재의 해영.

해영(소리) 윤수아가 마지막 협박편지를 보낸 2000년 8월 3일. 그날, 이재한 형사는 도주를 한 게 아니라, 이곳에서 내게 무전을 보내고 있었어. 필사적으로 진범을 알리기 위해서...

- 인서트
- 2부, 39~40씬의 상황. 가슴과 배에 피를 흘리고 있던 2000년의 재한.

재한 (무전기에 대고) 절대 포기하지 마세요. 과거는 바뀔 수 있습니다.

- 2부, 40씬. 의아한 얼굴로 무전을 하고 있던 해영.

해영 그게 무슨 얘기죠? 도대체 무슨 얘길 하시는지..

순간, 무전기 너머에서 들려오는 '탕!!' 귀청을 울리는 총소리. 해영, 놀라서 무전기를 바라본다.

- 다시 현재, 선일정신병원 건물 뒤편에 서 있는 해영으로 돌아오면

해영(소리) 비리도... 실종도... 모두... 조작됐어... 이재한 형사는... 살해된거야.

굳은 얼굴의 해영의 모습 위로

씬/17 D, 경찰청 외경

씬/18 D, 경찰청 소회의실

간이의자에 앉아있는 해영, 계철, 헌기. 그 뒤쪽으로는 치수를 비롯한 광수대 간부들 앉아있고... 그 앞쪽 단상에 서 있는 수현. 그런 수현에게 표창을 수여하고 있는 범주. 한쪽 옆에서 수여식을 진행 중인 사회자.

사회자 서울지방경찰청 소속 경위 차수현 외 3인으로 구성된 장기미제 전담팀은 경기남부 연쇄살인 사건을 해결하는 탁월한 업무수행으로 경찰의 위상을 크게 높인 바, 이에 표창을 수여함.

치수를 비롯한 광수대 간부들. 박수를 치고는 있지만, 굳은 얼굴들. 형식적인 박수다.

계철 (주변 눈치 보며) 우리, 지금 상 받는 자리 맞지?
헌기 맞긴 맞는데, 왠지 징계 받는 자리 같죠?

해영은 그저 무표정한 시선으로 앉아있는데... 그런 해영의 얼굴 위로

성범(소리) 이재한 형사요?

씬/19 과거, 몽타주

- 밤, 시끄러운 음악이 들려오는 나이트클럽 사무실
한눈에 봐도 조폭처럼 생긴 나이트클럽 사장 성범, 다리 꼬고 앉아 테이블 건너편의 해영을 바라보고 있다.

성범 한 마디로 돈에 환장한 꼴통이었어요.

성범이 내민 작은 빛바랜 수첩을 확인하고 있는 해영. 은행 영수증들 옆에 날짜와 상납 금액들이 빼곡히 적혀있다.
- 해영의 옥탑방, 책상에 앉아 당시 수사자료 복사본을 검토 중인 해영의 시선 따라 빠르게 퀵줌되는 화면.
- '서울 동부지역 불법 장기밀매 조직원 김성범 검거 및 취조 도중, 진양서 강력계 이재한 경사에게 정기적으로 상납금을 건넨 사실 진술'이라는 부분 옆쪽으로 15년 전 성범의 사진.
- 진양서, 재한의 책상 서랍 안에서 발견된 돈다발 사진들.
그런 모습 위로

해영(소리) 결정적인 증인, 사진, 현금다발들, 이재한 형사 뇌물 수수 증거는 완벽하다... 잘 짜인 각본처럼...

씬/20 D, 현재, 경찰청 소회의실

수여식이 벌어지고 있는 소회의실. 상을 받고 있는 수현과 박수를 치고 있는 광수대 간부들을 하나씩 바라보는 해영의 모습 위로

해영(소리) 누가... 왜... 이재한 형사에게 누명을 씌우고 증거를 조작했는지 모르지만... 경찰 내부에 조력자가 없다면 이 정도 조작은 불가능하다.

주변을 둘러보는 아무도 믿을 수 없는 무표정한 해영의 시선에 들어오

는 사람들. 모두가 경찰들이다.

씬/21 D, 장기미제 전담팀

전담팀 사무실 한편 책장에 곱게 놓인 상패를 닦고 있는 헌기. 그런 상패를 뿌듯한 미소로 보고 있는 계철. 그때, 전담팀으로 들어오는 수현과 해영 자리에 앉는데...

계철 개점하자마자 상패 딱 수사지원비 딱 포상휴가 딱, 진짜 우리... 에이스였나 봐. 15년이 지난 유괴사건도 풀었지, 26년 동안 미제로 남았던 경기남부 사건까지 해결했잖아.

수현 우리가 아니라, 박해영이 푼 거지.

계철 이게 또 뭔 개소리야?

수현 재가 서형준 시신 발견해서 유괴사건 해결한 거잖아.

해영, 왜 이래? 하는 시선으로 수현을 보는

헌기 하긴 그렇긴 해요.

계철 그거 다 운발에 얻어걸린 거 아냐.

수현 서형준 시신은 폐병원 맨홀 안에 있었어. 운빨 할아버지가 와도 얻어걸리긴 쉽지 않았을 텐데.. 안 그래? 박해영 경위?

계철 운빨이지?

해영, 예상치도 못한 시선들이 자기한테 쏠리자, 당황한다. 수현, 웃음기 없는 시선으로 해영을 보는데...

해영 ...몰라서 물어요? 내가 뭐하는 사람입니까? 윤수아 성향, 직업 프로파일링해서 찾아낸 겁니다. 그런 거야 기본이죠. (대충 말 돌리려는 듯 짐 들고 일어서며)휴가 끝나고 봅시다.

누가 잡을까 빠져나가버리는 해영의 뒷모습을 보는 계철.

계철 윤수아가 잡히기도 전에 그걸 프로파일링을 했다고? 저 머리에 피도 안 마른 놈이? 포클레인 앞에서 삽질한다고 형사 앞에서 구라를 치네?

그런 계철의 얘기 들리지 않는 듯, 수현, 해영의 뒷모습을 가만히 바라본다. 눈빛에 의심이 가득하다.

씬/22 N, 광수대, 비상구

은밀한 낮은 목소리로 통화를 하고 있는 치수의 눈빛, 서서히 굳으며

치수 박해영?... 장기미제 전담팀 박해영 경위가 확실해?

씬/23 N, 성범의 사무실

해영의 명함을 보며 사무실에서 전화를 하고 있는 성범.

성범 이재한 형사에 대해서 꼬치꼬치 캐묻길래, 잘 둘러댔어요.

씬/24 N, 광수대, 비상구

치수 실수한 건 없겠지?
성범(소리) 15년 전하고 똑같이 대답했습니다.
치수 ...당분간 연락 끊고 평범하게 행동해. 어디로 여행도 가지 말고, 하던 대로...

천천히 전화를 끊는 치수. 생각에 잠긴다.

씬/25 N, 해영의 옥탑방

옥탑방. 화이트보드에 적혀진 글씨를 바라보고 있는 해영.

1) 언제: 시간 밤 11시 23분. 지속시간: 모름
   첫 번째 무전 - 2000년 김윤정 유괴사건 당시, 이재한 형사.
   두 번째 무전 - 1989년 경기남부 연쇄살인사건 당시, 이재한 순경.
2) 어디서: 장소의 일관성 없다.
3) 누가: 이재한 형사 (다른 사람과 무전 해 본적 없다)
   대상이 재한 형사와 내가 아니어도 가능할까? (확인되지 않음)
4) 무엇을: 김윤정 유괴사건, 경기남부... 미제 사건에 대한 정보.
5) 어떻게: 특정한 무전기를 통해서
6) 왜:

공란으로 남은 왜라는 부분을 바라보는 해영의 시선에서...

씬/26 N, 과거, 소도시 인근 달동네 일각/해영의 회상

소도시에서도 외진 한적한 달동네 아래 위치한 버스정류장 간판 아래누군가를 기다리다 쪼그리고 앉아 꾸벅꾸벅 졸고 있는 어린 해영(11세, 남). 그때 버스 한 대 다가오고 누군가 내려서는 발. 해영에게 다가와 졸고 있는 해영이의 머리를 받쳐준다. 해영, 졸린 눈으로 보면 교복을 입은 선우(17세, 남)다.

해영 형...
선우 (미소) 많이 기다렸어?

- 시간 경과되면
선우, 가방은 앞에 메고 해영을 뒤에 업고서 달동네를 오르고 있다.

해영 (졸린 와중에도) 형... 사람은 왜 잠을 자야 돼?
선우 하루 종일 힘든 일을 많이 했으니까, 뇌에서 그만 쉬라고 얘기해 주는 거야.
해영 왜 사람은 힘든 일을 해야 되는데?

선우 그래야 돈을 벌지. 엄마, 아빠처럼...

해영 (졸려 죽겠으면서도) 그럼, 다른 애들도 엄마, 아빠 잘 못 봐? 맨날 돈 번다고 안 들어오잖아.

선우 ...(미소) 해영인 궁금한 게 많으니까 좋은 사람이 되겠다.

해영 왜?

선우 그만큼 세상에 관심이 많다는 거니까.

해영 왜?

휘영청 달 아래 해영을 업고 올라가는 선우의 든든한 뒷모습 위로 연신 깔리는 졸린 해영의 질문 '왜...?' '형, 왜?'... 하는 모습에서 핸드폰 알람이 울린다.

씬/27 N, 현재, 해영의 옥탑방

회상에 잠겼다가 핸드폰 알람음에 번득 정신을 차리는 해영. 보면 11시 22분이다. 정신을 차리고 무전기를 바라본다. 시간, 11시 23분으로 넘어가는데 잠잠하기만 한 무전기. 그런 무전기를 바라보다가 다시 화이트보드를 바라보는 해영의 모습 위로

해영(소리) 무전은 매일 걸려오는 건 아니지만, 시간은 일정하다. 밤 11시 23분. 지속시간은 약 1분 남짓으로 추정되지만, 확실하진 않다.

화이트보드의 제일 마지막 부분을 바라보는 해영.
'과거가 바뀌면 현재가 바뀐다'

해영(소리) 무전으로 이미선은 살렸지만 죽지 말았어야 할 최영신과 정경순이 죽었다... 과거를 바꾸면 현재도 바뀐다....

화이트보드의 글씨를 바라보는 해영의 모습에서 화이트보드 옆쪽에 붙여져 있는 재한의 이력서 중 '1995년~1999년, 서울청 형사기동대. 직급 경사.' 부분으로 서서히 다가가는 화면.

씬/28　　　　N, 과거, 고급주택가 외경

스산한 바람이 불어오는 인적이 드문 계수동 고급 주택가. 곳곳에 세워져 있는 주택가와 어울리지 않는 허름한 차량들. 그런 주택가 후미진 골목 안, 쭈그리고 앉아 한쪽 손에 두루마리 휴지 들고 신문을 보고 있는 누군가. 화면에 가득 잡히는 신문 날짜, 1995년 9월 10일.

*** 자막 - 1995년 9월 10일**

'회장님 집 또 털렸다. 이번이 세 번째' 그 아래 작은 면 관련기사에는 '고위층만 노리는 대도의 탄생'

씬/29　　　　N, 과거, 세규의 집

화려하게 꾸며진 고급 주택. 모두 잠이 든 듯 불이 꺼진 어두운 2층. 한 방문 열리면서 나오는 잠옷 차림의 세규(20대 초반, 남). 화장실을 가는 듯 눈을 비비면서 걸어 나오다가, 뭔가를 보고 멈칫. 열려있는 서재 문. 안쪽, 금고 앞에서 검은 수상한 그림자가 보인다. 헉, 놀라는 세규. 순간, 인기척을 눈치챈 듯, 획 돌아보는 검은 그림자.

씬/30　　　　N, 과거, 고급주택가 일각

조용한 고급 주택가 위로 '쨍그랑' 창문 깨지는 소리에 뒤이어 귀청을 찢을 듯 들려오는 호루라기 소리. 그 소리에 '쾅쾅' 문 열리면서 각 허름한 차마다 쏟아져 나오는 형사들. 그중엔 잠복 중이었던 듯 입 안 가득 빵 물고 있는 정제, 졸다 넘어지는 반장 등 보인다. 호루라기 소리에 '어디야? 어디야?' 우왕좌왕하는데 어디선가 '저기다!'라는 외침에 그쪽을 향해 무조건 뛰기 시작한다.

씬/31　　　　N, 과거, 또 다른 고급주택가 일각

어두운 밤, 고급 주택가 일각. 뛰고 있는 검은 재킷을 입은 누군가의 발. 그 뒤를 무작정 쫓고 있는 형사 두세 명. 다른 골목에서 뛰어나오다가, 그 뒤를 따르기 시작하는 다른 형사들. 쫓고 쫓기는 추격전, 우왕좌왕하는 발들. 교차로 보이다가... 코너를 돈 형사들(형기대 말고, 다른 형사들로), 순간 저 앞쪽에 뛰어가는 검은 재킷 입은 그림자를 덮친다. '이거 못 놔!' 반항하는 검은 재킷. 그러나, 형사들 떼로 몰려, 검은 재킷을 제압하고

형사 1 잡았다!!

그 소리에 뒤늦게 뛰어오는 반장과 정제를 비롯한 형기대 형사들.

반장 (숨 헐떡거리며) 잡았어? 어디?

떼로 몰려온 형기대 형사들. 제압당해 '아, 진짜 이거 놓으라고!!'하는 검은 재킷 얼굴을 확인하는데... 재한이다. 뭐야... 낭패다 싶은 반장과 형기대 형사들.

재한 아, 진짜! 쪽팔리게, 왜 날 덮쳐?
반장 (재한을 제압한 형사들에게) 놔줘.
형사 1 예?
반장 우리쪽 애야.

형사들, 반신반의하며 여전히 제압한 채 반장과 재한을 번갈아 보는데...

재한 (답답한 듯 손 뿌리치며 손에 들린 두루마리 휴지 보여주며) 이거 안 보여? 잠복 중에 똥 싸다 뛰쳐나왔다고!

그런 현장으로 속속들이 모여드는 형사들.

반장 어떻게 됐어? 범인은?

형사들, 다들 숨이 턱까지 차오른 채 대답이 없다.

반장 야, 이 병신들아. 관할 팀에 형기대 몇 십 명이 그놈 하나 못 잡아?!!

씬/32 D, 과거, 형기대 사무실

관할 팀 형사들 포함, 합동수사본부가 차려진 형기대 사무실. 재한, 정제를 포함한 형사들, 반장을 기다리는 듯 대기 중이다. 재한, 정제 나란히 앉아서 서로 딴 쪽 바라보며

정제 범인도 못 잡은 게 똥이 나오냐?
재한 범인도 못 잡은 게 (정제 입 손으로 찌르며) 빵이 입으로 쳐들어가지?
정제 아씨... 이거 무슨 냄새야.
재한 범인도 못 잡은 게 씻어서 뭐하겠냐. 그때부터 쭉 안 씻었다.

정제, 아... 퉤퉤. 재한 근처에 있던 형사들은 조용히 다른 쪽으로 이동하고...

정제 근데, 어디로 뛰다가 잡힌 거야?
재한 어디로 뛰긴 어디로 뛰어. 저기다 그러니까 저기로 뛴 거지. 너는?
정제 뭐 나도 저기로 뛰었다.
재한 근데 왜 저기에 범인이 없었을까. 형사만 몇 십 명이 깔려있었는데... 도대체 얼루 튄거야?
정제 범인도 못 잡은 게 궁금한 건 많네.
재한 범인도 못 잡은 게 궁금한 것도 없어.

그때, 회의실 문 열리면서 들어서는 반장. 열 받은 얼굴로 엄청난 양의 프린트물을 가지고 들어와서 쾅 놓으며

반장 서울 시내에 사는 털이범들 중에 빠루질 잘하는 놈들 추린 거다. 하나씩 가져가서 족치건 뒤지건 뭐든 수상한 놈 가져와.

앞에 있던 형사들 하나씩 프린트물을 뒤로 돌린다. 재한, 자기한테까지 온 프린트물 넘겨보는데, 털이범들의 사진, 전과 내역, 주소 등등의 인적 사항들이다.

재한 얘네들, 벌써 한 번씩 다 뒤져봤잖아요.

반장 분명히 걔네들 중에 한 명이야. 은행 금고보다 더 튼튼한 금고를 제집 금고처럼 딴 놈이 흔하겠어? 어제까지 네 집이 당했다. 의원님도 털리고, 회장님도 털리고, 날고 기는 검사장님까지 털렸어. 이러다 청장님 모가지까지 털리기 전에 가서 범인 잡아와! 어서!

재한, 프린트물을 한 장 두 장 넘기다가 멈칫. 금고털이 전과 3범. 오경태(사진 나이 20대 중반, 남)의 사진이다.

씬/33 N, 학교 앞 거리 일각

중학교 정문 앞 거리 한편에 세워진 작지만 깨끗해 보이는 탑차를 휘파람을 불면서 닦고 있는 전씬 사진의 주인공 경태(30대 중반, 남) 그런 경태 뒤쪽으로 슥 들어서는 재한.

재한 이거야?

경태 아, 깜짝이야.

재한 야, 차 좋네. 이번에 새로 뽑은 거야?... 돈은 어디서 났대?

경태 아는 사람한테 꿨어.

재한 ...(가만히 보는) 형... 어젯밤에 뭐했어?

경태 난 아니다.

재한 누가 형이래?

경태 진짜 아냐!

재한 4년 전에 나한테 잡힐 때도 진짜 아니라며?

경태 너 그때 나 잡아넣어서 특진한 거잖아. 비리비리한 순경 놈, 형사 만들어 준게 누군데, 고마워할 줄 알아야지.

재한 그러니까 어젯밤에 뭐했냐고?

경태 하, 정말... 너 진짜 이러는 거 아냐. 내가 큰집 갔다 와서 너한테 정보 갖다 준 것만 해도 몇 개냐?

재한 어젯밤에 뭐했냐니까 왜 얘기를 빙빙 돌려?

경태 (억울한) 뭘 하긴 잤지. 하루 종일 탑차 몰아봐. 그 시간엔 그냥 쓰러져.

재한 (보는)

경태 진짜야. 나 진짜 손 씻었어.

하는데, 재한 갑자기 해맑은 미소를 지으면서 정문 쪽을 보며 손 흔든다. 경태 역시 그런 재한 보고는 미소 지으면서 정문 쪽 보며 손 흔드는... 보면 정문 쪽에서 이쪽 보고 다가오는 교복 차림의 중학생 은지(16세, 여)다.

경태 (입가에 미소 지으며 낮게) 너, 은지 앞에서 대도 대짜도 꺼내지마.

재한 형이나 말조심해.

어색한 미소 지으며 손 흔드는 두 사람 앞으로 타박타박 다가오는 은지. 경태, 옷 안에 식을세라 넣어놨던 보온병에서 따뜻한 차 따르면서 '추웠지? 이거 마셔' 다가가고, 재한도 인사하려는데 두 사람 앞에 멈춰 선 은지.

은지 내노 땜에 왔어?

머쓱해지는 두 사람.

씬/34 N, 과거, 경태의 집

초라하지만, 깔끔하게 정리된 경태의 집. 상 앞에 앉아있는 재한과 경태. 쟁반에 국 담은 그릇들 들고 다가오는 은지.

재한 공부해야지 뭘 이런 걸... 그냥 가도 된다니까...

은지 맨날 밖에 밥 먹을 거 아냐. 그러다 삼촌 속 버려.

경태, 먹으라는 듯 손짓하면 재한 앉아 머쓱하니 국물 먹는데,

재한 ...어떻게 된 게 공부면 공부, 요리면 요리 못 하는 게 없어.

은지 (자기 국 상에 갖다 놓고 먹기 시작하며) 대도 말이야.

재한 진짜 나 그것 땜에 온 거 아니라고...

은지 (말 자르며) 아마추어야.

재한, 경태 은지 보는

은지 생각해봐. 프로가 왜 이렇게 일을 크게 벌이겠어. 괜히 형사들 건드려서 밥줄만 끊어질 일 있어?

재한 야... 네가 뭘 안다고

은지 나 12년은 아빠랑 살았고, 아빠 감방 간 4년 동안 삼촌이 거둬줘서 같이 살았어. 인생이 강력겐데 그 정도도 모르겠어?

재한 진짜 쪼끄만 게

은지 장물도 안 나왔다며? 이건 조심하는 게 아니라, 루트를 모르는 거야.

경태 ...우리 딸 똑똑하네.

재한 (경태 한심한 듯 보는) 잘 한다. 중3 짜리 애가 수학보다 절도를 더 잘 아는데 좋아?

경태 (머쓱하지만) 수학두 잘해. (하다가) 근데... 이상해.

재한 뭐가?

경태 일처리는 분명히 아마추언데... 너무 쉬워. 난다 긴다 하는 부잣집이면 경비도 장난 아닐 텐데, 너무 쉽게 뚫렸다고. 면식범 아냐?

재한 아예 경찰로 나서시지?

경태 원래 경찰이랑 범인이 한 끗 차이야.

재한 밥 먹어. 밥.

씬/35 N, 과거, 경태의 집 밖

신발 신으면서 집을 나서는 재한. 그 뒤를 따라 나오는 은지.

재한 나오지 마.
은지 삼촌. 나 삼촌을 진짜 삼촌이라고 생각해.
재한 (정색하는 은지를 의아한 듯 보는) 왜 이래, 인마.
은지 삼촌도 나 믿지?
재한 (보는)
은지 아빠, 아냐.
재한 ...
은지 진짜 아빠 아냐.
재한 알았으니까 들어가. 춥다.

하는데, 은지 재한의 손에 카세트 테이프 하나를 쥐여준다.

재한 뭐야?
은지 아빠 거 녹음하면서 하나 더 한거야, 운전할 때 들으라고. 그럼 가.

은지, 집으로 들어가고, 재한 테이프 보고 '자식...'

씬/36 N, 과거, 재한의 방

씻고 들어온 듯, 얼굴 수건으로 얼굴 닦으며 방으로 들어서는데, 뒤따라 들어오는 당시의 50대 초반의 재한 父.

재한 父 2주 만에 들어와서 뭘 또 나가. 그 대돈가 하는 놈 때문이냐?
재한 옷만 갈아입고 나갈 거니까, 가서 주무세요.

하다가 보는데 방문위에 부적 하나가 붙어있다.

재한 또 새로 썼어?

재한 父 이거 때문에 네가 괜찮아진 거야. 이젠 그 뭐 이상한 무전 같은 거 안 들리지?

재한 아, 참... 그냥 내가 뭐 잘못 들은 거라니까...

재한 父 떼지마. 큰 돈 들인 거다.

하고는 나간다. 재한, 부적보고 뗄까 하다가 문득 생각난 듯, 앉은뱅이 서랍을 열면 제일 안쪽에 들어가 있는 낡은 무전기. 재한, 가만히 무전기 보다가...

재한 ...대답해. 범인이... 누구냐.

그러나, 잠잠하기만 한 무전기.

재한 (쿵 무전기 서랍 안에 집어넣으며) 내가 이제 미쳐가는구나.

옷 갈아입으려는 듯 책상 위에 하나둘씩, 주머니에 있는 물건들 꺼내놓는데 그 중 '형기대 이재한' 이름이 적힌 형사수첩 보인다.

씬/37 N, 현재, 수현의 방

평범한 단독주택, 분홍색 이불과 커튼이 눈에 띄는 수현의 방. '두두두' '메이데이 메이데이' 장난감에서 흘러나오는 총소리로 정신없는 가운데, 서로에게 장난감 총을 쏘며 온 방안을 누비는 조카들. 형은 어린이용 군용 모자, 동생은 수현의 경찰 모자를 쓰고 바닥에 깔린 베게와 쿠션을 허들처럼 넘어 다니는데 그 사이 시체처럼 널브러져 있는 수현의 등짝을 밟고 지나간다. 작게 '으윽' 신음소리를 내며 고개 드는 수현, 까만 글씨로 이마에 '죽었음'이라고 적혀있다.

조카 1 이모! 시체가 말하는 게 어딨어?

수현 그래.. 알았다...

다시 고개 숙이는 수현. 활짝 열린 방문 너머로 보이는 거실에서 그런모습을 바라보고 있는 고운 얼굴에 여성스러워 보이는 수현 母, 분홍색 망사 원피스를 다리고 있고, 그 옆에는 편한 차림에 과자 먹고 있는 수현의 동생 수민.

수민 너네 그렇게 형사 밟다가 잡혀가~!
수현 母 저게 놀아주는 거야, 자는 거야? 이마 글씨는 유성펜 아니지? 내일 재선봐야 된다. (원피스 들어 보이며) 이쁘지? 백화점 세일에서 산건데.
수민 정 여사님. 언니한테 그 분홍색 좀 그만 좀 입히지. 이불이며 커튼이며 뭐 점집이야? (하다) 내일은 누구라고?
수현 母 변호산데, 머리숱 적은 거 하나 빼고는 다 좋대.

바닥에 드러누워있던 수현, 딸꾹질하는

수민 딱이네. 일감은 마누라가 따오고 남편은 변호하고..

하는데, 수현의 방에서 들려오는 와당탕 쿵탕 소리. 보면 수현의 방에 있던 작은 허리 정도 오는 책장을 넘어뜨린 조카들이다. '이것들아! 조심조심 놀랬지!' 놀라서 달려가보는 수민. 조카들 놀라서 도망가고... 수현, 역시 놀라서 보다가, 책장에 깔린 수첩 하나를 들어 올린다.

수민 왜? 뭐 중요한 거야?
수현 아냐...

수민, 얘들 혼내러 나가고 수현, 손에 들린 수첩을 본다. 이제는 낡고 빛바랜 '진양서, 이재한'이란 글씨가 적혀진 전씬의 마지막에 나온 재한이 형사 수첩이다. 그런 수첩을 가만히 보는 수현의 얼굴에서

씬/38 N, 해영의 옥탑방

컵라면이 담긴 비닐봉지 들고 들어서는 해영. 윗옷 벗는데 울리는 핸드폰 알람음 11시 22분이다. 해영, 며칠간 무전이 울리지 않았는지, 그냥 컵라면 뜯으려는데 가방 안에서 갑자기 울리기 시작하는 '치치칙'하는 무전기의 잡음 소리. 놀라서 가방 안을 뒤지기 시작하는 해영.

씬/39 N, 과거, 재한의 집

새 옷으로 갈아입고 나가려는 재한. 들려오는 무전기의 잡음 소리. 잘못 들었나? 그러나 더욱 선명하게 들려오는 '치치칙' 잡음 소리 사이로 해영의 목소리가 들려온다.

해영(소리) 이재한 형사님? 거기 있어요?

재한, 놀란 얼굴로 서랍 안에 넣어놨던 무전기를 꺼내본다. 예전처럼 초록색 불빛이 들어오고 주파수가 흔들리고 있다.

재한 박해영 경위님?

씬/40 N, 현재, 해영의 옥탑방

해영, 재한의 목소리가 들려오자 안도하는 얼굴

해영 계속 무전이 안돼서 걱정했어요. 별일 없었던 거죠?

씬/41 N, 과거, 재한의 방

재한 그쪽이야말로 진짜 박해영 경위 맞아요? 6년 동안 뭐하고 있었던 거예요?

씬/42 N, 현재, 해영의 옥탑방

놀라서 멈칫하는 해영.

해영 (믿기지 않는) 6년이요? 그럼... 거기가 1995년이란 얘깁니까?

씬/43 N, 과거, 재한의 방

재한 ...그쪽은요?

해영(소리) 여긴, 아직 2015년입니다. 마지막 무전하고 1주밖에 안 지났어요.

재한, 해영의 얘기가 믿어지지 않고...

재한 진짜, 거기 정말로 2015년이에요? 지금 나랑 장난해요? 당신... 진짜 박해영 맞아?

씬/44 N, 현재, 해영의 옥탑방

해영, 역시 믿기지 않지만..

해영 당신하고 경기남부 연쇄살인범 잡은 박해영 맞습니다. 총 5번 무전 했고, 그쪽 기준 89년 11월 11일 이후 무전이 끊겼어요.

재한(소리) ...하... 미치겠네.

해영 나도 진짜 이해가 안 가긴 하는데요. 2015년이 맞습니다.

씬/45 N, 과거, 재한의 방

재한, 반신반의... 뭐가 뭔지 모르겠는 얼굴이다가

재한 뭐 그렇다 치고 부탁 하나 합시다. 1995년에 일어난 대도 사건 범인, 어떤 새끼에요? 2015년이면 알 거 아니에요.

씬/46　　　N, 현재, 해영의 옥탑방

해영, 멈칫하다가... 시선 돌려 보면 책꽂이에 1980년부터 각 연도별로 정리해서 주르륵 꽂혀있는 파일들 중 1995년 파일을 바라본다.

해영　그 사건은 아직 미제로 남아있어요.

씬/47　　　N, 과거, 재한의 방

재한　(황당해하는) 미제요?... 이 개고생을 했는데, 못 잡는다고요? 확실해요?

씬/48　　　N, 현재, 해영의 옥탑방

해영　확실합니다. 오래된 사건이라 수사자료는 구할 수 없었지만 유명한 사건이라서 당시 신문기사로 프로파일링을 해본 적 있어요.

재한(소리)　프...뭐요?

해영　프로파일링이요. 그때보다 훨씬 발전한 수사기법입니다. 그리고... 안다고 해도 가르쳐 드릴 수 없어요. 함부로 과거를 바꾸면 위험합니다.

씬/49　　　N, 과거, 재한의 방

재한　(오기가 생기는 혼잣말) 와... 이 새끼... 내가 진짜 잡고 만다. (무전기 송신 버튼 누르며) 알았어요. 그럼, 다음 범행시간이 언젭니까? 어제 네 번째 집이 털렸거든요. 다음 집이 어디예요?

씬/50　　　N, 현재, 해영의 옥탑방

해영　그 집이 마지막이에요. 범인은 네 번째 집을 털고 더 이상 범행을 저지르지 않았습니다.

씬/51　　N, 과거, 재한의 방

재한　(가만히 듣다가) 경위님. 우리요. 한 달 동안 집에도 못 들어갔습니다. 길 위에 싼 똥만 한 트럭이에요. 뭐라도 하나만 던져줘요.

씬/52　　N, 현재, 해영의 옥탑방

해영　어차피 지금도 그 사건에 대해서 밝혀진 건 거의 없습니다. 그 이후로 같은 수법의 범행도 없었고, 장물도 아직까지 발견되지 않았어요.

재한(소리)　그 프로파일링인지 프로레슬링인지라도 좀 해봐요. 훨씬 발전한 수사 기법이라며?

해영　...(망설인다)

씬/53　　N, 과거, 재한의 방

재한　(답답한) 아니, 도둑놈 하나 잡는 게 인류평화 위협하는 것도 아니고 뭐가 그렇게 위험합니까? 나쁜 놈은 잡아야 될 거 아니에요.

씬/54　　N, 현재, 해영의 옥탑방

망설이다가 대도 사건 파일 첫 장을 넘기는데, 파일 첫 장에 붙어있는 1995년 사건사고 연표. 목록 중, '한영대교 붕괴사건' 얼핏 보이는데.. 다시 그 다음 장을 넘기면 본격적인 대도사건 프로파일링이 적혀 있다.

해영　용의자 중에 면식범이 있나요?

재한(소리)　아뇨. 아직 용의자 특정은 못했지만, 일단 가족이나 집에서 일하는 사람들은 용의선상에서 제외됐습니다.

해영　그럼 외부에서 침입해 들어간 걸로 가정해보죠. 털린 집들은 모두 침입, 도주로 파악이 힘든 부잣집들이었습니다. 게다가 고가의 물품만 절취한 걸로 봤을 때 내부정보를 파악할 방법이 있었을 거예요.

씬/55 N, 과거, 재한의 방

무전기 너머에서 들려오는 해영의 목소리에 귀를 기울이는 재한.

해영(소리) 보안 상태를 파악하기 위해 외부 물건들을 만졌을 가능성이 있습니다. 경보 시스템이라든지, 대문 잠금장치, 침입을 위해 차고나 담, 뒷문을 체크했을 거고, 입주자들의 정보를 알기 위해서 우편함, 쓰레기통, 신문 주머니 같은 것도 확인했을 거예요.

재한, 열심히 해영의 소리를 종이에 적고 있는데..

해영(소리) 이건 정확한 수사자료가 아니라 기사를 토대로 한 겁니다. 참고만 하셔야 돼요. 그리고... 조심하세요. 이 무전기로 죽지 말았어야 할 사람도 죽었습니다...

그런데 순간 꺼져버리는 무전기.

재한 여보세요! 경위님? 경위님?

씬/56 N, 현재, 해영의 옥탑방

꺼진 무전기를 바라보는 해영. 왠지 표정이 찜찜하다. 고개를 돌려 불안한 표정으로 화이트보드를 바라본다. '과거가 변하면 현재가 변한다'

씬/57 몽타주

- 현재, 밤, 수현의 방. 침대에 누워 재한의 수첩을 바라보고 있다.

- 현재, 밤, 해영의 옥탑방. 스탠드를 켜고 책상에 엎드려 잠들어 있는 해영. 순간, 어디선가 살랑 바람이 불어오기 시작한다.

- 과거, 밤, 거리, 흔들리는 화면으로 보이는 경태와 마주 서 있는 재한. 경태의 앞을 가로막고 선 교복 차림의 은지.

은지 아빤, 진짜 아냐.
재한 (은지 건너 경태 보며) 조용히 가자.
은지 (눈가 붉어지며) 아빠, 진짜 아니라고!

- 현재, 밤, 불어오는 바람에 흩어지는 서류들. 해영의 컴퓨터 화면에 떠 있는 '미제로 남은 대도 사건'이란 글씨가 흐릿해지면서 바뀌기 시작한다.

- 현재, 밤, 수현의 방. 어느 새 잠이 든 수현의 방에도 바람이 불어온다.

- 과거, 거리 일각
밤, 재한의 차, 운전석엔 재한, 뒷좌석엔 한 손이 수갑으로 문고리에 고정된 채, 앉아있는 경태. 옆 차선, 앞쪽으로 달리는 버스가 보인다. 버스 뒷좌석에 홀로 앉아있는 은지, 지금까지 어른스러운 모습이 아닌, 아이처럼 울고 있다. 그런 모습을 보며 맘이 아픈 재한과 경태. 다리로 접어드는 버스, 그 뒤를 따르는 재한의 차. 차선을 바꾸며 버스와 조금 더 간격을 벌리며 뒤로 물러서는데, 순간, 굉음과 함께 시야에서 사라져버리는 시내버스. 놀라서 핸들을 꺾는 재한. 그런 재한의 시선으로 보이는 흔들리는 화면. 뒤이어 달려오던 차량들의 흔들리는 눈부신 헤드라이트들. 끼이익 여기저기서 들리는 급브레이크 소리. 클랙슨 소리. 사라진 상판 쪽이 아니라 반대편을 보이면서 끼이익 멈춰 서는 재한의 차. '쾅' '쾅' 들려오는 차량들의 충돌음. 사람들의 비명소리와 사이렌 소리. 엄청난 소음들로 가득해지고 '안돼... 안돼!!'하는 재한의 절박한 외침과 함께 서서히 암전되는 화면.

씬/58 D, 현재, 해영의 옥탑방

암전에서 화면 밝아지면 어느새 창밖은 새벽, 파란 새벽빛이 들고 있다.

수현 ‘띠디디’ ‘띠디디’ 알람음에 책상 위에 엎드려 자다가 눈을 뜨는 해영. 정신 차리고 일어서려다가 컴퓨터 화면을 보고 멈칫한다. 어제 검색했던 1995년 사건사고 목록에서 ‘대도 검거’ ‘서민들의 의적 대도, 결국 철창행’이라는 제목으로 바뀌어 있는 대도 사건이다. 불안한 시선으로 바라보다가 대도 사건 과거 기사들을 클릭해보는 해영. 관련 사진이 뜨는데 체포돼서 경찰서로 향하고 있는 범인, 붉게 충혈된 눈빛의 경태다.

씬/59 D, 현재, 교도소 외곽

푸르른 새벽. 끼이익 문 열리면서 걸어 나오는 재소자들. 그들 중 가장 마지막으로 천천히 걸어 나오는 발에서부터 틸업하면 늙고 초라해진 50대 중후반의 경태다. 아무도 기다리는 이 없는 텅 빈 거리를 바라보는 경태. 무슨 생각을 하는지, 천천히 정처 없이 새벽안개 사이로 사라진다.

씬/60 D, 광수대 외경

씬/61 D, 장기미제 전담팀

테이블 위에 빼곡하니 쌓여있는 수사 자료들 옆에서 화이트보드에 사건 목록들 적고 있는 계철, 헌기. 그때, 출근하는 듯 들어서는 수현.

수현 지금 뭐하는 거야?
계철 우리 전담팀의 미래를 설계한다고나 할까?

‘짠’ 화이트보드를 수현 쪽으로 돌리면, ‘오대양 사건’ ‘와룡산 초등학생 실종사건’ 등등이 적혀있다.

계철 우리나라에서 대한민국 건국이래 유명한 미제 사건은 다 모아놨어. 경기남부를 해결했는데, 이 정도쯤도 문제없잖아?
수현 ...갑자기 이렇게 열심히 일하면, 집에서 뭐라고 안 해?

계철 무슨 소리야. 가정보단 일이 먼저지.
의경(소리) 잭 더 리퍼 사건은 어떠세요?

보면, 어느새 청소하는 척 뒤에 다가와 있는 의경이다.

계철 재떨이파 사건? 그런 미제 사건도 있어?
의경 (어이없다. 혀 굴려가며) 잭 더 리퍼~ㄹ. 모르세요? 영국 최초의 연쇄 살인사건.

그때, 들어서는 해영. 다가와서

해영 1995년 대도 사건 말입니다.
수현 (대도 사건이란 말에 해영을 멈칫해서 보는)
해영 그 사건 수사 자료가 제대로 남아있지 않던데요. 혹시 그 사건에 대해서 알고 계신 분 없습니까?
계철 진범 잡혀서 끝난 사건을 왜? 우린 미제 전담팀이잖아.
헌기 그 사건이면 범인 벌써 출소했을 텐데...
해영 알고 있으세요? 기사 보니까 특가법으로 형량을 세게 맞기도 했지만, 탈옥까지 시도해서 형기가 늘어났다고 하던데요.
의경 증거는 확실한데, 억울하다고 자기 범인 아니라고 박박 우겨서 괘씸죄가 더 추가됐대요.
계철 네가 그걸 어떻게 알아? 새파랗게 젊은 게.
의경 사뭉에서 봤습니다.
헌기 사뭉? 어느 나라말이야?
의경 (그것도 모르냐. 깔아보는) 사고뭉치의 준말입니다. 우리나라 최고의 사건사고 동호회죠.

계철, 헌기, 기가 막힌 듯, 의경 보는데

수현 (듣다가) 저 사고뭉치 말이 맞아, 목격자 증언도 확실했고, 현장에서 지문까지 검출됐어.

헌기 정확히 말하자면, 현장은 아니죠. 우편함에서 검출됐으니까..

해영 (멈칫...) 우편함에서 발견 됐다고요?

- 인서트
- 55씬, 재한에게 얘기하던 해영

해영 입주자들의 정보를 알기 위해서 우편함, 쓰레기통, 신문 주머니 같은 것도 확인했을 거예요.

- 다시 장기미제 전담팀 오면, 자꾸 마음에 걸리는 표정의 해영.

계철 자자, 우리 그러지 말고 오대양 얘기나 해봅시다.

해영 이거... 조사해 보려면 어떻게 해야 합니까?

수현, 계철, 헌기, 의경 그런 해영을 본다.

해영 당시 형사기동대에서 사건을 담당했다고 그러던데요. 그때 형사들을 만나려면, 어떻게 해야 하죠?

계철 왜? 왜? 그게 왜 알고 싶은건데?

수현 그러니까.

해영 (수현 보는)

수현 왜 알고 싶은데?

해영 ... (말문 막히는)

수현 대답해봐. 왜 알고 싶냐고?

해영 ... 20년이라잖아요.

수현 (보는)

해영 ... 만약에... 진범이 아닌 엉뚱한 사람을 경찰이 체포해서... 20년을 살았다면... 그건... 안 되는 거잖아요.

수현 (가만히 해영을 본다)

계철 그러니까 오대양은 안 궁금하냐고?

계철 떠드는데, 해영 보던 수현, 주섬주섬 윗옷 챙겨 일어선다.

계철 (불길하다) 아, 또 왜?
수현 오랜만에 비뚤어진 입으로 바른 말하잖아. (해영 보고) 쟤가.

씬/62 N, 광수대 복도 일각

앞서 걷는 수현, 뒤를 따라가는 해영.

해영 그때 형기대에 계셨던 형사님 만나러 가는 건가요? 이름이 뭔데요?
수현 그 바닥 일은 그 바닥 사람한테 알아봐야지. 왜 딴 바닥에서 알아봐.
해영 예?

씬/63 N, 룸살롱 입구

야리꾸리한 조명이 깔려있는 룸살롱 입구. 문 열고 수현 들어서자, 나이 어린 웨이터들 '어서오세요!' 인사하려다가 멈칫, 뒤이어 해영도 들어서고...

수현 (멈칫하는 웨이터들은 아랑곳하지 않고) 안내 안하니? 장사 안 해?

웨이터들 뒤로 매니저로 보이는 양복 男 나서며 정중하게 '이쪽으로 오시죠' 안내 시작하고... 수현, 아무렇지 않게 걸어들어가는데, 뒤따라가는 해영 어리둥절이다.

해영 여긴... 진짜... 왜...

씬/64 N, 룸 안

룸으로 들어서서 앉는 수현, 눈치 보다가 그런 수현 옆에 앉다가 뭔가 이상한 듯, 살살 떨어져서 앉는 해영.

수현 여기서 제일 비싼 술하고 안주. 이쁜 언니들도 있으면 좋고.
해영 (자기도 모르게) 언니들... (낮은) 미쳤어요?
매니저 더 필요하신 건 없습니까?

수현, 매니저 본다. 매니저, 그런 수현 보다가 낮은 한숨, 룸문을 열고 주변 한 번 두리번거린 뒤 문 잠그고, 돌아서더니 수현 보다가 맞은편 자리에 쿵 앉는

매니저 진짜 아니야 이번엔.
해영 (무슨 영문인지 몰라 둘 번갈아 보는)
수현 (보는)
매니저 ...(아닌척하다가 수현의 시선에 억울한 얼굴로) 걔 진짜 미성년자인지 몰랐어. 알자마자 바로 집에 갈 차비까지 챙겨서 보냈다고. 진짜야! 누님 내 말 못 믿어?
수현 내가 왜 누님이야. 나이도 네가 한 살 더 많잖아
매니저 알면 말 좀 까지 말던가.
수현 죽고싶지?
매니저 거봐... 이럴 거면서...
수현 (말 끊으며) 오늘은 내가 볼일 있어서 온 건 아니고 (해영보고) 물어볼 거 있으면 물어봐. 얘 절도 전과 큰 것만 다섯 개야.
해영 (수현의 진의 파악하고) 1995년 대도 사건 좀 알아보러 왔습니다.
매니저 (해영 뭐야? 보는) 누군데요?
해영 서울청 장기미제 전담팀 프로파일러 박해영입니다.
매니저 프로파일러? (피식 웃으며) 아... 언제나 사건 해결한 뒤에 나타난다는?...
수현 (웃는)
해영 (기분 나쁜) 누가 그럽니까?
매니저 아는 형사님들이 다 그러던데, 뭘...
수현 (역시 웃으며) 이 사람 형사야. 말 높여!

매니저 아, 누님 가오 빠지게. 머리에 피도 안 말랐구먼 뭘...

수현 (서서히 미소 가시면서) 그니까 머리 피도 안 마른 이 분이, 형사라고.

매니저 왜... 이래요.

수현 경찰이 우스워? 경찰 우습게 여기려면, 법 지키면서 살던가.

해영, 뭐지? 수현 보는데, 매니저, 공손하니 해영에게

매니저 뭐든 물어보시죠.

해영 ...대도로 체포된 오경태 씨 알아요?

매니저 뭐 전설 같은 분이신데요. 수법이 깔끔한 걸로 소문이 자자했습니다. 일단 타깃 정해지면, 며칠 동안 타깃 주변 맴돌면서 자연스럽게 들어갈 방법을 알아냈대요.

씬/65 N, 동훈의 집 외곽

현재의 어두운 고급 주택가 입구. 주변에 설치된 CCTV들. 정문 앞 대기 중인 동훈의 차와 기사. 50대 후반, 잘 빼입은 동훈과 동훈의 부인, 외출하는 듯 문 열리면서 걸어 나온다. 그런 두 사람을 배웅하러 나온 듯한 파리한 안색의 여진(30대 후반, 여). 동훈 내외, 차에 타고 출발하고, 여진, 그런 모습을 지켜보다가 문을 닫고 들어간다. 그런 여진의 모습을 어디선가 지켜보고 있는 듯한 누군가의 시선.

씬/66 N, 동훈의 집 안

여진, 현관문을 닫고 들어서자 방범 시스템이 스위치온 된다. 스탠드 불빛이 켜진 어두운 거실을 지나 자기 방으로 향하는 여진의 모습 뒤로 슥 지나가는 그림자. 여진은 전혀 눈치 차리지 못하고 방으로 들어간다. 그런 거실에서 한발 두발 앞으로 방 쪽으로 다가가는 그림자의 손. 장갑을 꼈다.

매니저(소리) 꼼꼼하고 치밀해서 지문 하나 남긴 적이 없답니다.

씬/67　　　　　N, 동훈의 집/ 거실/화장실

화장실 안, 세면대 위에 설치된 거울로 된 욕실 수납장 문을 열고 떨리는 손으로 약병을 꺼내는 여진. 순간, 여진의 시선으로 환상처럼 빠르게 교차돼서 들어가는 인서트.

- 인서트
- 타오르는 불, 흘러내리는 피, 사람들의 고함.

- 다시 집으로 돌아오면 벌벌 떨리고 있는 여진의 손. 다급히 약병을 열다가 떨어뜨린다. 바닥에 있는 약병을 들고 일어서는데, 욕실 수납장에 비치는 등 뒤에 서 있는 낯선 그림자. '헉!' 놀라서 뒤를 돌아보는 여진.

- 쿵, 바닥으로 떨어지는 여진의 손. 그리고 약병. 장갑을 낀 손이 떨어진 약병을 들어 수납장 안에 넣고 문을 닫는다. 그런 수납장 거울에 비치는 얼굴. 굳은 얼굴의 늙은 경태다. 경태, 천천히 손을 뻗어 마치 낙인을 찍듯이 자신의 지문을 거울에 찍는다.

씬/68　　　　　N, 룸살롱 건물 앞

룸살롱을 나서서 차를 향해 걷고 있는 수현과 해영.

해영　뭔가 이상합니다. 아무리 상황이 달라졌다고 해도 사람의 핵심적인 성격은 변하지 않아요. 저 사람 말이 맞는다면, 오경태는 꼼꼼하고 치밀한 성격입니다. 그런 사람이 우편함에 지문을 남겨놨을 리가 없어요.
수현　더 알아보고 싶은 거야?
해영　(보다가) 소개만 시켜주면 나 혼자 가볼게요.
수현　(보면)
해영　나 경찰대 졸업한 경찰 맞아요. 내 일은 내가 알아서 합니다. 옆에서 일일이 도와주지 않아도 돼요.

수현　　다 큰 줄 알았더니, 아직 멀었네.
해영　　(보면)
수현　　내가 너 도와준 거 같아? 나 너한테 알아볼 게 있어서 같이 온 거야.
해영　　무슨 소리예요?
수현　　난, 비밀이 있는 사람하곤 같이 일 못해.
해영　　(보면)
수현　　대도 사건 진짜 궁금해 하는 이유가 뭐야?
해영　　(순간 말문 막히는) 그... 그게 무슨...
수현　　잘 알지도 못하는 사건을 왜 궁금해 하냐고?

해영, 말문이 막혀서 수현 보는데... 그때 울리는 전화벨. 계철이다.

수현　　왜?
계철(소리)　　여기 난리 났어.

놀라는 수현의 눈빛. 해영, 뭐지? 보는데...

씬/69　　N, 광수대 사무실

다급히 들어서는 수현과 해영. 사무실은 폭탄이라도 맞은 듯, 형사들 분주하게 움직이고 있다. '은행 연락해 봤어? 피해자 현금카드 이용내역 있는지 확인해봐!' '핸드폰은 전원이 꺼져 있어서 추적이 불가능합니다!' 수현과 해영, 바쁘게 오가는 형사들을 긴장한 시선으로 보는데, 두 사람에게 다가오는 계철.

수현　　어떻게 된 거야?
계철　　납치야.

납치란 소리에 낯빛이 삽시간에 굳는 해영과 수현.

계철 어떤 놈인지 정신이 나간 거지. 요즘이 어떤 시댄데. 납치범은 잡기만 하면 한 계급 특진이라 형사들이 눈에 불을 켜고 달려드는 데 말이야.

수현 피해자는?

계철 지방대 교수래. 그런데 아버지가 양운건설 CEO야. 내년에 여당 비례대표로 출마할 소문까지 도는 거물이라고. 그런데, 용의자가 누군지 알아?

그때, 문 열리며 빠르게 들어서는 범주와 치수. 그런 두 사람을 따라 회의실로 향하는 형사들.

씬/70 N, 광수대, 회의실

수십 명의 형사들이 참석한 회의실. 가장 뒤쪽에서 회의에 참석한 수현, 해영, 계철, 헌기. 자리의 가장 앞에는 범주가 앉아있고, 브리핑을 하는 사람은 치수다.

치수 피해자 이름 신여진, 37세. 직업 문광대학 미대 교수. 납치 추정 시간은 11월 1일 21시. 외출에서 돌아온 피해자의 부모가 지구대로 신고를 했고, 곧바로 지방청 광수대가 수사에 착수했습니다.

- 회의실 화면에 떠오르는 화면. CCTV에 찍힌 화면. 검은 옷을 입은 남자가 커다란 이민자 가방을 끌고 사라지고 있다.

치수 사건 발생 직후, 주변 CCTV상에 수상한 가방을 끌고 가는 인물이 확인됐고, 납치된 신여진의 집 거울에서 발견된 지문을 통해 이 인물의 인적 사항이 확인됐습니다.

관심을 보이며 앞으로 몸을 기울이는 범주. 해영도 수현도 화면을 주시한다.

치수 피해자의 집 거울에서 발견된 지문, CCTV에 찍힌 얼굴로 밝혀진 용의자의 이름은 오경태. 나이 58세. 1995년 고위층 연쇄 절도 사건, 일명 대도 사건으로 구속됐고, 3일 전 형기 만료로 석방된 상탭니다.

치수의 얘기가 끝나자 술렁이는 사람들. 해영, 믿기지 않는 듯 멈칫해서 그런 경태의 얼굴을 보는

- 인서트
- 동훈의 집 인근 도로의 CCTV에 찍힌 화면. 이민 가방을 봉고차량에 태우는 경태의 모습. 그 위로

치수(소리) 피해자를 납치한 오경태는 미리 준비했던 도난차량을 이용

- CCTV 관제센터. 형사들, 경태가 타고 간 9434 차량을 확인. 국도 위를 달리는 장면 포착.
- 경진 국도변에 버려진 9434 차량으로 접근하는 형사들. 그러나 차량 안은 텅 비어 있다.

치수(소리) 경진 국도를 타고 경기도 의천면으로 이동한 것까지 확인됐지만, 이후 행방은 아직 확인되지 않고 있습니다.

- 다시 회의실로 오면 여전히 브리핑 중인 치수다.

치수 현재, 피해자의 현금카드나 신용카드는 사용되지 않았고, 피해자의 핸드폰 역시 전원이 꺼져 있어 추적이 불가능합니다.
범주 오경태 쪽은?
치수 출소된 지 얼마 되지 않아 핸드폰도 신용카드도 주소지도 없습니다. 용의자의 소재 파악이 가장 시급합니다.

범주, 보고를 듣다가 혀를 차며

범주 한번 쓰레기는 영원한 쓰레기구먼. 도둑질로 감방 갔다 오자마자 또 도

둑질이야? 돈을 노리고 들어갔는데, 돈이 없으니까 몸값을 노리고 사람을 납치한 거야.

그때, 뒤쪽에서 들려오는 목소리.

해영(소리) 이건 좀 이상합니다.

범주, 치수를 비롯한 형사들의 시선. 뒤쪽의 해영에게 쏠린다. 계철, 또 시작이다... 슬금슬금 옆으로 자리 옮기는

해영 오경태는 사람을 건드린 적이 한 번도 없습니다. 전형적인 대물범죄만을 저질렀어요. 범죄 방식도 달라졌습니다. 지문을 남기고, CCTV에 걸리고... 오경태 답지 않습니다. 오경태가 이런 범죄를 저지른 다른 목적이 있는 거예요.

범주, 해영을 확인하자, 전혀 아무 얘기 못 들었다는 듯 고개 돌리고 다른 강력계 형사들의 반응도 차갑기만 하다.

범주 피해자 집에 분명히 협박전화가 올 거야. 대비하고 . 먼저 출소한 감방동기, 친척, 지인들 샅샅이 수색해.

해영, 범주에게 묵살 당하자, 뭐라고 더 얘기하려고 하는데, 순간, 해영의 발을 밟아버리는 수현. 해영, 몰아치는 아픔에 순간 헉...

범주 납치 사건 골든타임 24시간이야. 서울 바닥 죄다 엎어서라도 오경태, 찾아내!

그 말을 끝으로 나가버리는 범주. 치수, 남은 형사들에게

치수 도난차량 버려진 데부터 CCTV는 사설이고 뭐고 깔 수 있는덴 전부다 까. 차량 블랙박스도 마찬가지고. 광수대 광역 1계 움직일 수

있는 인원은 전부 붙는다.

해영 잠시만요!

하지만, 해영의 얘기를 들어주는 사람은 아무도 없다. 광수대 형사들, 차가운 얼굴로 해영을 툭툭 치고는 나가버린다. 그리고 해영에게 다가오는 치수, 해영의 얼굴에 한방을 먹여버리는... 충격에 바닥으로 나뒹구는 해영.

치수 경기남부 하나 해결했다고 눈앞에 보이는 게 없어? 여기가 어디라고 함부로 나서!

아픔을 꾹 참으며 일어서는 해영, 치수에게

해영 (천천히 일어서며) 그러게요. 경찰 조직이 이렇게 말 안 통하는덴지 까먹고 나섰네요.

치수, 더 열 받아서 나서려는데, 그 앞을 가로막고 해영의 조인트를 까버리는 수현. 해영, 아... 엎친 데 덮친 격이다. 아픔에 잠시 조용해지는데

수현 죄송합니다. 제가 알아서 타이르겠습니다.
치수 (그런 수현보다가) 차수현은 가족보호팀에 합류하고, 정헌기는 현장 감식, 김계철은 사무실에서 현장 지원해주고... (해영 보는) 넌, 꺼져.
계철 네! (뭔가 불똥이 튈까 싶어 재빨리 대답하고는 헌기 끌고 빠져나가는)

치수도 방을 빠져나가고 단둘이 남는 수현과 해영.

수현 속이 아주 시원하지?
해영 ...
수현 경찰하고 싸우려고 경찰됐어?
해영 가르칠 생각하지 마세요. 나도 더러워서 같이 안합니다. 능력은 없으면서 체

면만 앞세우니까 맨날 범인 놓치는 겁니다. 이 사건은 그냥 금전이 목적인 납치가 아니에요. 오경태는 수법이 깔끔했습니다. 그런데, 이번엔 거울에 지문을 남기고 CCTV에도 일부러 얼굴을 찍혔어요. 이건 다른 감정적인 동기에서 유발된 표출적 납치일 가능성이 커요. 그럼, 피해자의 목숨이 위험합니다.

수현 그래 네 말이 맞아서, 그 피해자가 죽는다면, 그 피해자는 네가 죽인 거야.

해영 (멈칫해서 보는)

수현 네가 옳고 저 사람들이 틀렸다면 설득시켰어야지.

해영 (보는)

수현 앞으로도 이런 식이면 아무도 네 말을 들어주지 않을 거야. 그때마다 한 명씩, 죽어나가겠지.

해영 ...

수현 맘대로 해봐.

수현, 돌아서서 걸어가려다

수현 경찰을 왜 그렇게 싫어하는지 모르겠는데... 범인을 찾지 못한 고통도 모르면서 경찰을 욕할 자격은 없다고 생각해.

멀어지는 수현의 뒷모습을 바라보는 해영.

씬/71 몽타주

- 다음날 낮, 국도 주변에서 CCTV를 확인 중인 형사들 중 강 형사의 모습 보이고
- 동훈의 집에 도착한 수현, 초조한 듯 소파에 주저앉아 있는 동훈. 옆에서 혹시라도 있을 협박전화에 대기 중인 문 형사를 포함한 형사들을 지나, 혹시라도 단서를 찾을 수 있지 않을까 여진이 납치된 여진의 방 안을 둘러보는 수현. 여진이 사라진 화장실 내부에서 지문 감식 중인 헌기.
- 어디론가 천천히 걸어서는 해영. 위를 올려다본다. 해영의 시선, 쫓아가보면 교도소 건물이다.

씬/72 D, 교도소

교도소 휴게실에서 늙은 교도관과 얘기를 나누고 있는 해영.

교도관 오경태요?... 수감 초기에 몇 번 탈옥하려다가 실패한 뒤에는 잠잠했습니다. 착실하게 전기기술도 배우고 말썽도 없었어요.

해영 출소하자마자 사람을 납치했어요. 오경태 씨가 왜 그런 일을 벌였는지, 알아야 해요.

교도관 글쎄요. 말수도 없고 계속 혼자 지냈어요. 게다가 자주 발작을 일으켜서 같은 수감자들끼리도 멀리했었죠.

해영 ...발작요?

- 인서트
- 교도소 식당. 배식을 받던 경태, 무심코 주방 쪽으로 시선을 돌리는데, 요리 중이던 가스레인지 불꽃이 화르르 커지는 것을 보고 발작을 일으킨다. 경태의 눈에 환상처럼 보이는 새빨간 화면. 그리고 비명소리. 어찌할 바를 모르며 주변 식기들을 내동댕이치는데, 교도관들이 와서 간신히 제지한다.

씬/73 D, 냉동탑차 안

환한 불빛에 천천히 눈을 뜨는 여진. 주변을 둘러보는데, 자신의 입에서 나오는 하얀 입김. 냉동 탑차 안, 결박당한 상태다. 추위와 공포에 부들부들 떨면서 주변을 둘러본다. 문으로 기어가 보려고 하지만, 기둥에 묶인 상태. '아무도 없어요?' 불러보지만, 아무도 대답이 없다. 겁에 질려 울음을 터뜨리는 여진, 그러다가 뭔가를 발견하고 눈이 커진다. 저만치 떨어져 있는 자신의 가방 안, 자신의 핸드폰이다. 어떻게든 가방을 끌어오려는 몸부림. 겨우 닿는가 싶다가 다시 떨어뜨리는데 순간, 갑자기 여진의 귓가에 들려오기 시작하는 사람들의 비명소리. 환상처럼 보이는 화염. 발작이 시작됐다. 괴로워하는...

씬/74 D, 동훈의 집, 욕실

여전히 여진의 방안을 살펴보고 있는 수현. 헌기는 화장실 감식이 끝난 듯, 침실 쪽을 살펴보고 있고... 헌기가 나온 화장실안을 둘러보던 수현, 수납장 문을 열어보는데, 안에서 툭 떨어지는 약병. 들어 올려서 약병을 확인해 본다.

씬/75　　D, 교도소

교도관과 여전히 대화중인 해영.

해영　교도소 내에서 무슨 일이 있었던 건가요? 대도 사건으로 체포됐을 때, 불하고 관련된 일은 없었잖아요.
교도관　딸이 죽었답니다. 불에 타서...

해영, 놀라서 멈칫하는

씬/76　　D, 동훈의 집, 여진의 방

단둘이 대화를 나누고 있는 동훈과 수현.

동훈　(초조한 모습) 무슨 일이죠?
수현　(약병을 보여주는) 항우울제죠?
동훈　(멈칫하는)
수현　따님에게 지병이 있었나요?
동훈　....외상성 스트레스 증후군이었습니다. 어렸을 때 큰 사고를 당했거든요.
수현　사고요?
동훈　...한영대교 사건 기억하십니까? 그 다리 위에 우리 딸애가 있었습니다.

씬/77　　N, 교도소 밖, 차 안

태블릿 PC로 1995년 한영대교 사건을 검색하는 해영.

'오후 9시 30분, 한영대교 붕괴사고' '사망 11명, 부상 15명' '부실공사로 인한 예고된 참극'

기사들을 확인하는 해영의 시선으로 인서트
- 57씬, 다리로 접어드는 버스, 그 뒤를 따르는 재한의 차. 차선을 바꾸며 버스와 조금 더 간격을 벌리며 뒤로 물러서는데, 순간, 굉음과 함께 시야에서 사라져버리는 시내버스. 놀라서 핸들을 꺾는 재한. 그런 재한의 시선으로 보이는 흔들리는 화면. 뒤이어 달려오던 차량들의 흔들리는 눈부신 헤드라이트들. 끼이익 여기저기서 들리는 급브레이크 소리. 클랙슨 소리. 사라진 상판 쪽이 아니라 반대편을 보이면서 끼이익 멈춰 서는 재한의 차. '쾅' '쾅' 들려오는 차량들의 충돌음. 사람들의 비명소리와 사이렌 소리 엄청난 소음들.

- 다시 차 안으로 돌아오면, 의아한 얼굴의 해영.

해영 도대체... 이 날... 무슨 일이 있었던 거지...?

그때, 울리는 핸드폰 알람음. 퍼뜩 고개 들어 시계 확인하면, 11시 22분이다. 가방 안을 뒤져서 무전기를 꺼내는 해영.

씬/78 D, 과거, 차 안

테이프 플레이어에 은지가 녹음한 테이프를 넣는 재한의 손. 멍한.. 붉게 충혈된 눈빛. 천천히 흘러나오는 오래된 노래.

씬/79 N, 현재, 차 안

11시 23분으로 넘어가는데, '치치칙' 울리기 시작하는 무전기.

해영 형사님! 저 박해영입니다.

대답이 없는 무전기.

해영 형사님! 듣고 있어요? 도대체 무슨 일이 있었던 겁니까?

씬/80 D, 과거, 차 안

해영의 목소리에 재한, 천천히 조수석에 놓인 무전기를 본다.

해영(소리) 과거가 변했어요. 대도 사건이요. 오경태가 진범이 맞나요?

재한 ...(무전기를 보다가 감정을 추스르고)... 경위님.

해영(소리) 이재한 형사님? 오경태가 사람을 납치했습니다. 사람을 죽이려고 해요. 도대체 그때 무슨 일이 있었던 거예요?

재한 ...(보다가 멍한 목소리) 우리가 틀렸어요. 아니... 내가... 내가... 다 잘못했어요... 모든 게... 나 때문에 엉망이 돼버렸습니다. 이... 무전은... 시작되지 말았어야 했어요.

슬픔에 찬 과거의 재한, 그리고 혼란스러운 현재의 해영 교차되면서.

5부 끝

시그널 The Signal

6부

씬/1　　N, 교도소 밖, 차 안

태블릿 PC로 1995년 한영대교 사건을 검색하는 해영.

'오후 9시 30분, 한영대교 붕괴사고'
'사망 11명, 부상 15명'
'부실공사로 인한 예고된 참극'

기사들을 확인하는 해영, 뭐가 뭔지 모르겠는 혼란스러운 시선이다.

해영　도대체... 이 날... 무슨 일이 있었던 거지...?

그때, 울리는 핸드폰 알람음. 퍼뜩 고개 들어 시계 확인하면, 11시 22분이다. 가방 안을 뒤져서 무전기를 꺼내는 해영. 11시 23분으로 넘어가는데, '치치칙' 울리기 시작하는 무전기.

해영　형사님! 저 박해영입니다.

대답이 없는 무전기.

해영　형사님! 듣고 있어요? 도대체 무슨 일이 있었던 겁니까?

씬/2　　D, 과거, 법원 건물 밖, 차 안

멍한 시선, 붉게 충혈된 눈으로 창밖을 보던 재한, 옆에 놓인 무전기를 본다.

해영(소리)　과거가 변했어요. 대도 사건이요. 오경태가 진범이 맞나요?
재한　...(무전기를 보다가 감정을 추스르고)...경위님.
해영(소리)　이재한 형사님? 오경태가 사람을 납치했습니다. 사람을 죽이려고 해요. 도대체 그때 무슨 일이 있었던 거예요?

재한 ...우리가 틀렸어요. 아니... 내가... 내가... 다 잘못했어요... 모든 게... 나 때문에 엉망이 돼버렸습니다. 이... 무전은... 시작되지 말았어야 했어요.

무전기를 들고 있는 재한의 슬픈 눈빛에서.

씬/3 N, 과거, 몽타주/재한의 회상

- 과거, 세규의 집.
낮, 깔끔한 평상복 차림의 세규에게 정제를 비롯한 형사들, 털이범들의 사진을 한 장씩 보여주고 있다. 그러다가 한 사람의 사진을 툭 찍는

정제 이 사람이었어요?

세규, 고개 끄덕하다가... 사진들 중 경태의 사진을 힐긋 보고 멈칫한다.

세규 아... 잠깐.
형사들 (보는)
세규 그 사람 말고, (경태 사진 찍는) 이 사람...
정제 (경태 사진들고 확실하게 보여주는) 이 사람이요?
세규 (보다가) 예. 그 사람이었어요.

- 과거, 형기대 사무실. 정제에게 얘기를 전해들은 듯 놀라는 얼굴의 재한.

재한 정말이야? 진짜 오경태라고 했어?
정제 그렇다니까.

재한, 사색이 되는데, 사무실로 들어서는 감식요원.

감식요원 이 형사님이 말씀하신 장소들 지문 감식을 해 봤는데요. 마지막으로 털린 한석희 검사장 집 우편함에서 지문이 발견됐습니다.

놀라서 바라보는 재한과 정제.

씬/4 N, 과거, 학교 주변 거리 일각

뛰고 있는 경태. 그 뒤를 쫓고 있는 재한. 그러다가 경태 막다른 골목에 몰리고... 헉헉대며 뒤를 돌아 재한을 보는

경태 왜 이래, 진짜.
재한 (배신감에 화가 난) 왜 거짓말했어?
경태 난 진짜 아냐.
재한 그날, 형을 본 증인이 나왔어. 그리고 그 집에서 형 지문이 나왔다고.
경태 나 진짜 아니라니까!
재한 ...차 무슨 돈으로 샀어?
경태 (얼굴 굳는) 너 나 그렇게 못 믿냐? 은지 앞날 생각해서 산 차야. 그걸 훔친 돈으로 샀겠어?

그때, 뒤쪽에서 들려오는 은지의 목소리.

은지 지금 뭐하는 거야?

보면 학교 앞에서부터 쫓아온 듯 헉헉대고 있는 은지다. 은지, 다가와서 경태 앞을 가로막고 서는 5부 57씬의 몽타주로 이어진다.

은지 아빤, 진짜 아냐.
재한 (은지 건너 경태 보며) 조용히 가자.
은지 (눈가 붉어지며) 아빠, 진짜 아니라고!
경태 이 형사... 은지 데려다 주고 내가 내 발로 직접 갈게.

재한	다른 형사들이 벌써 집에 출동해 있을 거야...
경태	(재한 보다가 어쩔 수 없다... 은지와 시선 마주치며) 은지야. 집에 가 있어. 아빠 믿지? 금방 갈테니까, 먼저 가.

은지를 뒤로 하고 재한과 함께 멀어지는 경태. 은지 기어이 참고 참던 눈물을 뚝 떨어뜨린다.

씬/5 N, 과거, 한영대교 인근 도로 일각/한영대교 일각

재한, 경태를 태운 차를 운전하며 가다가 정차하는데, 저 앞 버스정류장에서 버스에 올라타는 은지를 본다. 아직도 울먹이고 있다. 맘이 아픈... 버스 출발하고.. 신호가 파란색으로 바뀌면서 출발하는 재한. 저 앞쪽에 가고 있는 버스에 탄 은지의 모습이 계속 눈에 밟힌다. 버스 안 비추면, 은지의 앞쪽에 사이좋은 부녀, 과거의 평범해 보이는 동훈과 은지 또래의 중학생이었던 여진의 모습 보이고... 그런 버스와 재한의 차, 한영대교로 진입하기 시작한다.

씬/6 N, 동훈의 집/여진의 방

5부, 76씬에 이어지는

수현	한영대교 붕괴 사건에 따님이 있었다고요?
동훈	...예. 나도 딸과 함께 그 현장에 있었습니다. 그런데, 그게, 우리 딸 납치된 거랑 무슨 상관이죠?
수현	따님을 납치한 오경태의 인적사항을 조사해 봤는데요. 오경태의 딸도 한영대교 붕괴 사고 때 사망했다고 나왔어요.
동훈	그래서요? 그때 죽은 사람이 한 둘입니까?
수현	따님이 몸값을 노리고 납치됐을 수도 있지만, 여러 가지 다른 방향을 고려해 봐야 합니다. 그러려면 따님에 대해 우리가 더 많이 아는 게 유리해요.

동훈 ...(그저 이 상황이 괴로운) 그때... 여진이는 죽다가 살아났습니다. 그 덕분에 지금까지 힘들게 살았고요. 정말... 다시 생각하기도 싫은 끔찍한 일이었어요.

그때, 거실 쪽에서 들려오는 전화벨소리에 놀란 얼굴로 밖을 바라보는 수현. 동훈 거실로 뛰어나간다.

씬/7 N, 동훈의 집/거실

동훈, 뛰어나와 전화기를 받으려는데, 일단 제지하는 문 형사. 수현 역시 뒤따라 나와 그 모습을 바라보는데 녹음 준비가 끝난 듯 문 형사, 동훈에게 신호를 주면 동훈이 심호흡과 함께 전화를 받는다.

동훈 여보세요.

형사들이 듣고 있는 헤드폰을 통해 들려오는 목소리.

여진(소리) 아빠...
동훈 여진아!! 어디야? 괜찮니? 다친 덴 없고?

놀라는 수현과 형사들. 상대방이 여진이란 걸 알게 된 형사들, 다급한 수신호.

씬/8 N, 광수대 회의실

치수와 모여 있는 형사들 테이블에서 지도를 펼치고 얘기 중이다.

형사 1 도난차량에서부터 주변 근방 신여진이 있을만한 장소를 특정해봤는데요.

지도, 다섯 군데에 동그라미를 그리는

형사 1 이 곳 중에 하나일 가능성이 높습니다.

그때, 뛰어 들어오는 계철.

계철 피해자한테 연락이 왔습니다! 핸드폰이 켜졌어요!

씬/9 N, 동훈의 집

초조한 얼굴로 여진과 통화 중인 동훈.

동훈 지금 혼자니? 괜찮아?
여진(소리) (울먹이는) 나 혼자에요... 근데... 아빠... 너무 추워요.

형사들, 서로 시선 마주치는 그때 수현, 동훈이 받은 전화기 말고 연결된 다른 전화기를 들고

수현 신여진 씨, 침착하고 내 말 들어요. 난 서울청 차수현 경윕니다. 주변에 뭐가 보이죠?

씬/10 N, 냉동탑차 일각

주변을 둘러보는 여진.

여진 ...차... 차 안이에요.
수현(소리) 트렁크 안이에요?
여진 아뇨... 넓어요.
수현(소리) 창문은요?
여진 창문은 없고요. 다 막혀 있어요. 너무... 추워요...

씬/11 N, 동훈의 집

수현, 주변 형사들에게

수현 탑차... 냉동 탑차에요.

씬/12 N, 광수대 회의실

치수 위치 추적은?
계철 (가지고 온 서류 보여주며) 이 근방 3킬로미터 이내랍니다.

형사 1, 아까 동그라미 쳤던 지도 두 군데를 가리킨다.

형사 1 여기, 아니면 여깁니다.
치수 이 근방 냉동 탑차 다 뒤져.

씬/13 N, 몽타주

- 국도변을 수색 중이던 강 형사를 비롯한 형사들, 무전 받은 듯, 차를 향해 뛰어간다.
- 다른 국도변, 비상등을 켜고 질주하기 시작하는...
- 핸드폰 위치 추적을 한 근방에 도착하는 형사들. 주변을 뒤지며 냉동 탑차를 찾기 시작한다.
- 주차된 냉동 탑차 문을 열어보는 형사들, 그러나 안은 텅 비어있고
- 도로를 지나는 냉동 탑차를 세우는 경찰들. 안을 확인해 보지만 이 차도 아니다.

씬/14 N, 동훈의 집

동훈의 집에 있던 형사들, 역시 최소한의 인원만 남기고 다들 출동 준비를 하고 있는데 수현, 가만히 생각에 잠겨있는

문 형사	뭐해? 출동 준비 안하고
수현	...이상하지 않아? 왜 신여진 주변에 핸드폰을 남겨놨을까...
문 형사	납치 도중에 흘렸을 수도 있어. 그런 경우 많잖아.
수현	오경태는 꼼꼼한 성격이었다고 들었어.
문 형사	신여진 성문 확인됐어. 본인이 직접 전화한 게 맞는다고. 일단 피해자 먼저 살려놔야지.

수현, 문 형사의 말에 문 형사를 따라 동훈의 집을 나서는데 수현, 나가다가 힐긋 보면 한편에 멍하니 서서 핸드폰을 들고 있는 동훈이다.

씬/15 N, 도로 일각

신여진이 있는 곳으로 추정되는 곳을 향해 비상등을 켜고 달리고 있는 수현, 그때 울리는 전화벨. 해영이다. 무시하고 달리는데, 또 다시 울리는 전화벨.

수현	(보다가 받는) 나야.
해영(소리)	신여진이 목표가 아닙니다.
수현	무슨 소리야?

씬/16 N, 또 다른 도로 일각

운전을 하면서 통화중인 해영.

해영	오경태의 딸도, 신동훈의 딸도 한영대교 사건의 피해자였어요.
수현(소리)	알고 있어.
해영	그냥 사고사가 아니었습니다. 오경태의 딸은 살릴 수도 있었습니다.

씬/17 N, 과거, 한영대교 일각 (재한에게 해영이 들은 얘기로 생각하고 썼습니다)

차선을 바꾸며 버스와 조금 더 간격을 벌리며 뒤로 물러서는데, 순간, 굉음과 함께 시야에서 사라져버리는 시내버스. 놀라서 핸들을 꺾는 재한. 그런 재한의 시선으로 보이는 흔들리는 화면. 뒤이어 달려오던 차량들의 흔들리는 눈부신 헤드라이트들. 끼이익 여기저기서 들리는 급브레이크소리. 클랙슨 소리. 사라진 상판 쪽이 아니라 반대편을 보이면서 끼이익 멈춰 서는 재한의 차. '쾅' '쾅' 들려오는 차량들의 충돌음. 사람들의 비명소리와 사이렌 소리엄청난 소음들 한 바퀴 돈 차 안에서 겨우 정신을 차리는 경태와 재한. 재한, 차 문을 열고 내리는데, 주변 사람들의 아우성, 비명소리들 믿기지 않는 시선으로 무너진 상판 쪽으로 다가가 내려 보면 무너진 다리 상판 위, 여기저기 흩어져 쓰러져 있는 사람들과 자동차들, 뒤집어진 채 찌그러져 있는 은지가 타고 있던 시내버스. 이마에 피를 흘리고 있는 동훈, 정신을 차리고 버스 안의 사람을 끌어내고 있다. 도착하는 구조대원들. 동훈 '내 딸이 버스 안에 있어요!!' 경태, 역시 정신을 차리고 차에서 내리려고 하는데, 한쪽 손이 수갑이 채워져서 이동이 힘들지만, 상판 아래 상황은 확인될 거리다. 그런 경태의 시선에 뒤집어진 버스 안 피를 흘리며 쓰러져 있는 은지가 보인다.

경태 ...(믿기지 않는) 으... 은지... 은지야!!

재한, 역시 그런 은지를 발견하고... 패닉상황이다가, 어떻게든 아래로 내려가려는 듯 필사적으로 다리 반대편을 향해 뛰기 시작한다. 경태는 여전히 은지의 이름을 필사적으로 부르는데... 버스 안에 있던 사람들 하나둘씩 구조되기 시작한다.

경태 은지야!! 도와주세요!! 우리 딸 좀 구해주세요!! 은지야!! 잠깐만 기다려!! 내가 갈게!!

경태, 다시 차 안으로 돌아와서 수갑을 풀기 위해 갖은 발악을 해보지만, 손만 부어오를 뿐 풀릴 생각을 안 한다. 도구를 찾으려고 이리저리 두리번거리는데, 차에 걸려있는 무전기에서 연신 들려오는 무전소리. '한영대교 붕괴사고 발생' '모든 인원 다리로 집결' 경태, 그런 무전 소리에도 정신없이 수갑을 풀려고 하다가 무전기를 건드리고 주파수가 바뀐 듯, 구조대원들의 무전 소리가 들려오기 시작한다.

무전 1(소리) 유압기 나머지 한 대 언제 도착합니까?
무전 2(소리) 지금 교통이 너무 안 좋아요. 최소 10분 이상 걸립니다.
무전 1(소리) 여학생 둘이 아직 버스 안에 있습니다.

경태, 멈칫하고 재빨리 차에서 내려 다리 아래를 내려다보면, 은지가 있는 버스 앞에 구조대원들이 모여 있고 한쪽에 유압기가 있다. 불안하게 바라보는 경태의 눈빛. 차 안에서 들려오는 무전기 소리.

무전 1(소리) 기름이 새고 있어요! 시간이 없습니다.
무전 2(소리) 최대한 빨리 보내주세요. 아이들 목숨이 위험합니다!

그때, 구조대원 목소리 너머 무전기를 타고 들리는 동훈의 목소리.

동훈(소리) (패닉 상태의) 둘 중에 하나라도 구해야 할 거 아니에요! 폭발하면 다 죽는다고!

경태, 이게 무슨 소리지? 다급히 차를 내려 상판 위를 바라보면 아래쪽에 보이는 구조대원들과 동훈의 모습. 차 안에서 계속 들려오는 무전 소리.

무전 1(소리) 스파크가 일어나면 다 죽습니다. 결정해야 돼요.
동훈(소리) 이러다 우리애 죽으면 당신이 책임질거야?

경태, 아래를 내려다보면 구조대원 앞에서 강하게 어필하는 동훈이 보인다. 뒤이어 구조대원들이 움직이는가 싶더니 은지 반대편에 유압기를 설치한다.

경태 안돼... 은지야... 안돼요! 안돼!

그러나 유압기가 작동하고, 여진의 공간이 늘어나는 만큼 은지가 있는 버스 뒤편의 차체는 더욱 찌그러들기 시작한다. 구조대원들 손에 여진이 구해져서 나오고, 그런 여진을 감싸 안는 동훈. 경태는 차 안에서 "은지야! 은지야!" 불러보는데, 마치 그 소리를 듣기라도 한 듯 기적같이 은지의 머리가 움직인다. 은지가 아직 살아있다! 경태, 더욱 필사적으로 수갑을 풀려고 하고, 피가 나는 손목. 그와 동시에 '펑'하는 소리와 함께 버스 뒤쪽에서 폭발이 일어난다.

경태 !!!!

다리 아래에서 열심히 달려가던 재한도 충격으로 버스를 바라보고 있다. 버스 주변의 구조대원들과 사람들 모두 급히 뒤로 물러서고, 어느새 버스 안은 온통 불길에 휩싸여있다. 반쯤 넋이 나가 다리 아래를 내려다보는 경태, 검은 연기가 솟아오르는 버스를 망연자실 바라만 본다.

경태 ...은지야... 안 돼... 안 돼!!

재한, 역시 멀리서 그런 모습을 바라보다가 패닉이 되어 머리를 감싸쥔다.

씬/18 N, 현재, 도로 일각

달리면서 해영과 통화중인 수현.

해영(소리) 오경태는 신동훈이 자기 딸을 죽였다고 생각하고 있을 겁니다.
수현 ..그걸 네가 어떻게 알았어? 누구한테 들은 건데?

씬/19　　　　N, 현재, 또 다른 거리 일각

해영　(수현의 질문에 멈칫하다가) 그 사고를 직접 본 목격자한테 들었어요.
수현(소리)　목격자, 누구?
해영　그게 중요한 게 아니잖아요. 오경태의 과거 범행 수법은 꼼꼼하고 효율적이었어요. 자기 딸을 대신해서 살아난 신여진을 죽이려고 했다면, 납치하지 않고, 그 자리에서 바로 죽였을 겁니다. 그게 훨씬 효율적이니까... 그런데, 자기를 드러내가면서 굳이 신여진을 납치했어요.

씬/20　　　　N, 현재, 거리 일각

운전을 하면서 해영과 통화 중인 수현.

해영(소리)　딸이 죽어 가는데 아무것도 하지 못 했던 자기처럼, 신동훈을 괴롭히기 위한 겁니다. 신여진은 미끼일 뿐입니다. 오경태의 진짜 목적은 신동훈이에요.신여진을 가둔 곳은 한영대교 근처일 거예요. 원한이나 감정에서 기인한 표출적 납치의 경우, 상징적인 장소로 데려가는 경우가 많아요.

수현, 차를 끼이익 세운다.

해영(소리)　여보세요? 차 형사님?
수현　(생각하는) 핸드폰을... 흘린 게 아니라... 일부러 놔둔 거였어. 우리를 따돌리기 위해서...

순간, 떠오르는 마지막 동훈의 모습

- 인서트
- 한편에 멍하니 서서 핸드폰을 보고 있는 동훈.

씬/21　　　　N, 동훈의 집

수현과 통화하며 동훈을 찾아 집안을 살피는 순경.

수현(소리) 신동훈이 안 보여?
순경 (난감한) 분명히 방금까지 있었어요. 그런데...

그러나 아무 곳에도 보이지 않고.. 그러던 순경, 어딘가에 시선이 꽂힌다. 열려진 현관문이다.

씬/22 N, 도로 일각

수현, 낭패다 싶은 얼굴로 차를 끼이익 돌리고

씬/23 N, 또 다른 도로 일각

운전을 하고 있는 초조해 보이는 해영의 모습 위로 재한의 목소리가 들려온다.

재한(소리) 모두... 나 때문입니다.

씬/24 D, 과거, 차 안

2씬에 이어지는.. 한영대교 상황을 모두 얘기한 이후의 상황. 전면 유리창 너머, 죄책감이 가득한 재한.

재한 ...오경태는... 범인이 아니었어요.

씬/25 N, 현재, 차 안/해영의 회상

1씬, 교도소 건물 밖 차 안에서 무전을 하던 해영, 놀라서 굳는다.

해영	그게... 무슨 소리예요?

씬/26 D, 과거, 형기대 건물 화장실

형기대 건물 화장실. 정제, 세면대에서 손을 씻고 있는데, 문 쾅 열리며 다가오는 분노로 가득한 재한. 밑도 끝도 없이 정제에게 한방을 먹여버린다. 바닥으로 나가떨어지는 정제의 멱살을 다시 잡는 재한.

정제	너... 왜...
재한	지문... 안 나왔다면서...
정제	(눈빛 멈칫)
재한	쪽지문 하나 나왔다며! 누구건지 확인도 안됐다며!
정제	(눈빛 외면하며) 증인이 있잖아.
재한	어두운 밤에 얼핏 본 증인이야. 지문만 안 나왔다면, 체포하지 않을 수도 있었어.
정제	그럼! 어떡하라고! 위에선 범인 달고 오라는데!
재한	너... 미쳤구나.
정제	증인이 있었어. 확실히 오경태라고 했어!
재한	내가 다 밝힐 거야.
정제	오경태 판결까지 떨어졌어. 경찰 내부에선 아무도 네 말 믿어주지 않을 거야.

떨려오는 재한의 눈빛.

씬/27 D, 과거, 법원 건물 복도

판결을 받고 경찰차로 이동 중인 경태. 저 멀리에서 죄책감이 가득한 재한과 시선 마주친다. 순간, 다 뿌리치고 재한에게 달려드는 경태.

경태	너 때문이야! 내 딸... 내가 잡히지만 않았어도... 내가 옆에만 있었어도

살릴 수 있었어!! 너 때문이라고!!

죄책감에 가득한 재한. 울부짖는 경태를 떼어서 끌고 가는 호송경찰들.

씬/28 D, 과거, 차 안

법원 건물 앞에서 무전을 하고 있는 재한.

재한 당신 말이 맞았어요. 이 사건은... 미제로 남았어야 해요... 내가... 잘못 건드린 겁니다.

해영(소리) 진범을 잡으세요.

멈칫하는 재한

해영(소리) 우리가 망쳤으니까 우리가 되돌려야 돼요. 지금이라도 진범을 잡으면... 바로 잡을 수도 있어요.

하는데, 대답이 없다. 보면 이미 무전이 끊어져 있다. 무전기를 보는 재한의 떨리는 눈빛.

씬/29 N, 현재, 또 다른 거리 일각

더욱 악셀을 밟는 해영.

해영(소리) 나 때문이야... 내가 막아야 해...

씬/30 N, 광수대 사무실

수현과 통화 중인 계철

계철 신동훈 핸드폰은 지금 전원이 꺼져 있어서 위치 추적이 안돼. 그런데 신동훈은 왜?

수현(소리) 신동훈이 사라졌어. 지원 요청 좀 해줘.

계철 신동훈이 어디 있는 줄 알고 지원 요청을 해?

씬/31 N, 도로 일각

수현 한영대교 근처일 가능성이 커.

계철(소리) 확실한 거야?

수현 한영대교 근처로 지원 요청 좀 해줘.

수현, 전화 끊고 악셀을 밟는다. 저 앞쪽으로 '한영대교'라는 푯말이 보이고..

씬/32 N, 한영대교

늦은 밤, 가끔씩 지나가는 자동차의 엔진 소리만이 들려오는 한영대교 대교 한 가운데 서서 흘러가는 검은 강물을 바라보고 있는 뒷모습. 그 때, 대교 끝 쪽에서 걸어오는 누군가의 발자국 소리. 그 소리에 옆으로 고개를 돌리는 대교위의 그림자, 경태다. 어두운 대교 끝 쪽에서 그런 경태를 향해 걸어오는 빌자국 소리, 반쯤정신이 나간 듯 보이는 동훈. 동훈, 멀리 서 있는 경태를 확인하자, 눈빛이 떨려온다.

- 인서트

14씬, 집안을 빠져나가고 있는 수현과 형사들.

화면, 동훈을 비추면 벌벌 떨리는 시선으로 핸드폰 화면을 바라보고 있는 동훈. 냉동 탑차 안, 파랗게 질려 있는 여진의 사진. 그리고 문자.

'12시 한영대교. 만약 경찰을 데리고 온다면, 바로 -50도로 온도는 내려간다. 그럼, 딸은 즉사야. 딸을 살리고 싶다면, 알아서 해.'

– 다시 한영대교로 돌아오면 천천히 경태에게 다가가는 동훈. 경태, 그런 동훈을 바라보며 비릿하게 미소 짓는다. 그 미소를 보자, 분노가 치솟는 듯 빠르게 경태에게 다가가는 동훈. 경태에게 한방을 먹이고 멱살을 잡으며

동훈 우리 여진이 어딨어! 여진이 어딨어!!

경태 죽어가는 딸을 보는 느낌이 어때?

동훈 도대체 왜! 왜 우리한테 이래! 왜!

경태 너도 그랬잖아... 한영대교에서... 그러니까... 너도 똑같이 느껴봐. 딸이 죽어 가는데 아무것도 못하는 그... 심정을...

동훈 (기억을 더듬는... 혼란스러운) 도대체... 그게... 무슨...

경태 (붉게 충혈된 눈빛, 서서히 미소지으며)... 탑차 안에 생쥐들이 죽어있는 걸 봤어. 영하 20도에 맞춰놨는데... 5분도 안돼서 꽁꽁 얼어서 죽어버리더라고.

동훈 (떨리는 눈빛)

경태 생쥐 한 마리 죽는데 5분이면... 사람은 얼마나 걸릴까?

동훈, 감정이 격해지는 듯... 서서히 무너진다. 딸에 대한 걱정으로 무릎을 꿇고 경태에게 빌기 시작한다.

동훈 제발... 우리 딸... 살려주세요... 제발... 내가 잘못했으니까, 우리 딸... 살려주세요.

경태 이러고 있을 때가 아니지... 딸을 살려야 할 거 아냐.

씬/33 N, 한영대교 인근 거리 일각/ 한영대교

전속력으로 차를 몰고 있는 해영, 저 앞쪽으로 한영대교가 보이기 시작한다. 한영대교로 접어들자, 속도를 줄이고 주변을 빠르게 훑어보기 시작한다.

해영 분명히... 이 근처야...

해영, 계속 주변을 둘러보다가... 멈칫하고 차를 끼이익 세운다. 맞은편, 난간 너머로 어딘가를 내려다보고 있는 경태의 뒷모습.

씬/34 N, 한영대교 인근 또 다른 거리 일각

악셀을 밟고 있는 수현, 저 앞쪽으로 '한영대교'가 보이기 시작한다.

씬/35 N, 한영대교

해영, 차를 세운 뒤, 질주하는 차량들을 피해, 경태가 있는 쪽을 향해 미친 듯이 뛴다. '빵빵' 클랙슨을 울리는 자동차. 해영, 길을 건너자마자 경태를 뒤에서 덮친다.

해영 (경태의 얼굴을 확인한 뒤) 오경태 씨! 신여진 어딨어요?

그러나 해영을 보지도 않고 어딘가를 정신이 나가서 바라보는 경태.

해영 (그런 경태의 멱살을 잡고) 신여진 어딨냐고!

그럼에노 경태는 해영 따위는 안중에도 없는 듯 어딘가를 바라보며 미소

경태 ...은지야... 오래... 기다렸지..

그런 경태의 시선 좇아 바라보다가 놀라는 해영.

씬/36 N, 한영대교 다리 밑, 둔치 일각

스산한 둔치. 가로등 하나만 간신히 켜져 있는 외진 곳, 한쪽에 세워져

있는 오래된, 먼지에 뒤덮인 한영대교 피해자를 기리는 위령탑 앞. 오래된 가요가 어디선가 흘러나오고 있다. 화면 비추면, 위령탑 조금 떨어진 곳에 세워진 과거, 경태가 타고 다니던 탑차, 20년의 세월 동안 버려져 있던 듯, 여기저기 녹슬고 낡아져 있다. 시동이 걸려져 있는 탑차 안, 테이프 꽂는 곳에 꽂혀진 채, 흘러나오고 있는 가요. 그때 멀리서 숨이 턱까지 차오른 동훈이 탑차로 뛰어온다. 동훈, 탑차 문을 열려고 애쓰며 '여진아!! 여진아!!'

씬/37　　N, 한영대교 위

경태 옆에서 그런 모습을 바라보는 해영. 다급히 전화를 꺼내 수현에게 전화를 건다.

수현(소리)　발견했어?
해영　한영대교 남단, 위령탑 앞에 탑차가 있어요!

씬/38　　N, 한영대교 인근 또 다른 거리 일각

한영대교로 진입하려던 수현, 차를 끼이익 꺾어, 유턴한 뒤, 둔치 쪽으로 들어가는 입구로 빠르게 접근한다.

씬/39　　N, 위령탑 앞

굳게 잠긴 탑차문을 열려고 안간힘을 쓰는 동훈. 그러나 맘처럼 안된다. 있는 힘을 다해 자기 몸으로 문을 쾅쾅 밀어본다.

씬/40　　N, 냉동탑차 안

파랗게 질린 여진, 의식을 잃어가는 듯 고개를 떨군다.

씬/41 N, 국도 일각

여전히 냉동 탑차를 수색 중인 광수대 형사들.

씬/42 N, 한영대교 위

반쯤 정신이 나간 경태의 손목에 버벅대며 수갑을 채우는 해영. 어디선가 들려오기 시작하는 경찰차의 사이렌 소리.

해영 오경태 씨. 당신은... 묵비권을 행사할... 권리가 있으며 변호사를 선임할...

하는데, 경태, 광기 어린 미소로 여전히 위령탑 앞 탑차 쪽을 보며

경태 너무 짧아...
해영 (보는)
경태 내 20년에 비하면 넌 너무 짧아...

그런 경태를 보다가 멈칫하는 해영. 그런 해영의 모습 위로

교도관(소리) 수감 초기에 몇 번 탈옥하려다가 실패한 뒤에는 잠잠했습니다. 착실하게 전기기술도 배우고 말썽도 없었어요.

씬/43 N, 위령탑 앞

동훈, 미친 듯이 문을 열려고 하는데... 그 뒤쪽으로 끼이익 와서 멈춰서는 수현의 차. 수현, 다급히 다가와 동훈을 제지하는

수현 경찰입니다. 물러서세요.

동훈을 뒤로 보내고 권총으로 탑차의 잠금장치를 쏴버리는 수현.

씬/44　　　N, 한영대교 위

해영, 불길한 시선으로 천천히 일어서서 탑차 쪽을 바라본다.

해영(소리)　전기기술… 냉동 탑차 냉매로 쓰이는 건 LPG 가스.

씬/45　　　N, 국도 일각

여전히 수색 중이던 광수대 형사들. 저 앞쪽 어두운 논두렁길에 세워진 냉동 탑차를 발견하고 다가간다.

씬/46　　　N, 위령탑 앞, 탑차 안

자물쇠를 끊고 탑차 안으로 들어서는 수현. 칠흑 같은 어둠 안으로 들어선다.

씬/47　　　N, 한영대교 위

서서히 탑차 쪽을 향해 뛰기 시작하는 해영.

해영(소리)　전기기술을 그래서 배운 거야. 냉매를 이용해서 자기 딸과 똑같이 불로 죽이려고…

씬/48　　　N, 몽타주

- 위령탑 앞, 탑차 문을 여는 수현. 안은 캄캄한 어둠이다.
- 다리에서 둔치로 연결되는 길을 빠르게 달려오는 해영. '차 형사님!! 안돼요!!'

- 논두렁에 세워진 냉동 탑차 문을 여는 강 형사. 탑차 안에 갇혀있던 여진과 시선 마주친다.
- 위령탑 앞, 탑차 안, 냉동 탑차 안에서 스위치를 누르는 수현. 그런데 탑차 안은 텅 비어 있다. 순간, '타탁' 불꽃이 튀는 소리.
- 위령탑 앞의 탑차로 빠르게 뛰어오는 해영. '안돼!!' 순간, 불을 켠 수현과 시선 마주치는데... 순간, 수현이 있는 냉동 탑차 천장에 부착돼 있던 전구에서 작은 스파크가 튀는 동시에 탑차 안에서 폭발이 일어난다! 그 위력에 해영 역시 뒤로 쓰러진다. 충격으로 모든 음이 소거되고 잠시 정신을 잃은 듯 쓰러지는 해영. 찰나 같은 시간이 지나고 서서히 가까워져 오는 사이렌 소리로 시작되면서 현장음이 서서히 해영의 귓가에 들려오고, 천천히 눈을 뜨는 해영. 보면 여전히 붉은 화염과 함께 활활 타오르고 있는 탑차. 슬로우로 그런 해영을 우왕좌왕 스치듯 지나가는 경찰병력들. 진화를 시작하는 소방대원들, 호스 들고 뛰어가고...
- 광수대 사무실. 전화를 받고 놀라서 굳는 치수.
- 국도변 논두렁길에 세워진 탑차안에서 여진을 담요에 감싸고 앰뷸런스로 옮기고 있는 구급대원들. 조금 떨어진 곳에서 연락을 받은 듯 놀란 얼굴로 서로를 바라보는 형사들.
- 한영대교 위에서 경찰들에 의해 끌려가는 경태.
- 대교 아래, 동훈은 순경들에게 보호받으며 순찰차로 이동하고...
- 위령탑 앞으로 돌아오면 진화가 거의 된 탑차 안에서 하얀 천으로 덮혀진 채, 이동 침대에 실려 나오는 수현의 시신. 해영 떨리는 시선으로 바라보는데... 하얀 천 옆으로 툭 떨어지는 수현의 검게 그을린 피투성이의 손. 해영 그 손을 보자 그제야 정신이 나는 듯 수현의 시신을 향해 뛰기 시작하고, 그런 해영을 막는 소방대원들. 앰뷸런스에 실리는 수현의 시신, 점차 멀어지는 앰뷸런스. 그 자리에 무너지는 해영. 어디서부터 뭔가 잘못된 걸까... 그런 해영의 시선에 들어오는 바닥에 떨어진 반쯤 타버린 수현의 신분증. 바라보다가 천천히 주워 올린다. 수현의 신분증을 멍하니 바라보는 해영의 모습에서...

씬/49 N, 경찰병원 영안실 밖 복도

영안실 밖 복도에 망연자실한 얼굴로 앉고 서고 있는 해영, 계철, 헌기, 그리고 치수. 그때, 복도 저편에서 들려오는 인기척. 보면 수현의 가족들이다. 수현 母와 수민, 수민의 남편으로 보이는 제부의 손을 잡은 조카들. 그 모습에 모두들 일어서고, 치수, 어두운 얼굴로 허리 숙여 인사한다. 그런 치수를 알아보고 다가오는 수현 母.

수현 母 이게 무슨 소리예요?... 우리 수현이가... 아니죠? ...아니죠?

치수 (어두운) 죄송합니다.

수현 母 (거의 쓰러지기 일보직전이다) 우리...애... 어딨어요? 예?

그런 수현 母를 부축하는 수민. 해영, 그런 수현의 가족들을 하나씩 바라본다. 추운 겨울임에도 불구하고 맨발에 슬리퍼 차림으로 '수현아... 수현아...엄마 왔어' 눈물 흘리는 수현 母. 결국 슬픔을 이기지 못하고 쓰러지는... 그런 모습을 바라보는 죄책감 가득한 해영의 눈빛 위로 재한의 목소리 흐른다.

재한 ...(보다가 멍한 목소리) 우리가 틀렸어요. 아니... 내가... 내가... 다 잘못했어요...

씬/50 N, 장기미제 전담팀

불 꺼진 사무실로 천천히 걸어 들어오는 해영. 잠시 멍하니 있다가 사무실 불을 켠다. 텅 빈 사무실, 텅 빈 수현의 책상을 바라보다가 멈칫, 누군가가 국화 다발을 갖다 놓았다. 그런 책상 쪽으로 천천히 다가간다. 시선에 들어오는 배트맨 액자. 뒤쪽 보면 '수갑 하나당 짊어진 눈물이 2.5리터다'라는 글귀 보다가 내려놓는다. 그 옆쪽 수북이 쌓인 사건 파일들로 시선을 옮긴다. 가만히 멍한 시선으로 그런 책상을 바라보는 해영의 모습에서

– 인서트

- 6부, 28씬.
과거와 현재의 차 안에서 무전을 하고 있는 재한과 해영의 모습

재한 당신 말이 맞았어요. 이 사건은... 미제로 남았어야 해요... 내가... 잘못 건드린 겁니다.

해영(소리) 진범을 잡으세요.

멈칫하는 재한

해영(소리) 우리가 망쳤으니까 우리가 되돌려야 돼요. 오경태가 출소를 해서... 사람을 죽이려고 하고 있습니다. 진범을 잡으면... 바로잡을 수도 있어요.

- 다시 장기미제 전담팀으로 돌아오면, 천천히 고개를 드는 해영.

해영 진범을 잡으면...

씬/51　N, 과거, 고급주택가 일각

어두운 밤, 세규의 집을 올려다보고 있는 재한

재한(소리) ...미래를 바꿀 수 있다.

씬/52　D, 과거, 몽타주

- 고급 주택가 인근 거리 일각
5부, 31씬에 나온 형사들과 거리 일각 자판기 앞에서 커피 한잔 마시면서 얘기를 나누고 있는 재한.

형사 1 다들 뛰는 데로 뛰었다니까. 다 끝난 사건을 왜요?

재한 그러니까, 처음 잠복한 데가 (지도 펼치면서 붉은색 점 된 부분 가리키

며) 여기였잖아요.. 내가 잡힌 데가 (지도 한쪽에 파란색 점으로 체크 되어 있는) 여기니까, 어디 어디로 온거에요?

형사 2 (재한이 들고 있던 빨간색 펜들고) 에... 그러니까... 놀이터 지나서...

- 다른 거리 일각, 순경들과 얘기를 나누고 있는 재한.

재한 (지도 가리키며) 정확히 여기서 잠복 중이던 게 맞는 거지?

순경 그렇다니까요.

재한 한눈판 거 아냐? 똥도 안 싸고?

순경 아, 진짜. 저 변빕니다.

- 고급 주택가 일각, 초소 전경들과 얘기 나누고 있는 재한.

재한 9월 10일 밤에 여기서 넘어간 사람 없어? 저 산 쪽으로?

전경 넘어가면 클나죠. 저 위에 군인들이 쫙 깔렸는데...

전경의 소리에 지도를 심각한 얼굴로 바라보는 재한.

- 세규의 집 앞, 지도를 들고 주변을 바라보고 있는 재한. 지도를 다시 한 번 보면 붉은색 잠복 지역, 파란색 이동방향. 거미줄처럼 연결돼 있다.

- 인서트
- 5부, 30씬. '쨍그랑'창문 깨지는 소리, 귀청을 찢을 듯 들려오는 호루라기 소리. '쾅쾅' 문 열리면서 각 허름한 차마다 쏟아져 나오는 반장, 정제를 비롯한 형기대 형사들의 모습. 우왕좌왕하다가 '저기다!'라는 외침에 그쪽을 향해 무조건 뛰기 시작한다.

재한(소리) 형기대 1팀은 동남쪽 버스정류장 방향,

- 또 다른 쪽을 향해 뛰는 형기대 형사들.

재한(소리) 형기대 2팀은 서쪽 초소

- 5부, 31씬. 저 앞쪽에 뛰고 있는 검은 재킷(재한)을 쫓고 있는 형사 두 세명.

재한(소리) 관할 1팀은 남쪽 놀이터, 관할 2팀은 서남쪽 초등학교.

- 다시 세규네 집 앞에서 지도를 펼쳐놓고 있는 재한의 모습 위로

재한 빠져나갈 구멍이 없는데... 도대체... 어디로 빠져나간 거지?

혼란스러운 시선으로 지도를 바라보는 재한.

씬/53 D, 현재, 광수대 사무실

광수대 안으로 들어서는 한 무리의 형사들. 해영, 기다리고 있었던 듯, 무리 중 형사 1에게 다가서는 해영.

해영 형사님, 예전에 형기대에 계셨었죠? 대도사건 때문에 몇 가지...

하는데, 해영 개무시하면서 지나치는 형사들. 해영, 그런 형사 1의 팔을 잡는

해영 잠시면 됩...

하는데, 툭 해영의 팔을 쳐버리는 형사 1.

형사 1 비켜.

말 붙일 틈도 없이 멀어지는 형사 1.

씬/54 D, 현재, 장기미제 전담팀

답답한 얼굴로 전담팀으로 들어서는 해영, 보면 어두운 얼굴로 한편에 서서 어딘가를 바라보고 있는 계철과 헌기. 수현의 책상을 정리 중인 의경이다. 그런 의경을 말도 안 된다는 얼굴로 바라보는 해영.

해영 ...지금, 뭐 하는 겁니까?
의경 아...그게... 3층 서무 팀에 책상이 하나 부족하다고 해서요. 유가족들한테 짐도... 갖다 드려야 하고...
해영 ...다른 책상 갖다 쓰라고 해요. 이 책상은 안 됩니다.

계철, 헌기, 해영의 반응에 왜 저러나 보는...

의경 ...그런데... 그게 위에 분들이 빨리 처리하라고...
해영 위에 분 누가요? 누가 그랬는데?

하는데, 뒤쪽에서 들려오는 치수의 목소리.

치수(소리) 내가 그랬어.

해영, 돌아보면 치수 들어서고 있고, 뒤쪽 지나가던 형사들도 뭔 일인가? 힐끔 보는

치수 우린 세금 먹고사는 공무원들이야. 그 책상은 국민의 세금으로 구입한 자재들이고... 언제까지 놀릴 순 없어.
해영 (기가 막힌 얼굴로 보는)
치수 장기미제 전담팀에 결원이 생기긴 했지만, 당분간은 이 상태로 진행한다. 힘들겠지만, 조금만 버텨. 어차피 얼마 안 있으면 해체될 팀이니

까...

하고 치수, 돌아서서 가려는데...

해영 원래 이런 식입니까?
치수 (멈칫 보는)
해영 경찰들, 원래 이래요? 어제까지 같이 생활하던 동료였는데... 어떻게 이럴 수 있습니까? 누군가를 떠나보내야 되는 건데... 어떻게 이럴 수 있냐고요!

지나가던 형사들, 계철, 헌기, 의경 말없이 이런 상황을 바라보는데

치수 (해영 보다가 눈썹 꿈틀하며) 뭘 잘했다고 큰소리야? 차수현 죽어나갈 때, 옆에서 아무 것도 못하고 있던 건 바로 너야.
해영 ... (말문이 막힌다)
치수 김계철, 뭐해? 네가 책임지고 당장 정리해.

치수, 싸늘하게 해영 보고는 사무실을 나가고 계철, 눈치 보다가 수현 책상 정리하기 시작하고, 의경 돕기 시작한다. 해영, 기가 막힌 떨리는 눈빛으로 그런 상황을 지켜보는데, 헌기가 다가와서 따뜻한 시선으로 해영의 어깨를 툭툭 쳐준다.

씬/55 **N, 동장소**

시간 지나, 불도 켜지 않은 어두운 장기미제 전담팀. 아까 그 자세 그대로 서 있는 해영. 다들 자리를 비운 듯, 보이지 않고, 수현의 책상이 있던 자리는... 텅 비어 있다. 해영, 가만히 서 있다가 터벅터벅 자기 자기로 와서 앉는다. 답답하고 미칠 것 같다. 그렇게 망연자실 앉아있는데... 그러다가 문득 들려오는 수현의 목소리.

수현(소리) 박해영... 너 이 팀에서 뭐하는 놈이야?

- 인서트
3부 68씬, 해영에게 얘기하던 수현.

수현 되다만 프로파일러긴 하지만 그래도 프로파일러잖아. 넌 내가 서울에서 증거 보고 증인이랑 씨름할 때, 아폴로 11호의 암스트롱처럼 달 위에서 날 봐야 돼. 증거도 증인도 사건도 멀리 하나의 점처럼, 절대 감정을 섞지 말고 봐야 된다고. 이렇게 감정적으로 나올게 아니라.

- 다시 전담팀으로 오면, 뭔가 생각에 잠기는 해영.

- 시간 경과되고
불이 켜진 장기미제 전담팀. 컴퓨터 화면으로 대도 사건 기사들을 하나씩 확인해보고 있는 해영.

- 기사들 확인 하면서 화이트보드에 한 글자씩 적어내려가기 시작한다.

1차, 1995년 9월 2일, 범행시간 낮. 피해자, 한양그룹 강상문 회장집. 출입문 해제 방법 확인 불가. 피해물품 확인 불가. 특이점 강상문 회장, 회갑연으로 집안이 빈 상태.
2차, 1995년 9월 5일 범행시간 낮. 피해자, 재신일보 고재명 회장집. 출입문 해제방법 확인 불가. 피해 물품 확인 불가. 특이점 고재명 회장 일가, 해외여행으로 집안이 빈 상태.

적어 내려가는 해영의 모습 위로.

해영(소리) 현장 사진도 없고, 수사 자료도 없지만... 어딘가... 어딘가에는 분명히 단서가 있다.

3차, 1995년 9월 8일, 범행시간 저녁. 피해자, 신국민당 장영철 의원 집. 출입문 해제 방법 확인 불가. 피해 물품 확인 불가. 특이점, 장영철 의원, 출판기념회로 집안이 빈 상태.
4차, 1995년 9월 10일, 범행시간 11시. 피해자, 서울중앙지검 한석희 검사장집. 피해 물품 확인 불가. 특이점, 한석희 검사장 일가, 외아들 제외하고 친척 방문으로 집안이 빈 상태.
오경태가 범인이란 증거 - 우편함의 지문, 금고털이 수법, 목격자 한세규의 증언.

해영(소리) 무전은 분명히 다시 온다. 그 전에... 찾아내야 해. 증거도 증인도 사건도 멀리 하나의 점처럼... 절대 감정을 섞지 말고...

씬/56 D, 광수대 외경

씬/57 D, 장기미제 전담팀

전담팀 안으로 들어서는 계철, 멈칫한다. 화이트보드 가득 대도 사건에 대해서 적어놓은 채 분석 중인 해영이다. 어느 새, 기록들이 빼곡하다.

해영(소리) 정보의 양이 너무 적어... 신문기사만으로는 프로파일링에 한계가 있다... 수사자료... 당시 수사 자료만 볼 수 있으면...

계철 아직도 이 사건이에요? 이제 그만 좀 하지.

해영, 그런 계철 얘기 귀에 안 들어오는 듯, 계속 자료들 확인하는데 눈앞에 쿵 놓이는 서류철.

계철 누가, 뭐... 이런 걸 쓰레기통에 버리고 가...

하고는 나가버리는... 해영, 이게 뭐지? 보는데... 빛바랜 서류철 앞에는

'1995년, 고위층 연쇄 절도 사건 수사 자료'라는 파일명. 해영, 멈칫하다가 계철 나간 쪽 보다가... 다시 수사 자료를 바라보는... 드디어 수사 자료를 손에 넣었다.

- 시간 경과되면
- 한 장 두 장, 수사 자료를 넘기는 해영의 시선.
- 도난 물품 리스트를 훑어보는 해영.
도난 신고를 당한 물품들 사진들이 주르륵 붙어있는데, 그중 파란색 다이아 목걸이 사진이 보이고
- 목격자 진술조서에 다다르는 해영.

'목격자 이름 한세규 나이 21세. 4차 피해자 한석희 검사장의 외아들.
명원대학교 법학과 재학... 태영고등학교 졸업, 태영 중학교 졸업...'

죽 인적사항 보이다 뒤쪽 목격자 진술이 적혀있는데... 순간 멈칫하는 해영의 시선, 다시 인적사항으로 향한다.

해영 태영 고등학교, 태영 중학교...

- 해영, 프린터에서 피해자 집안 아들들의 인적 사항들을 프린트하기 시작한다. 한 장, 한 장 나란히 붙여놓는...

1차, 피해자 강상문 회장 맏아들 강석호 나이 40세, 당시 나이 20세.
우강대학교 경영학과 졸업. 태영 고등학교, 태영중학교...
2차, 피해자 고재명 회장 둘째 아들 고진우 나이 42세, 당시 나이 22세.
예경대학교 법학과 중퇴 미국 일리노이대 졸업.
서면고등학교, 태영중학교...
3차, 피해자 장영철 의원 아들 장기주 나이 41세, 당시 나이 21세.
시카고대 졸업, 태영 고등학교, 정민중학교 졸업.
4차, 피해자 한석희 검사장 외아들 한세규 나이 41세, 당시 나이 21세

명원대학교 법학과 졸업, 태영고등학교, 태영중학교 졸업.

네 장의 인적 사항을 바라보는 해영의 시선.

- 포털사이트에 이미지 검색에서 뜨는 네 명의 졸업사진들. 동문회 사진들 등이 뜬다.

해영(소리) 피해자 집안의 네 명의 아들들, 어릴 때부터 같은 지역에서 자란 어린 시절부터 친구다. 각자 집 출입이 자유롭고 절대 의심받지 않을 면식범.

- 해영, 한세규의 사진을 가만히 바라본다.

해영(소리) 그리고 그들 중 한 명, 한세규가 오경태를 목격했다는 결정적인 증언을 했다.

네 명의 인적사항을 바라보는 해영.

해영 유일한 목격자, 한세규... 만약... 그 증언이 거짓이라면...

씬/58 D, 과거, 세규의 집 앞

세규의 집 앞으로 다가와서 멈춰서는 고급 승용차. 기사가 내려 뒷문을 열어주면 내려서는 세규. 집으로 들어가려고 하는데 문 옆에서 지금까지 기다리고 있던 듯한 재한이 세규의 앞을 가로막아 선다.

재한 한세규 씨. (신분증 보여주며) 형기대 이재한 형삽니다.
세규 (뭐냐 하는 시선으로 보는)
재한 내 이름 알죠? 열 번도 넘게 연락했는데, 다 씹어 드시드라고요.
세규 (눈 하나 깜박하지 않고) 비켜.
재한 (이것 봐라 하는 얼굴로 버티고 선)

세규	비키라고. 말 안 들려?
재한	참.. 엘레강스하니, 배운 놈 답네.

세규, 재한 밀치고 들어가려 하지만, 재한 꿋꿋이 비키지 않는다.

재한	시원시원한 성격인 것 같으니까, 인사말 건너뛰고 물을께요. 그날, 화장실 가려고 나오다가, 수상한 놈 봤다면서요.
세규	진짜, 사람 귀찮게 하네.
재한	(계속 꾹 참고 묻는) 중요한 거니까, 확인 좀 합시다. 그때, 동쪽 창문으로 범인이 뛰어나간게 맞습니까? 이 근처에 몇 십 명이나 깔려있었는데, 그 놈 면상 하나 본 사람이 없어.
세규	맞다니까. 됐어?

세규, 지나치려고 하는데, 재한, 막아선다. 지금까지의 껄렁거림 없는 진지한 눈빛.

재한	그때 넌 반대쪽 창문이라 그랬어.
세규	(눈빛 멈칫하며 보는)
재한	어디서부터 어디까지 거짓말이야?
세규	무슨... 말 같지도 않은...
재한	처음부터 범인 없었지?
세규	(눈빛 크게 흔들리며 당황하는)
재한	범인이 있었다면 절대 빠져나갈 수 없었어. 왜 거짓말했어?
세규	(눈빛 흔들리다가) 할 말 없으니까 꺼져.
재한	아니면... 네가 범인이냐?
세규	(당황하다가 뒤쪽 기사보며) 뭐해?

기사, 세규와 재한의 사이 가로막으며
'이러시면 곤란합니다' 세규, 문쪽으로 향해 가고, 재한, 그런 세규를 보는 눈빛에서 은지의 목소리.

은지(소리) 아마추어야.

- 인서트
5부, 34씬.

은지 생각해봐. 프로가 왜 이렇게 일을 크게 벌리겠어. 괜히 형사들 건드려서 밥줄만 끊어질 일 있어? 장물도 안 나왔다며? 이건 조심하는게 아니라, 루트를 모르는 거야.

경태 일처리는 분명히 아마추언데... 너무 쉬워. 난다 긴다 하는 부잣집이면 경비도 장난 아닐 텐데, 너무 쉽게 뚫렸다고. 면식범 아냐?

- 다시 세규의 집 앞으로 돌아오면, 초인종을 누르자, '지잉' 문이 열리고 들어가는 세규를 바라보는 재한의 눈빛.

재한(소리) 손쉽게 집안에 들어갈 수 있는 아마추어. 그리고 누구에게도 의심받지 않을 사람. 저 놈이야... 저놈이, 범인이다.

씬/59 D, 형기대 사무실, 반장실

반장실에 서 있는 재한에게 날아드는 재떨이. 잽싸게 피하는 재한. 그런 재한을 열 받은 얼굴로 보는 반장.

반장 너 미쳤어? 거기가 어딘지 알고 기어가?

재한 뭘 기어가요. 걸어갔구먼.

반장 너 지금 장난해?

재한 반장님이야말로 나랑 장난해요?

반장 무슨 소리야?

재한 우리야 밑에서 절루 뛰라면 뛰는 단순무식한 놈들이니 못 알아챘을 수 있지만... 반장님은 알고 있었던 거죠?

반장 (보는)

재한 반장님은 형기대, 관할팀, 순찰팀, 어디서 잠복하고 있었는지 어디로 범인 잡으러 뛰었는지 다 알고 있었잖아요.

재한, 자기가 조사한 지도를 반장에게 내민다.

재한 그날, 범인이 만약 있었다면 그 어디로도 빠져나갈 구멍이 없었습니다. 그런데, 왜 못 잡았을까... 처음부터 잡아야 될 사람이 없었던 거예요. 그렇죠?

반장 (얼굴 굳어진다)

재한 ...4차 피해자, 한세규. 그 놈이 처음부터 거짓말을 했던 겁니다. 있지도 않은 범인이 저쪽으로 도망갔다고 구라친거에요.

반장 ...어차피 범인 잡혀서 끝난 사건이야.

재한 그 범인을 잡은 결정적인 단서도 한세규의 증언이었습니다. 처음부터 거짓말을 한 거라면, 다시 수사해야죠.

반장 한세규 걔, 검사장 아들이야. 걔가 거짓말을 왜 해?

재한 검사장 아들이면, 주둥이에 거짓말 탐지기 달고 나오나?

반장 아침부터 힘 빼지 말자. 속 쓰리다.

재한 영장 받아주세요. 그놈 주변 족치면, 뭐든 나올 겁니다. 한세규 증언이 위증인거면 이거 처음부터 뒤집어 엎어야 돼요.

반장 이게 무슨 호떡 장사 뒤집개야? 엎긴 뭘 엎어. 서장 모가지 달랑달랑했다가 간신히 붙여놓은 마당에 위에서 잘도 엎어주겠다. 괜히 나대지 말고 자빠져있어.

재한 반장님!

반장 더럽고 엿 같지만 사람들한텐 다 급이란 게 있어. 알아? 한세규가 지껄이는 건 증언인 거고 오경태가 지껄이는 건 개소리란 거야.

재한 그래서. 가만히 입닥치고 눈치나 보라고요? 이 거지 같은 상황에서?

반장 진짜 뒤집고 싶으면 증거부터 찾아오든가. 확실한 증거 없이는 죽었다 깨나도 영장 안 나온다.

재한 (분하고 울컥하는) 아, 세상, 참 아름답다!

씬/60 D, 과거, 교도소 면회 신청실

데스크 안쪽에서 재한에게 말하는 직원.

직원 오경태 씨 본인이 면회를 거부했습니다.
재한 잠시면 됩니다.
직원 본인 뜻이 워낙 확고해서 저희도 방법이 없어요.
재한 (실망하는)

씬/61 D, 재한의 차 안

답답함에 기운이 쭉 빠져있는 재한, 의자에 기대서 마른 세수를 하는데, 치치칙 잡음이 들리며 해영의 목소리가 들린다.

해영(소리) 이재한 형사님, 듣고 있어요?

재한, 퍼뜩 정신이 들어서 콘솔을 열고 무전기를 급하게 집어 든다.

재한 나에요. 어떻게 됐습니까? 경태 형은 어떻게 됐어요?

씬/62 N, 현재, 차 안

11시 23분이란 디지털시계에서 빠지는 화면, 운전석에 앉아 무전 중인 해영이다.

해영 ...사람을 죽였습니다

씬/63 D, 과거, 재한의 차 안

해영(소리) 경찰이... 죽었어요...

재한 (절망스러움에 눈 질끈 감는)...

해영(소리) ...대도 사건은요? 진범은 잡았나요?

재한 (애써 감정 다스리는)...용의자 특정은 했는데... 거기까집니다. (답답한) 영장은 구경도 못했고, 용의자 주변에서 증거를 찾는 것도 불가능합니다.

씬/64 N, 현재, 차 안

해영 혹시 그 용의자가 목격자였던 한세규 인가요?

씬/65 D, 과거, 재한의 차 안

재한 (멈칫하는) 그걸 어떻게 아셨습니까?

씬/66 N, 현재, 차 안

해영 한세규의 목격자 진술조서를 읽어봤는데, 미심쩍은 부분이 있었어요. 처음에는 다른 사람을 지목했다가 마지막에 오경태로 번복했답니다. 게다가 보통 이런 경우, 피해자들은 정서적 동요 때문에 범인의 얼굴을 정확하게 기억하지 못해요. 그런데 한세규는 정확하게 오경태의 생김새를 진술했습니다.

- 인서트
- 6부, 3씬 몽타주 첫씬

세규에게 형사들이 보여주는 오경태의 사진, 20대 중반의 흐릿한 사진이다.

해영(소리) 당시, 형사들이 보여준 오경태의 사진은 체포되기 10년도 더 된 옛날 사진이었어요.

- 다시 현재의 차로 돌아오면

해영 그런데, 한세규는 정확하게 30대 중반의 오경태의 얼굴을 묘사했어요. 그래서 더 증언에 신빙성이 더해졌죠.

재한(소리) 그러니까...

해영 한세규는 사건 전, 이미 오경태를 알고 있었던 겁니다. 그래서 타깃으로 삼았던 거예요.

씬/67 D, 과거, 재한의 차 안

재한 (의아한) 오경태는 절도 전과 3범의 탑차 기사였어요. 한세규와 알고 지냈을 리 없습니다.

씬/68 N, 현재, 차 안

해영 어떻게 알게 됐는지는 모르지만, 분명히 한세규는 오경태를 알고 있었어요. 두 사람이 어떻게 만났는지, 알아낸다면 한세규가 뭘 숨기고 있는지 알 수 있을 겁니다.

씬/69 N, 과거, 재한의 차 안

재한 (씁쓸해지는) 오경태는 날 만나주지 않아요. 절대... 보고 싶지 않을 겁니다. 절대...

씬/70 N, 현재, 차 안.

해영, 무전기 너머 재한의 침묵을 듣다가

해영 그럼 제가 알아내겠습니다. 20년이 지났지만 여기에도 오경태가 있으니까요. 대신 형사님께서는 그곳에서 증거를 찾아주세요.

그때 사라진 장물은 지금까지도 발견되지 않았습니다. 돈이 필요해서 훔친 게 아니란 얘기죠. 그 장물을 찾아낸다면 결정적인 증거가 될 거예요.

씬/71　　D, 과거, 재한의 차 안

재한　찾아내죠. 꼭 찾아낼 테니까… 경위님은… 오경태를 꼭 설득해 주세요.

씬/72　　N, 현재, 차 안

해영　형사님도… 꼭 사건을 해결해 주세요… 부탁드립니다. 그런데, 보면 무전기 꺼져 있다. 그런 무전기를 가만히 내려다보는 해영의 모습에서

씬/73　　D, 현재, 광수대 유치장, 면회실

마주 앉아 있는 현재의 늙은 경태와 해영. 테이블을 사이에 두고 마주 앉아있는 해영과 경태. 경태를 똑바로 응시하고 있는 해영과 달리 경태는 더 이상 어떤 말도 들을 생각이 없는 듯 해영을 보지도 않고 조사실 한 쪽 구석에 시선을 고정시키고 있다.

해영　그래서 기분이 어떠십니까?
경태　…
해영　속이 좀 쓰리겠네요. 20년 동안 공들였던 계획이 결국 실패했으니까…
경태　(드디어 해영 보는)
해영　지금쯤 신동훈은 딸과 함께 감격의 눈물을 흘리며 행복해하고 있겠죠

경태, 수갑찬 손으로 테이블을 쾅! 내리친다.

경태　그 놈 이름 한 번만 더 꺼내봐. 너부터 죽여 버릴 거야
해영　아니. 당신은 처음부터 잘못 짚은 겁니다. 신동훈도 피해자에 불과해요.

경태	피해자?! 내 딸이 그 놈 손에 죽었어!!
해영	당신이 그 상황이었더라도 똑같이 행동했을 겁니다. 신동훈은 아니에요. 복수를 하려면 제대로 했어야죠. 그 따위로 다리 만든 놈들, 다리가 안전하다고 구라친 사람들한테 해야죠. 왜요? 힘센 양반들한테는 복수하기가 무서웠어요? 건설회사 회장, 저기 저 위에 계신 공무원 나리들.
경태	네가 뭘 안다고 지껄여! 경찰 새끼들이 뭘 안다고!!
해영	그래요. 경찰 족속들 무능하고 거지같은 거 나도 알아! 당신만큼 당신보다 더 뼈저리게 느껴봤어! 하지만 최소한 당신이 죽인 그 경찰은 아니었어! 당신은 당신을 이해해 줄 유일한 경찰을 죽인 거라고!
경태	날 이해해? 이 세상에 날 이해해 줄 사람은... 아무도 없어...

경태, 일어서서 돌아서려는데... 해영, 감정을 추스르며 그 뒷모습에 대고

해영	진짜가 아직 남았습니다.
경태	(아랑곳하지 않고 나가려는데)
해영	당신 딸 은지...
경태	(멈칫하는)
해영	당신 딸 은지가 죽어갈 때 당신이 아무것도 못하게 만든 사람...
경태	(돌아본다)
해영	경찰 조직을 이용해서 당신에게 누명을 씌운 그 사람. 그 사람 벌 받게 해야죠. 그게 진짜 복습니다.
경태	(본다)
해영	진짜 벌을 받아야 할 그 사람은 지금도 잘 먹고 잘 살고 있겠죠. 이제... 그 사람이 지은 정당한 죗값을 치르게 해야 합니다.
경태	(본다)
해영	제가 도와드리겠습니다. 협조해 준다면... 그 사람을 찾을 수 있을 거예요. 아니... 절 도와주세요. 그 사람을... 잡아야 합니다.

떨리는 눈빛의 경태를 바라보는 해영.

씬/74		D, 동장소

해영과 경태, 테이블을 마주 보며 앉아있다.

해영		(뒤쪽에 서 있는 순경에게) 수갑 좀 풀어주시겠습니까?

순경, 보다가 경태의 수갑을 풀어주고 뒤쪽으로 가서 선다.
해영, 손이 자유로워진 경태에게

해영		지금부터 오경태 씨의 20년 전 기억을 되살려 보려고 합니다.
경태		(보는)
해영		단서는 대도 사건이 벌어지던 1995년 9월에 있을 겁니다. 그해 9월 1일부터 시작해 보죠. 그날에 대한 어떠한 것이든 좋습니다. 기억나는 거 아무거나 말씀해 주세요.
경태		...아무것도 기억나지 않습니다.
해영		아침부터 시작해보겠습니다. 그날 날씨는 섭씨 3도. 찬바람이 불고 맑았어요.
경태		(생각하려 하지만 생각나지 않는)
해영		(초조한 내색을 감추고) 아주 자그마한 것도 좋습니다. 천천히 생각해 내시면 돼요.

씬/75		D, 과거, 식당

테이블 위에 올려지는 김이 펄펄 피어오르는 뜨거운 국밥 두 그릇. 망원(남, 20대), 양념장을 듬뿍 넣고 휘휘 젓고는 한입 크게 떠 넣는...

망원		근데 형님 수육은 안 먹나?
재한		너 언제부터 고기 먹었다고... (하다) 시켜 시켜 이모! 여기 수육 한 접시!
망원		(다시 국밥 한 입 먹는)
재한		그러니까 장물이 하나도 풀린 게 없다고?

망원 (물 먹으며 끄덕끄덕) 종로 금방들 쪽엔 확실히 들어온 거 없고. 도깨비 시장 나까마 애들도 내가 아는 선에선 걷어간 놈 없고.

재한 확실해?

망원 풀렸으면 경찰 애들이 먼저 알았을걸. 대도 땜에 난리도 아니었잖아.

씬/76 D, 과거, 세규의 집 앞

세규의 집 앞 골목길 한구석에 서 있는 재한. 높은 담장 너머로 보이는 세규의 고급 저택을 바라본다.

재한(소리) 시장에 나오지 않았다면 장물은 아직 범인이 가지고 있다. 어디에 숨겼지?... 집은 아니다. 너무 많은 사람들에게 노출돼 있어.

씬/77 D, 과거, 세규의 별장 안

교외에 있는 한적한 별장 안. 쾅, 소리와 함께 문 열리면서 별장 안으로 들어서는 재한. 그 뒤를 따라 들어서는 관리인.

관리인 이게 뭐하는 짓입니까!

재한 (신분증 보여주며) 공무집행 중입니다.

다급한 손길로 거실, 안방, 주방 싱크대 문 등을 쾅쾅 열고 장물이 들어 있을 만한 옷장 등을 뒤지는데 아무것도 나오지 않는다. 그때 밖에서 들려오는 사이렌 소리. 돌아보면 다가오고 있는 관리인.

관리인 영장도 없이 이게 무슨 짓이에요? 경찰 불렀으니까, 알아서 하세요.

재한 아, 나갑니다. 나가요. 참... 사람... 거...

씬/78 D, 과거, 은행 건물 뒤편

건물 뒤편, 으슥한 곳에서 대화중인 은행 직원과 재한.

직원 최근 6개월 동안 한세규란 사람이 새로 개인금고에 위탁 신청한 물품은 없어요.

재한 정말, 다 찾아본 거 맞아요?

직원 찾아봤다니까... 그리고 자꾸 이런 거 부탁하지 마세요. 곤란하게...

재한, 얼굴 역시 답답해지고...

씬/79 N, 과거, 골프장 락커룸

주변을 두리번거리면서 고급 골프장 개인 라커룸 쪽으로 다가오는 재한. 주변에 아무도 없다는 걸 확인하고 상단부에 H.S.K라고 쓰여있는 라커룸을 옷핀으로 조심스럽게 딴 뒤 라커를 열어보는데 골프용품과 골프웨어, 신발 따위 말고는 특별한 게 없다. 다시 곱게 문 닫아놓는 재한. 여기도 아니다. 답답한 재한.

씬/80 D, 현재, 광수대 유치장, 면회실

여전히 인지면담 중인 해영과 경태.

해영 9월 10일은 일요일이었습니다. 주로 일요일엔 뭘 했죠? 전날인 9월 9일, 추석 때까지 인천 쪽으로 일을 나가셨다고 했죠. 9월 10일엔 쉬었나요? 어디로 놀러 가진 않았습니까?

경태 ...추석 다음날에도 일을 했을 거예요. 배달이 제일 많은 때니까요. 쉴 틈이 없었어요.

해영 그날은 어디로 배달을 갔죠?

경태 ... (기억을 떠올리려는)

해영 아침에 배달 물품을 받으러 가셨을 겁니다. 무슨 물품을 받으러 갔었죠? 추석이니까, 생선이나 고기였을 거예요.

경태 ...생선 ... (멈칫)

해영 (보는)

경태 ...그 날... 생선을 배달했습니다. 계수동... 계수동에 갔어요.

해영 (멈칫, 대도 사건이 벌어졌던 동네다) 계수동이요?

씬/81 N, 과거, 세규네 집 앞

세규의 집 앞에 세워진 탑차. 뒷문을 열고 생선 박스를 내리려고 하는 경태. 그때, 그런 탑차 옆으로 와서 멈춰 서는 세규의 빨간색 고급 승용차. 기사 문 열고 세규 내려서서 집 쪽으로 걸어오는데, 탑차에서 생선 박스를 꺼내들고 돌아서는 경태와 부딪치면서 경태, 균형을 잃고 넘어지고 들고 있던 박스 안의 생선들도 바닥에 떨어진다. 그러면서 세규의 구두에 생선박스의 얼음조각들과 작은 오물들이 튀고...

세규 (짜증내며) 아 진짜, 더럽게...

경태 (손으로 세규 구두를 닦는) 어이구, 죄송합니다. 괜찮으세요?

세규 더러운 손 안 치워?

세규, 경태를 밀어버린다. 경태가 넘어지며 대문 우편함에 손을 짚는다. 경태, 당황해서 세규를 보다가, 바닥에 떨어진 생선들 보고 기겁 다급히 박스 안에 담으려는데, 그런 생선을 발로 차버리는 세규.

세규 아... 씨, 냄새. 아, 더러워.

세규, 짜증내며 현관문 쪽으로 걸어 들어가고, 경대는 화도 못 내고 생선을 어떻게든 담으려 애쓴다.

씬/82 N, 과거, 세규의 집 앞/재한의 차 안

늦은 밤, 인적 없는 세규의 집 앞에 세워진 재한의 차 안.

전씬의 바닥에 떨어진 생선을 담던 경태가 있던 바로 그곳을 바라보며 기가 막힌 듯, 무전을 하고 있는 재한.

재한 설마... 그것 때문에... 경태 형이 범인으로 몰린 겁니까? 그 사건으로 얼굴을 알았던 경태 형을 봤다고 거짓 진술한 거라고요? (기가 막힌 세규에 대한 울분에 찬 혼잣말) 처음부터... 자기만 아니면... 누구건 상관 없었던 거였어... 이 개새끼..

씬/83 N, 현재, 해영의 차 안

해영, 착잡한 얼굴로 무전기를 보다가

해영 장물은요? 찾았습니까?

씬/84 N, 과거, 재한의 차

재한 (답답함에 제 머리 꿍꿍 때리는) 장물. 증거. 증거... 진짜 영장만 있었어도 (말하다보니 울컥한) 거기도 그럽니까? 돈 있고 빽 있으면 무슨 개망나니 짓을 해도 잘 먹고 잘 살아요?

씬/85 N, 현재, 해영의 차 안

무전기를 들고 있는 해영의 시선 쫓아가보면, 세규 집안이 운영하는 삐까뻔쩍한 로펌 건물 앞 고급스러운 외제 세단이 세워져 있고, 건물 안에서 비서들과 걸어 나오는 세규. 40대의 중년이지만, 여전히 세련되고 건방진 모습이다.

재한(소리) 그래도 20년이 지났는데... 뭐라도 달라졌겠죠?... 그렇죠?
해영 (차마 말 못하겠는)... 예... 달라요. 그때하곤... 달라졌습니다. ...그렇게 만들면... 됩니다.

씬/86　　　　N, 과거, 재한의 차 안

어두워지는 재한의 얼굴. 무전기 너머에서 들려오는 해영의 목소리.

해영(소리)　오경태 씨 증언에 분명히 힌트가 있을 겁니다. 이재한 형사님이 잡아야 합니다. 여기선 안돼요.

재한, 천천히 생각에 잠기다가 멈칫...

재한　...차가... 무슨 색이라고 했죠?

씬/87　　　　N, 현재, 해영의 차 안

해영　(수첩을 열어 확인해보는) 빨간색이요. 왜요?

씬/88　　　　N, 과거, 세규의 집 앞

저 멀리에서 다가오는 세규의 차. 집 앞에 멈춰 선다. 자동차 색깔, 하얀색이다. 그런 차를 바라보는 재한. 눈빛이 서서히 변한다.

재한　잡을 수 있을 것 같습니다.

씬/89　　　　N, 현재, 차 안

차문을 여는 기사. 비서들, 차에 올라타는 세규의 뒤에 대고 90도로 인사. 손 하나 까딱 한 뒤, 출발하는 차량. 뒷좌석에 탄 채, 편하게 뒤에 기대는 세규를 가만히 바라보는 해영의 귓가에 들려오는 재한의 목소리.

재한(소리)　아니, 꼭 잡을 겁니다.

씬/90　　　　　N, 과거, 차 안

기사가 열어주는 문에서 내려서는 과거의 세규를 바라보는 재한의 눈빛. 현재, 로펌에서 출발하는 세규를 보는 해영의 모습 양분되면서 그 위로 재한의 목소리 깔리며

재한(소리)　넌... 이제 죽었어.

6부 끝

시그널 The Signal

7부

씬/1　　　　몽타주

- 과거, 어두운 밤, 가로등 하나 없는 국도를 흐릿한 헤드라이트 불빛에 의지해서 달리고 있는 자동차. 운전석에는 차를 몰고 있는 재한.

재한(소리)　자기 집에 꼭꼭 숨은 쥐새끼를 어떻게 잡을 수 있을까요.

- 과거, 낮, 세규의 집 앞. 세규의 차를 세차 중인 기사에게 다가오는 재한. 기사, 재한을 보고 멈칫하는데..

재한　(차 살펴보며) 젊은 놈 차가 뭐 이렇게 더럽게 커? 우리 집 화장실만 하네
기사　뭡니까?
재한　근데 이거 말고 딴 차는 어딨을까? 부잣집 도련님이 마이 카가 이거 하나만은 아닐 거고...
기사　(잠시 멈칫) 이거 한 대 뿐입니다.
재한　...내가 잘못 들었나? 하얀 거 말고 딴 것도 하나 있다던데...
기사　(긴장한 시선)
재한　화사한 거... 예를 들면 빨간색.
기사　...몇 번 얘기해요? 이 차 밖에 없다니까.
재한　...그래요. 이 차 밖에 없는 걸로 칩시다. 찾아서 나오면 재밌어지는 거고... 그럼 수고해요.

재한, 돌아서서 멀어지는...

- 과거, 밤, 세규의 집 앞. 긴장한 얼굴의 기사, 집에서 나오며 주변을 두리번거린다. 아무도 보이지 않는 걸 확인한 뒤, 차에 올라탄 뒤 출발한다. 주택가를 빠져나가는 기사의 차. 그때, 어두운 골목 한쪽에서 헤드라이트도 켜지 않은 채 대기하고 있던 듯한 재한, 차를 몰고 그 뒤를 은밀하게 미행한다. 그런 재한의 모습 위로

재한(소리) 한세규는 빽 있고 돈 많은 부잣집 아들이라 영장은 안 나오겠죠. 대신 세상 물정 모르는 겁 많은 쥐새끼기도 합니다. 조금만 떠보기만 해도 튀어나올 거예요.

- 과거, 밤, 6부, 재한이 방문했던 별장.
차고 문을 여는 기사, 차고에 세워진 차량용 보디커버가 덮인 차로 다가가 커버를 제치면 드러나는 6부, 경태와 만났던 그날 몰고 있던 빨간색 차량.

- 현재, 차 안에서 무전을 하고 있는 해영(6부, 89씬에서 이어지는)

해영 형사님 말이 맞아요. 상대는 아마추업니다. 치밀하게 숨기지 못했을 겁니다. 집안은 위험하니 아닐 거고... 다른 사람들이 접근하기 힘든 자기만의 공간일 가능성이 커요.

- 과거, 밤, 별장 인근 도로 일각
빨간색 차량을 몰고 어디론가 사라지는 기사를 바라보는 재한. 서서히 차를 출발시킨다. 첫 씬과 이어지는 어두운 국도를 흐릿한 헤드라이트 하나에 의지해서 운전하고 있는 재한의 모습 위로

재한(소리) 다른 사람들이 접근하기 힘든 자기만의 공간... 언제든 빼돌리기 쉽고, 장물을 보관할 수 있을만한 공간이 있는 물건... 차...

- 과거, 밤, 저수지.
저수지 옆으로 와서 멈춰 서는 빨간색 차. 시동을 끄고 내려서는 기사, 주변을 두리번거리고는, 차를 저수지 쪽을 향해 밀기 시작하는데, 순간 기사의 얼굴로 쏟아지는 플래시 불빛. 놀라서 바라보는 기사. 보면 천천히 기사 쪽으로 다가서는 재한이다. 기사, 예기치 않은 재한의 등장에 놀라서 차 안으로 다시 들어가려 하지만, 그보다 더 빨리 재한이 기사의 손목에 수갑을 채워버리고, 차 문에 고정시킨다.

기사　　　(겁먹은 얼굴로) 난, 몰라요. 난 위에서 시킨 일을 했을 뿐이에요.

재한, 그런 기사를 아랑곳하지 않고 차 뒤쪽 트렁크로 다가가서 트렁크 문을 열고 플래시를 비춘다.

씬/2　　　D, 과거, 형기대 건물 주차장

아침, 부르릉 자동차 엔진소리가 울려 퍼지는 경찰서 주차장. 유난히 눈에 띄는 빨간색 외제차 꽁무니에 옹기종기 모여 있는 형사들. 다들 입이 떡 벌어져서 어딘가를 보고 있는데, 시선 따라가면 자동차 트렁크 안, 검은 가방 안에 가득 들어있는 장물들이다. 조수석에 수갑 채워진 채 앉아있던 기사 끌고 내리는 재한. 어안이 벙벙한 반장에게

재한　　　확실한 증인에 이 정도 증거면, 영장 충분하죠? 검사장 아들이건 나발이건...

씬/3　　　몽타주

- 현재, 밤, 장기미제 전담팀. 책상에 엎드려 잠이 들어있는 해영.
- 과거, 낮, 세규의 집 앞.
세규, 집에서 나오다가 멈칫한다. 보면, 집으로 다가오고 있던 재한을 비롯한 형기대 형사들이다. 재한, 세규를 보다가 손목에 찰칵 수갑을 채워버린다. 놀라는 세규.

재한　　　한세규, 널 계수동 연쇄 절도 사건의 범인으로 체포한다. 묵비권을 행사할 수 있으며, 변호사를 선임할 권리가 있다.

얼굴 삽시간에 굳어버리는 세규의 귓가에 속삭이는 재한.

재한　　　법 좀 아는 아버지가 있어도 이번엔 힘드실걸. 장물에 네 지문이 한 가득이야.

세규의 눈빛 떨려오는...

- 현재, 밤, 장기미제 전담팀, 어디선가 바람이 불어온다.
- 과거, 아침, 검찰청으로 출근하는 한석희 검사장. 경비들이 기자들을 몸으로 막고 있다. 여기저기서 터지는 플래시 세례를 무시하듯 묵묵히 걷는 한석희. 그 위로 앵커 멘트

앵커 대한민국을 떠들썩하게 했던 고급 주택가 연쇄 절도 사건, 일명 대도 사건의 또 다른 용의자가 오늘 오후 경찰에 체포됐습니다. 용의자 한 모 군은 서울중앙지검 검사장으로 재직 중인 한 모 씨의 아들로 피해를 입은 고위층 집안과 두터운 친분을 유지해 왔고 그 관계를 이용해 범행을 저지른 걸로 드러나 충격을 주고 있습니다.

- 법원 앞. 기자들 앞에서 인터뷰를 하는 변호사

변호사 제 의뢰인인 한 군은 오 모 씨가 오인 체포 된 직후부터 죄책감을 견디지 못해 식음을 전폐했고, 결국 양심의 소리에 따라 자수를 고민하던 중 체포를 당했습니다. 피해자들이 원만한 합의를 원하고 있고, 소동의 발단이 어린 청년의 단순 호기심이었음을 감안했을 때 재판부가 합리적인 판결을 내려주리라 믿고 있습니다.

- 과거, 새벽, 교도소에서 풀려나는 경태. 마치 5부에서처럼 천천히 새벽 불빛 사이로 사라진다.

씬/4 D, 현재, 장기미제 전담팀

빛나는 햇살이 쏟아지는 아침. 해영, 책상에서 엎드려 자고 있는데, 살랑 불어오는 바람. 해영을 감싸고 지나치는데... 천천히 눈을 뜨는 해영. 창문으로 들어오는 햇살에 흐린 눈을 비비는데, 저 멀리에서 들려오는 사람들의 목소리. 계철과 헌기, 장기미제 전담팀으로 들어오고 있다.

계철 그러니까, 오대양을 해야 한다니까...

헌기 (계철 얘기는 듣는 둥 마는 둥) 아니, 어떻게 사무실에 에스프레소 머신이 없어.

해영 (비몽사몽간에 고개 들며) 차수현 형사님은요?

계철과 헌기, 이상하다는 듯한 얼굴로 해영을 바라보는...

해영 ...차수현 형사님은요?

계철과 헌기 이상하다는 듯이 바라본다. 계철은 손가락으로 돈 거 아니야 표현.

씬/5 D, 수현의 집 외곽

클로즈업 된 초인종을 망설이다가 누르는 손. 화면 빠지면, 빌라 복도에 서서 다시 한 번 초인종을 눌러야 하나? 망설이고 있는 해영이다. 조용하기만 한 문 너머... 해영, 다시 한 번 누르려는데, 덜컥 열리는 문. 안에서 나오는 사람은 수현 母다.

수현 母 누구...?

해영 (보다가... 꾸벅) 안녕하십니까. 장기미제 전담팀에서 차수현 형사님과 함께 일하고 있는 박해영 경위라고 합니다.

수현 母 (신기하다는 듯이 바라보며) 수현이 동료시구나! 들어오세요.

씬/6 D, 수현의 집

머뭇거리며 안으로 들어서는 해영의 귓가에 들려오는 조카들의 귀에 익은 총소리. 해영, 그 소리에 고개 돌려보면, 열린 문 너머로 보이는 수현의 방. 예의 점집 같은 분홍색 이불, 분홍색 커튼, 분홍색 침대에 머리만 삐죽 나온 수현의 몸을 밟으면서 마구 뛰어다니고 있는 조카들이다. 정통으로 밟고 지나가자 '으...' 하고는 이불을 걷는데, 아픈 티가 역력한 핑크색 츄리닝 차림의 수현이다. 해영, 믿기지 않는 듯 가만히 수현을 바라보는...

수현 (멍하게 자신을 보는 해영에게) 뭐야? 사람 아픈 거 처음 봐?

씬/7 D, 장기미제 전담팀/해영의 회상

4씬과 이어지는
계철과 헌기 보다가 해영의 시선 옆으로 옮겨지는데, 눈에 익은 수현의 책상이 보인다. 눈에 익숙한 배트맨 액자. 멍하니 그런 수현의 책상을 바라보는 해영에게

헌기 (의아하다는 듯) 차수현 형사... 병가 냈잖아.

씬/8 D, 수현의 집, 거실

수현의 방문 닫혀 있고, 거실에 앉아있는 해영. 그런 해영을 타 넘으며 총 놀이를 하고 있는 조카들. 해영, 아... 아픈데 티 못내는데, 그런 해영 앞에 과일과 차 내놓는 수현 母

수현 母 (신기하게 보는) 우리 수현이 동료가 찾아온 건 처음인데... 그런데 올해 몇 살이에요?

그때, 문 열리며 외출복 차림으로 나오는 수현.

수현 그게 왜 궁금해?
수현 母 너 옷은 왜 갈아입었어?
수현 (기침하며) 회사에서 사람이 올 정도면 지금 정신없이 바쁘다는 거 아냐?

해영 아... 아니 그런
수현 (그런 해영의 발로 콱 차는) 가자.
수현 母 아픈 애가 어딜 간다고.
수현 뭐가 안 돌아가니까 쟤가 왔지. (해영 눈치 주는)
해영 예. 차수현 형사님이 없으면 안 되는 중차대한 일이 있어서...
수현 母 근데, 진짜, 몇 살이에요?

자꾸 들이대는 수현 母. 수현, 해영 거의 발로 밀어버리듯, 집을 나선다.

씬/9 D, 해영의 차 안

운전하는 해영. 조수석의 수현, 계속 콜록이며 화장지로 콧물을 닦아낸다. 그런 수현을 힐끔힐끔 해영 쳐다본다.

수현 왜 자꾸 쳐다봐?
해영 ...괜찮으신 겁니까? 좀 쉬는 게 낫지 않아요?
수현 그게 쉬는 것처럼 보이디?

해영, 운전하다가 그래도 계속 수현을 본다.

수현 왜? 또
해영 ...후회한 적 없어요?
수현 (보면)
해영 ...위험한 일이잖아요. 경찰...
수현 너 오늘 왜 그러냐?
해영 맨날 범죄자만 상대하고, 결혼해서 평범하게도 못 살고.
수현 (말 자르며) 됐으니까, 저 앞 찜질방에서 세워봐.
해영 예?
수현 세우라고.

해영, 차 세우면 수현 콜록거리면서 차에서 내리며

수현 나 없다고 놀지 말고, 다음 사건 뭐 할건지 수사계획서 깔려 죽을 정도로 써 놔라.

수현, 찜질방으로 들어가 버리는... 해영, 그런 수현 뒷모습 바라본다.

씬/10 N, 현재, 장기미제 전담팀

해영, 인터넷으로 과거 기사를 찾아보고 있다.

해영(소리) 대도 사건으로 재판을 받았던 한세규는 유죄가 인정됐지만 초범이고, 자신의 죄를 깊게 뉘우치고 있다는 점을 감안하여 징역 6개월에 집행유예 2년으로 풀려났다.

해영은 검색창에 한세규를 검색한다. 포털사이트 맨 위에 뜨는 한세규 변호사. 6부 85씬의 세련된 모습 그대로의 한세규의 사진. 소속 법무법인 HK 파트너 변호사. 아버지 한석희 HK로펌 대표 변호사. 프로필에는 한국변호사협회 상임 이사 등 직책.

- 그리고 다시 인터넷에 다른 기사를 검색하는 해영. 1995년, 한영대교 붕괴사건과 관련된 세 줄 정도의 짤막한 연관기사. '한영대교 사건에 앙심을 품은 30대 전과자, 살인죄로 기소' 가만히 그 기사를 바라보는 해영.

씬/11 D, 과거, 교도소 면회실

철컹, 문이 열리고 교도관과 함께 면회실 안으로 들어서는 죄수, 경태다. 그리고 유리벽 너머에 앉아 그런 경태를 바라보고 있는 재한. 경태, 재한 앞에 마주 앉고.

재한 ...내가 헛짓거리 했네

경태 ...

재한 사람 죽여서 들어앉을 줄 알았으면 형 누명 안 벗겼어

- 인서트

동훈의 집 앞. 출근을 위해 막 대문을 나서는 동훈인데, 누군가가 동훈에게 달려든다. 동훈 괴로워하며 배를 감싸쥔 채 무너지고. 피 묻은 칼을 손에 쥔 채 쓰러진 동훈을 바라보는 남자, 경태다.

- 교도소 면회실로 돌아와서

경태 그놈은 그놈 죗값 받은 거고, 나도 내 죗값 받을 거다.

재한 (답답하다) 왜 형만 이 모양이야...

경태 ...

재한 전부 제 자리로 돌아왔는데 왜 형만 그대로냐고... 왜 이렇게 미련해. 진짜 나쁜 놈들은 앞으로 다 까맣게 잊어버리고 잘 먹고 잘 살텐데... 왜 형만... 이 모양이냐고.

초췌한 경태의 모습을 죄책감을 느끼며 안타깝게 바라보는 재한.

씬/12 D, 현재, 교도소 외곽

교도소 밖, 주차장에 차를 세운 뒤 건물을 올려다보는 해영.

씬/13 D, 현재, 교도소 민원실

안내데스크 앞에 서서 직원에게 질문을 하고 있는 해영

해영 오경태 씨라고... 여기 수감 중에 사망한 걸로 알고 있는데요.

씬/14　　　　　D, 교도소 근처 야산

교도소 뒤편의 야트막한 야산. 해영이 교도관의 인솔을 따라 걷고 있다. 앞서 걷던 교도관, 멈춰 선다.

교도관　저깁니다.

보면, 제대로 봉분조차 갖춰놓지 않은 황량한 흙더미 위에 잡초들이 듬성듬성 자라 있고, 손바닥만 한 작고 낡은 나무 팻말 네 개 정도가 바닥에 꽂혀있다. 그 중 보이는 이름, '오경태 1958~2005' 그런 팻말을 바라보는 해영의 시선에서

- 인서트
- 2부, 25씬, 수목장을 한 해영의 형의 나무 '박선우 1983~2000'

- 다시 야산으로 돌아오면

해영　봉분도... 비석도 없이... 이게 전부인가요?...

교도관　친척도 가족도 없는 무연고자 시신은 이렇게 처리하는 수밖에 없어요.
해영, 안타까운 시선으로 천천히 팻말을 본다.

해영(소리)　과거가 바뀌어도 안 바뀌는 게 있다... 세상은 불공평하다는 거.

초라하기만 한 경태의 마지막을 가만히 바라보는 해영의 모습에서...

씬/15　　　　　D, 과거, 형기대, 사무실

신문을 들고 들어서는 재한. 굳은 얼굴로 뭔가 얘기하고 있던 정제와 형사들 중 정제, 그런 재한에게 다가오는데

재한 반장님 어딨어? 하루 종일 연락이 안 돼.

정제 야...

재한 (주변 두리번거리면서) 한세규 이 새끼, 단순 호기심이래잖아. 호기심으로 세 집이나 터는 미친놈이 어딨어?

정제 야!

재한 그 뿐만이 아냐. 장물 중에 아직 발견되지 않은 게 있는데 검찰놈들 제대로 수사도 안하고 넘겨버렸다고.

정제 지금, 그럴 때가 아니다.

씬/16 D, 과거, 형기대, 반장실

짐을 싸고 있는 반장. 문 쾅 열리면서 들어서는 재한.

재한 지금, 뭐하는 거예요?

반장 우리야 뭐 까라면 까는 사람들 아니냐.

재한 뭡니까? 뭘 그렇게 잘못했다고 미리 통보도 없이 사람을 쫓아내는 건데요?

반장 아, 시끄러. 형사 전출 가는 거 처음 봐?

재한 (정색하며) 한세규죠?

반장 (보는)

재한 한세규, 뭔가 더 있어요. 단순 호기심으로 그런 짓 벌일 놈이 아닙니다. 진짜 이유는 따로 있는 거죠?

반장 (보다가, 낮은 목소리로) 너... 진양시 알지?

재한 알죠. 이번에 새로 짓는다는 신도시 아닙니까.

반장 한영대교 붕괴 사건 수사팀이 한영대교를 시공한 세강건설 뒤를 파보다가 진양시 개발과 관련해서 정치권과 재벌이 얽힌 대규모 비리를 감지했다는 거야. 오고 간 금액만 몇 조가 넘는다더라. 그런데... 이번에 털린 세 집이 모두 그 사건과 관련이 있대.

재한 (낯빛 서서히 굳는)

반장 더 중요한 건, 한세규가 알고 그런 건지 그냥 딸려간 건지 모르겠지만,

한세규가 훔친 장물 중에 그 비리를 밝힐 수 있는 결정적인 증거가 끼어 있었대.

재한 ...그런데, 그것도 밝히지 않고 검찰에서 수사를 종결시켰다고요?

반장 그러니까... 가만히 모르는 척 앉아있어. 이 사건은 형기대 형사 나부랭이가 끼어들 판이 아냐.

그때, 뒤쪽에서 들려오는 목소리.

범주(소리) 아직, 안 가셨네요?

반장과 재한, 돌아보면, 반장실 문 앞에 서 있는 30대 중반의 속을 모를 차가운 눈빛의 범주다. 재한, 멈칫해서 보는데

반장 (털털한 미소로) 아니, 벌써 왔어? (재한 보고) 인사드려라. 이번에 내 자리 대신해 줄 김범주 반장이다.

재한, 그냥 가만히 바라만 보는데, 반장, 짐을 정리한 박스를 들고

반장 (범주에게) 우리 애들 잘 부탁해.

범주 애들 단속 못 해서 쫓겨나시는 분이 애들을 부탁하신다... 그렇게 물러 터졌으니, 이런 꼴을 당하시지. 걱정 마세요. 애들 단속은 확실히 할 테니까...

반장, 말없이 굳은 얼굴로 범주 보다가 재한 보고 미소. 씁쓸한 얼굴로 돌아서서 반장실을 나간다. 재한, 열 받은 얼굴로 보다가 반장을 따라 나서려는 듯 범주의 옆을 지나가는데...

범주 니가 이재한이냐?

재한 (멈춰서서 보는)

범주 난 그런 놈이 제일 싫어. 제 혼자 잘났다고 깝치는 미꾸라지 같은 놈.

그런 놈 하나가 바닥 물을 다 흐려놓거든.

재한 (보다가 기가 막힌 한숨) 어떻게 된 게 이 놈의 더러운 세상은 가만있으려고 해도 가만 놔두질 않네.

범주 (보는)

재한 (범주 잡아먹을 듯 보는) 이거 너무 냄새가 나잖아요. 한세규 잡아들여서 상 받아도 모자랄 판에 반장님을 시기적절하게 잘라버리질 않나. 높으신 분들이 키우시는 사냥개 한 마리가 기어 들어오질 않나. 진짜, 이거 뭔가 제대로 숨겨야 되는 게 있나 봅니다.

범주 (눈빛 차가워지는)

재한 걱정 마십쇼. 기대에 부응해서 제대로 깝쳐 줄 테니까.

나가버리는 재한을 가만히 바라보는 범주.

씬/17 D, 과거, 형기대 사무실

책상에 앉아서 대도 사건 수사기록을 다시 한번 확인해보고 있는 재한.

- 인서트
형기대 사무실 테이블 위에 놓여있는 검은 가방. 하나둘씩 테이블위에 내려놓는 장물들. 그와 함께 하나둘씩 지워지는 리스트들. 그런데, 파란색 다이아 목걸이만이 보이지 않는다. 그 위에 '누락'이라고 적는...

- 다시 사무실로 돌아오면, 리스트를 바라보고 있는 재한의 얼굴 위로 16씬, 반장의 목소리.

반장(소리) 한세규가 훔친 장물 중에 그 비리를 밝힐 수 있는 결정적인 증거가 끼어 있었대.

리스트의 파란색 다이아 목걸이 사진을 바라보는 재한.

재한 사라진 장물... 장영철 의원 집에서 훔친... 파란색 목걸이...

씬/18 D, 과거, 세규의 집 앞.

세규의 집 앞으로 와서 멈춰 서는 고급 승용차. 뒷자리에 앉아있는 변호사와 구치소에서 그간 맘고생을 한 듯한 세규다.

변호사 한 달 반만이죠? 집에 오신지...
세규 (말없이 내리려는 듯 차 문을 잡으려는데)
변호사 명심하세요. 장영철 의원님이나 다른 어르신들은 사라진 장물을 가져오는 대가로 합의해 주신 겁니다.
세규 (보면)
변호사 알고 계시겠지만, 다른 사람들에겐 발설하시면 안 됩니다.

세규, 예의로 가장한 미소를 짓고 있는 변호사를 가만히 두려운 시선으로 바라보는...

씬/18- 1 D, 과거, 영철의 지역구 사무실 건물 앞.

건물 앞에 멈춰 서는 고급 승용차. 보좌관이 뒷자리 문을 열면 내려서는 영철(40대 중반, 남). 그때 기다리고 있던 한 떼의 기자들, 영철이 내려서자, '장영철 의원님' 부르면서 마이크를 들이민다.

기자 1 대도 사건의 범인 한 모 군이 오늘 아침 집행유예로 석방됐습니다. 솜방망이 처벌이란 의견이 있는데요. 어떻게 생각하십니까?
기자 2 대도 사건의 피해자로서 한 마디 해주시죠.
영철 (여유 있는 미소를 띄며) 재판부에서 현명한 판결을 내렸을 거라고 생각합니다.

이런 상황에 익숙한 듯, 한 마디를 남기고, 기자들 사이를 지나가려는데 그때, 들려오는 목소리.

재한(소리) 사라진 장물은 찾았습니까?

영철, 보면, 기자들 사이를 비집듯이 빠져나온 재한, 영철의 앞을 가로막듯이 서서 영철을 바라보고 있다. 영철, 전혀 감정이 섞이지 않은 눈빛으로 재한을 보는데... 재한, 자신의 신분증을 보여주며

재한 서울청 형사기동대 강력 1팀, 이재한입니다. 장물이 다 돌아오지도 않았는데, 합의를 해주셨다면서요. 참 아량도 넓으십니다.

그때, 영철의 옆쪽을 호위하듯 걷던 보좌관들, 재한을 밀며 '비켜주시죠' 보좌관들 눈짓하자, 사무실 앞을 지키던 청경들도 나서서 기자들을 제지하기 시작하는데, 그런 저지선을 뚫고 영철의 뒤를 쫓는 재한.

재한 한세규 뿐만 아니라 이전에 잡혔던 범인 오경태한테도 그런 아량을 베풀어 줬다면 더 좋았을 텐데요. 아니면... 한세규는 사라진 다이아 목걸이 때문에 어쩔 수 없이 풀어준 건가요?

영철, 그런 재한을 본다. 조금 떨어진 곳에서 청경들에 의해 막혀 있지만, 그런 두 사람을 바라보고 있는 기자들. 영철, 재한을 가만히 보다가 순간, 재한에게 한 걸음 다가와, 재한 쪽으로 손을 뻗는다. 재한, 뭐지? 보는데... 영철, 보좌관들에 의해 흐트러진 옷 앞섶을 천천히 여며주며

영철 수고가... 많으시네요.

영철, 그 말을 끝으로 돌아서서 건물 안으로 멀어진다. 유리문 너머로 그런 영철의 뒷모습을 바라보는 재한의 시선.

씬/19 **N, 현재, 광수대 건물 옥상**

수현, 커피 한 잔을 하고 있는데, 걸어 나와 옆에 앉는 해영.

해영 추운데 왜 청승이세요?
수현 그런 넌 왜 기어 나오는데?
해영 감기는 괜찮으세요?
수현 감기 갖고 유난 떨지 마라. 쪽팔리다.
해영 몸 잘 챙기세요. 아프거나 다치거나 그러지 마시고.
수현 ...(뭐야? 이상한 듯 보는)
해영 (보다가 가벼운 말투로) 그 나이에 몸이라도 건강해야 누가 데려가죠.
수현 너 죽을래?
해영 (커피 한 모금 마시고) 그때 얘기했던 거 기억나요?
수현 뭔 얘기?
해영 만약에 과거에서 무전이 온다면 어떨 것 같냐고 물어봤잖아요.
수현 (보는)
해영 그때, 그랬죠. 해보지도 않고 후회하느니, 엉망이 되더라도 해보는 게 낫다고... 그런데... 아닌 것 같습니다. 그런 무전 따위는 받지 않는 게 좋을 것 같아요. 정말... 엉망이 돼 버릴 수도 있으니까...

그린 해영의 얼굴 위로 '치치칙' '치치칙' 무전기의 잡음 소리가 들려온다.

씬/20 N, 현재, 장기미제 전담팀

늦은 밤, 모두 퇴근한 듯 텅 빈 전담팀 사무실. 시계 11시 23분. 책상에 앉은 해영, 주파수가 흔들리고 있는 무전기를 내려다보고 있다. 무전기 너머에서 들려오는 재한의 목소리.

재한(소리) 박해영 경위님. 나예요. 이재한.
해영 (가만히 무전기를 바라만 보는)
재한(소리) 경위님? 듣고 있어요? 한세규, 체포했습니다.
해영 (무전기 보다가 대답하는) 알고 있습니다.

씬/21 N, 과거, 형기대 사무실 일각/복도/비상구

모두들 퇴근한 듯 어두운 복도, 주변을 두리번거리면서 인적이 드문 비상구 쪽으로 들어가는 재한.

재한 그런데, 그게 끝이 아니었어요. 한세규 단순호기심이 아닙니다. 장물이 사라졌어요. 다이아 목걸이요. 거기에 더 큰 비밀이 숨겨져 있어요.

해영(소리) 형사님...

씬/22 N, 현재, 장기미제 전담팀.

해영 그때, 그렇게 얘기하셨죠. 이 무전은 시작되선 안 되는 거였다고...

재한(소리) 경위님...

해영 이 무전이 왜 시작됐는지, 왜 하필 우리 두 사람인지... 잘 모르겠지만... 이젠 그만하는 게 맞는 것 같습니다.

재한(소리) 그게 무슨 소립니까?

해영 우리가 이런다고 세상은 바뀌지 않습니다. 그저... 혼란만 가져올 뿐이에요. 이번에도 그래요. 아무 상관없는 경찰 한 명이 죽을 뻔했습니다.

씬/23 N, 과거, 형기대 건물 비상구

재한 잠깐만요. 그때는 알 수 있을 겁니다. 그 장물이 어디로 갔는지 알아봐 주세요. 한세규 때문에 경태 형이 어떻게 됐는데!

씬/24 N, 현재, 장기미제 전담팀.

해영, 재한의 인사기록부, 부분을 바라본다.

해영 부디... 몸조심 하세요.

씬/25　　　　N, 과거, 형기대 건물 비상구

재한　　경위님! 경위님! 이 무전이 뭐가 잘못됐는지 모르지만, 죄를 지었으면 돈이 많건 빽이 있건 거기에 맞는 죗값을 받게 해야죠. 그게 경찰이 해야 되는 일이잖아요.

그러나 무전기 너머는 잠잠하다. 재한 '경위님!' 답답함에 불러보지만, 이미 꺼져 있는 무전기.

재한　　(답답함에) 아! 씨!

씬/26　　　　N, 현재, 장기미제 전담팀.

해영, 재한의 인사기록부를 보다가 서류 파쇄기에 넣는다. 파쇄되어 밑에 설치된 포대자루에 떨어지는 재한의 인사기록부를 바라보던 해영, 손에 쥐고 있던 무전기를 보다가, 그 포대자루에 함께 넣고 봉해 버린다.

씬/27　　　　N, 광수대 건물 뒤편

파쇄된 서류들을 모아서 한꺼번에 버리는 곳인 듯, 꽤 많은 포대자루들이 쌓여있는 건물 뒤편으로 무전기가 든 포대자루를 들고 오는 해영. 포대자루들 사이에 들고 온 포대를 버린다. 가만히 보다가 미련을 없애려는 듯 뚜벅뚜벅 걸어서 어둠 속으로 사라지는데.. 잠시 정적이 흐른 뒤. 저 멀리, 건물 그림자 어둠 속에서 뚜벅뚜벅 걸어오는 그림자. 포대자루를 바라보다가 포대 입구를 연다. 안에 있는 무전기를 보고 멈칫하다가 꺼내 올리는 손. 무전기를 가만히 바라보는 그림자. 바로 무표정한 치수다. 무전기에 붙어있는 빛바랜 노란색 스마일 스티커를 말없이 바라본다.

씬/28　　　　D, 광수대 건물 복도

수현, 출근하는 듯 복도를 지나치는데, 저 앞쪽에서 걸어오는 치수. 수현, 목례하고 지나치려는데

치수 쩜오.
수현 (멈칫하고 돌아서는) 오랜만에 들으니까, 꽤나 반갑습니다.
치수 오랜만에 옛날 얘기해볼까? 이재한 형사가 부적처럼 가지고 다니던 무전기 기억나지?
수현 (멈칫 보는)
치수 노란색 스마일 스티커... 네가 붙인 거 맞지?

수현, 멈칫해서 치수 보는 시선에서...

씬/29 D, 과거, 형기대 건물 뒤편 주차장, 기동 차량 안

긴장된 얼굴로 운전석에 앉아 전면을 바라보고 있는 20대의 수현. 그 옆, 조수석에 불평불만이 가득한 답답한 얼굴로 앉아있는 재한.

재한 쩜오. 준비 됐냐?
수현 예!
재한 출발해.

수현, 기세 좋게 기어 넣고, 클러치에서 발 떼고 악셀 밟는다. 기동대 차량이 앞으로 나간다.

수현 (자기도 놀랍다) 나가고 있습니다!

그 말과 함께 순간 '푸시시' 시동 꺼지면서 앞으로 꿀렁하는 수현과 재한. 수현, 무안한 시선으로 재한을 본다. 재한, 미치겠는 얼굴... 보면 형기대 건물 뒤편 주차장에서 스틱 연습 중인 두 사람이다.

재한 야!! 클러치 떼고 바로 악셀 밟으라고.
수현 (다시 시동 걸며) 다시 한번 해보겠습니다!

다시 앞으로 나가는 기동차량. 그러나 역시나 꿀렁. 수현, 깨갱해서 재한 보고...

재한 와... 진짜, 너 강적이다.

씬/30 D, 과거, 형기대 건물 뒤편 주차장

건물 한쪽에 모여서 얘기 중인 정제, 재한, 형사 1. 그 뒷배경으로 여전히 계속 꿀렁 꿀렁 하고 있는 기동차량 보이고...

재한 저거 내쫓아야 해. 답이 없어.
정제 이쁘잖아.
재한 (뒤 가르키며) 저거 안 보여? 기동차량 하나 못 모는 애가 뭔 강력계야.
형사 1 기사 붙여주면 되지.
재한 걔가 사모님이야? 그리고 그 기사가 왜 맨날 나야. 돌아가면서 하기로 했잖아. 암튼, 난 몰라. 나 지금 걔 운전 가르칠 시간 없어.

그때, 정제 뭔가를 발견한 듯

정제 피해!!

보면, 이쪽으로 돌진 중인 기동차량이다.

씬/31 D, 과거, 형기대 사무실

수사 회의 전, 군데군데 모여 있는 형사들. 그 사이사이를 돌면서 형사들에게 종이컵에 담긴 커피를 건네주는 수현. 재한에게도 커피를 주는데 다른 형사들보다 특히 눈치를 본다.

수현 설탕 둘에 프림 둘 넣었습니다.
재한 (보다가) 나 캔커피 아니면 안 마셔. 그리고... 너 다방 레지야? 형사하겠다고 온 놈이 수사 준비는 안 하고 왜 커피를 날라? 누구한테 잘 보일 건데?
수현 ...(차무룩)
정제 (재한 툭 치는) 야.

재한, 전혀 신경 쓰지 않는 모습이고 수현은 서운하지만 내심, 감정을 추스른다.

씬/32 N, 과거, 동장소

재한의 책상 위에 캔커피를 올려놓는 수현. 캔커피 아래에 '기사해 주셔서 매번 감사합니다 선배님~♡'이라고 적은 쪽지를 끼워 넣다가 아무래도 마음에 걸렸는지 마지막 하트는 볼펜으로 까맣게 그어서 지우고 내려놓는데.. 책과 서류들로 너저분한 재한의 책상 한구석, 서류뭉치 아래서 뭔가를 발견한 수현. 서류 아래 깔린 그것을 들어보면, 낡은 무전기다.

수현 반납을 안 하신건가...?

그때 수현의 뒤편에서 정제가 한마디 하며 지나간다.

정제 그거 함부로 만지지 마라. 재한이 부적이다.
수현 부적요?

무전기를 바라보는 수현, 뭔가 생각이 났는지 자신의 경찰 신분증을 꺼낸다. 경찰 신분증 뒤에 붙어있던 작은 스마일 스티커를 떼어서 재한의 무전기 바닥에 붙여놓는 수현. 뿌듯하게 보는...

씬/33 D, 현재, 광수대 건물 복도

수현, 과거 회상하다 현재로 돌아오면,

수현 그런데 그 무전기는 갑자기 왜...
치수 (보다가) 너 국과수에서 유명해. 백골사체만 들어오면 뛰어온다고.
수현 (보는)
치수 그런데... 이재한 찾아다니는 게 너뿐만이 아니야.
수현 예?
치수 (수현 가만히 보다가) 박해영이 이재한 뒤를 캐고 다니던데...
수현 ...(의아한) 박해영이요?
치수 나한테 정확히 그렇게 물어봤어... 진양서 강력계에 있던 이재한 형사에 대해 아냐고...
수현 ...박해영이 선배님을 어떻게 알고...
치수 가족이나 친척 중에 이재한과 관련 있는 사람은 아무도 없었고, 이재한이 실종될 때 박해영은 열몇 살 꼬마였으니까, 안면이 있을 리도 없지.
수현 (의아한)...
치수 게다가 박해영이 인사과 직원한테 부탁해서 이재한 형사 인사기록부까지 비밀리에 가져갔더군.
수현 ...(멈칫)
치수 서로 아는 사이였다면 인사기록부를 가져갔을 리가 없겠지. 아는 사이도 아니고, 아무 관계도 없는데, 계속 이재한 형사 뒤를 캐고 다닌다.. 꽤 이상해.
수현 ...(더욱 의문스러운)
치수 팀장이 팀원에 대해 너무 모르면 안 되지.

치수, 그 말을 끝으로 수현 한번 보고는 멀어진다. 수현, 도대체 뭐지? 생각에 잠기는..

씬/34 D, 장기미제 전담팀

대화 나누고 있는 계철, 헌기, 해영. 의경은 우편물 나눠주고 있고...

헌기 요 앞에 크림 파스타 잘하는 집 있는데 점심은 거기서 하지.
계철 크림 같은 소리하고 있네. 소도 때려잡을 것처럼 생겨서... 그냥 찌개나 먹어.
의경 내장탕 어떠십니까?
계철 얜 어떻게 된 게 메뉴도 피바다야.
헌기 아, 참. 촌스러워서들 상대를 못하겠네. 박해영 프로는?
계철 뭘 물어봐. 저분은 맨날 혼자 드시잖아. 품위 있게...
해영 오므라이스요.

계철, 헌기, 의경도 의외라는 듯 보는

해영 왜요? 오므라이스 싫어하세요?

그러다가 계철, 입구 보고 일어서는

계철 차 형사 왔어?

다들 계철 따라 보면 입구로 들어서던 수현, 해영을 보다가 다가서는데

계철 안 그래도 얼마나 기다렸는데, 우리 다음 사건 결정해야지? 오대양 어때? 대한민국을 떠들썩하게 했던 오대양.

수현, 그런 계철 얘기 들리지 않는 듯 해영에게 다가와서 서는

해영 (의아한 얼굴로 일어서며) 무슨... 일 있으세요?

수현, 해영을 의아하게 바라보며

수현 ...박해영... 너...

수현, 뭔가를 물어보려고 하는데, 뒤에서 들려오는 민성의 목소리.

민성(소리) ...여기가 장기미제 전담팀인가요?

뒤돌아보는 일동. 40대 중반으로 보이는 캐주얼한 차림의 민성이 입구에 서 있다가 뒤돌아보는 수현과 시선 마주치자, 인사하는 수현, 뭐지? 하는 시선.

민성 ...차수현 형사님.
수현 (의아한) 누구시죠?
민성 예전에 한번 뵀었는데... 기억 못하시네요.
수현 ...(기억을 떠올려보려고 하는데)
민성 전 모두 기억납니다. 20년 전 남자 형사님과 함께 오셨죠. 이재한이란 형사님이었어요.

이재한 이름에 놀라서 민성을 바라보는 해영.

해영 (자기도 모르게) 이재한 형사요?
수현 (멈칫해서 보는) 왜... 알아?

해영, 순간 머뭇... 수현, 그런 해영을 보는데

해영 ...뭐... 아는 사람 이름이랑 똑같아서...(하다가 말 돌리는) (민성 가리키며) 하실 말씀이 있어서 오신 것 같은데, 말씀 나누세요.

헛기침 하며 다시 자리에 앉아 컴퓨터 작업하는 척하는 해영을 가만히 바라보는 수현.

씬/35 D, 동장소

회의용 테이블에 마주 앉은 수현과 민성. 해영, 계철, 헌기는 각자 책상에 앉아서 자료 정리 중이고... 해영 역시 컴퓨터로 경기남부 프로파일링을 정리 중이지만, 신경은 온통 수현과 민성의 대화에 가 있다.

민성 얼마 전 TV에 형사님이 나오는 걸 봤습니다. 경기남부 사건을 해결하셨다고요.

수현 ...그래서요?

민성, 혼란스러운 눈빛으로 한숨을 내쉰 뒤

민성 아무리 생각해도 부탁할 사람이 형사님밖에 떠오르지 않아서요.

민성, 테이블 위에 20년 전 다혜의 사진들을 내려놓는다.

민성 20년 전에 죽은... 제 약혼녑니다. 이름은 신다혜...

계철, 헌기 관심을 보이며 테이블로 모여들어 다혜의 사진을 보며

계철 아이고... 미인이셨네. 뭐하던 분이었어요?

민성 배우 지망생이었습니다. 스튜디오에서 보조로 일하고 있을 때, 처음 만났죠.

- 인서트

과거, 스튜디오에서 프로필 사진을 찍고 있는 20대의 다혜. 연신 셔터를 눌러대고 있는 사진작가 옆에서 보조를 하고 있는 20대 초반의 민성. 다혜에게 첫눈에 반한 듯 멍하니 바라보고 있다.

- 다시 전담팀으로 돌아오면 민성의 얘기를 듣고 있는 수현, 계철, 헌기. 해영 역시 계철과 헌기 뒤쪽으로 다가와서 다혜의 사진을 바라보는데...

민성 어렵고 힘든 시간이었지만, 그래도 열심히 살던 사람이었는데... 갑자기 자살을 해버렸어요. 유서 한 장을 남기고... 호수에서 발견됐죠.

수현 (보다가) 그래서, 절 찾아오신 이유가 뭐죠?

민성 이 여자를... 찾아주세요.

수현을 비롯한 해영, 헌기, 계철 모두 이게 무슨 소린가 하는 얼굴로 민성을 보는..

계철 (기가 막힌) 지금... 20년 전에 죽은 여자를 찾아달란 얘기에요?

민성 (혼란스러운) 맞아요. 20년 전에 다혜는 자살했습니다. 저도 그렇게 알고 있었어요.

민성, 젊은 날의 다혜 사진들 중에서 어느 카페 창가에 앉아있는 다혜를 유리창 밖에서 찍은 사진 한 장을 보여준다.

민성 20년 전 마지막으로 만난 날, 찍은 사진이에요. 데이트할 때 자주 가던 카페였죠...

- 인서트

20년 전 과거, 낮, 교외에 위치한 한적한 1층에 위치한 통유리로 된 카페. 가벼운 발걸음으로 카페를 향해 다가가던 젊은 날의 민성. 창가에 앉아있는 다혜를 발견한다. 생각에 잠겨있는 다혜가 예쁜 듯, 민성 카메라를 꺼내서 그런 그녀의 사진을 찍는...

- 다시 전담팀으로 돌아오면, 그때 사진이 보이고...

민성 다혜가 그렇게 되고 난 다음에도.. 가끔씩 그곳에 가곤 했습니다. 20년 동안 많이 낡았지만, 그 카페는 여전히 그 자리에 있었거든요. 며칠 전에도 습관처럼 그곳에 갔었습니다.

- 인서트
- 며칠 전 과거, 낮, 이제는 40대가 된 민성. 카메라 가방을 들고 카페로 다가간다. 아무 생각 없이 다가가는데, 20년 전 다혜가 앉아있던 그 창가에 어떤 여자가 앉아있다. 머리를 숙이고 책을 보고 있는 여자. 얼굴은 보이지 않지만, 20년 전의 모습과 오버랩이 되는... 민성, 가만히 그런 모습을 보다가 아무 생각 없이 카메라를 들어 셔터를 누르는 순간, 고개를 드는 여자. 나이가 들었지만, 아직도 젊은 날의 얼굴이 남아있는 40대의 다혜다. 놀라서 카메라 렌즈에서 눈을 떼고 카페를 바라보는 민성. 그 여자, 역시 놀란 얼굴로 민성을 보고 있다.

- 낮, 미친 듯이 카페 안으로 뛰어들어서는 민성. 그 여자가 앉아있던 창가 자리를 바라보는데... 어느새 텅 비어 있다.

- 다시 전담팀으로 돌아오면 며칠 전 찍은 다른 한 장의 사진을 테이블 위에 놓는 민성.

민성 이게 며칠 전, 그때 찍은 사진입니다.

해영 일어나서 다가와 사진을 보고, 계철, 헌기도 다가와서 사진을 본다. 20년 전 사진과 며칠 전 사진을 비교해보는...

민성 아무래도 다혜가... 살아있는 것 같아요. 다혜를... 이 여자를 찾아주세요. 부탁입니다.

20년 전과 현재의 다혜, 두 장의 사진으로 다가가는 화면.

씬/36 D, 과거, 거리 일각

금은방이 위치한 거리. 주변을 두리번거리면서 빠르게 걷고 있는 재한의 모습 위로 6부 75씬, 망원의 목소리 깔린다.

망원(소리) 며칠 전에 젊은 여자 하나가 다이아 목걸이 하나를 들고 금은방에 왔었데요. 물방울 다이아. 대도 사건 때 없어졌다는 그 장물 같아서요.

씬/37 D, 과거, 금은방

데스크를 사이에 두고 얘기를 나누고 있는 재한과 금은방 주인. 재한이 내민 장물 리스트 사진을 확인하고 있는 주인.

주인 맞아요. 이 목걸이였어요.
재한 누가 가져왔는데요?
주인 한 스무 살 정도 돼 보이는 여자였어요.

씬/38 D, 과거, 금은방 창고

좁은 창고 안, CCTV 녹화기기에서 주인과 함께 목걸이를 팔러 왔던 여자가 있는 부분을 빠르게 화면 돌리며 찾고 있는 재한. 주인, 그런 재한을 옆에서 지켜보다가

주인 저 여자예요.

재한, CCTV 화년 정지시키면, 금은방으로 들어와 데스크 앞에 서는 여자.

– 인서트
금은방, 낮, 주인의 회상
전 씬의 CCTV 화면에서 실사로 바뀌면 데스크 위에 다이아 목걸이 케이스를 내려놓는 여자. 35씬, 민성이 내놓은 사진의 주인공. 화장기 없는 얼굴에 20세 초반의 미모가 돋보이는 다혜다. 어딘가 초조해 보이는 모습. 금은방 주인, 케이스를 열어 목걸이 보다가 다혜 한번 훑어보는데, 아무리 봐도 너무 평범하다.

주인 아가씨 이거 어디서 난 거야?
다혜 선물 받았어요.
주인 남자친구가 되게 부잔가 봐? 근데 왜 팔려고?
다혜 살 생각 없으면 마시고요.

다혜, 목걸이 챙겨서 가려는데 손을 턱 잡는 주인.

주인 여덟 장.
다혜 (머뭇거리다가) 팔...백이요?
주인 (기가 막힌) ...정말 물정 모르네 이 아가씨. 적어도 팔천은 받아 이거.
다혜 !!

– 다시 금은방 창고로 돌아오면 CCTV 화면 안의 다혜를 가만히 바라보고 있는 재한. 그때, 뭔가 이상한 걸 발견한 듯, 더 가까이 화면을 바라보는...

재한 이건 뭡니까?
주인 뭐요?

재한, 바라보고 있는 부분, 케이스 옆에 놓인 검은 물체다.

주인 아... 그거, 그 목걸이 케이스에서 나온 거예요.

– 인서트
금은방, 낮, 주인의 회상.
케이스에서 목걸이를 꺼내 살펴보는 주인. 진짜다... 다혜의 차림새 보고 갸웃... 보증서가 있나, 케이스를 살펴보다가 케이스 안쪽에서 나오는 플로피 디스켓.

주인 이런 게 들어있네?

하다가 디스켓 들어있던 곳에 있던 보증서를 살펴보려는 듯, 디스켓을 데스크 위에 올려놓고 보증서를 살펴보는... 다혜, 역시 의아한 시선으로 디스켓 바라보는...

- 다시 금은방 창고로 돌아오면, 재한의 시선 서서히 굳는다.

재한 ...플로피 디스켓...

- 인서트
- 16씬, 형기대 반장실, 재한에게 얘기하던 반장의 모습.

반장 한영대교 붕괴 사건 수사팀이 한영대교를 시공한 세강건설 뒤를 파보다가 진양시 개발과 관련해서 정치권과 재벌이 얽힌 대규모 비리를 감지했다는 거야. 한세규가 훔친 장물 중에 그 비리를 밝힐 수 있는 결정적인 증거가 끼어 있었대.

- 다시 금은방 창고로 돌아오면, 재한, 플로피 디스켓에 대한 심증이 점차 굳어가는 시선.

재한 그 디스켓, 그 여자가 가져갔나요?
주인 예.
재한 그 여자, 뭐 남겨놓은 거 없어요? 이름이나 연락처나...
주인 연락처 하나 받아놓긴 했는데... 없는 번호였어요.
재한 (멈칫)

씬/39 D, 과거, 금은방

금은방 장부에 적힌 전화번호를 바라보는 재한. '02-780-8269'이다. 780-82까지는 적혀있고, 82 다음, 번호를 썼다가 지운 듯 시커멓게 지운 자국 그리고 69 다.

주인　　안 그래도 제대로 된 연락처가 아닐 거라고 생각했어요. 그런 물건을 갖고 온 사람이 자기 연락처를 남기겠어요?

연락처를 내려다보는 재한. 고개를 들다가 멈칫. 금은방 거울 너머로 보이는 거리. 지금까지 재한을 미행하고 지켜본 듯한 사내 한 명이 휙 전봇대 뒤로 숨는 모습.

재한　　(감이 온다) 김범주... 이 새끼가... (연락처 티 나지 않게 주머니에 넣고 주인보며) 사장님, CCTV 화면 좀 지웁시다.

씬/40　　D, 과거, 형기대 사무실.

형기대 사무실 책상에 가만히 앉아있는 재한. 저 앞쪽 소파에 앉아서 신문을 보고 있는 범주를 보다가... 주변을 살펴보는데 형사들, 다들 범주 눈치 보는 듯 조용조용히 일하고 있다. 그러다가 한쪽 구석 보면 파티션으로 나눠진 한적한 수현의 자리 아무도 신경을 안 쓰고 있다. 거기 가만히 하는 일도 없이 앉아있는 수현을 보다가... 재한, 일어서서 다가가

재한　　쩜오.
수현　　예?
재한　　주차장으로 나와. 주행연습 좀 하자.
수현　　아... 예!

신문을 보고 있던 범주, 문 밖으로 사라지는 두 사람을 힐긋 보는...

씬/41　　D, 과거, 거리 일각.

꿀렁거리면서 가고 있는 기동차량.

재한	너 자리에 없어도 아무도 신경 안 쓰지?
수현	(놀라는) 진짜... 그럽니까?
재한	여자 숙직실에 전화 있지?
수현	...있긴 한데, 그건 왜...
재한	전화번호 하나 찾아내야겠다. 번호 뒤에 두 자리가 실제 번호와 다를 거야. 다 전화해보고 20대 젊은 여자가 사는 집 찾으면 된다.
수현	(끔뻑끔뻑 보는)... 그게 단 가요?
재한	(하다 앞 보면 앞차와 박을 뻔하고 있다) 야!!
수현	(급브레이크 밟고 시동 꺼먹었다가 다시 켜는데, 매우 자연스럽다)
재한	(휴... 한숨 쉬다가 보는) 왜 못하겠어?
수현	아닙니다! 실제와 다른 전화번호. 이십 대 여자. 정보 충분합니다!
재한	이건 너랑 나, 극비수사다.
수현	(신난다) 예!

씬/42　　D, 과거, 몽타주

- 낮, 여자 숙직실에서 수첩 펼쳐서 연필로 수첩 맨 위에 02-780-8269를 적고 그 아래에 780-8200, 780-8201, 780-8202... 숫자 하나씩만 바꾼 전화번호를 적어가기 시작한다... 어느새 수첩 페이지 한가득 차 있는 전화번호들.

- 밤, 여자 숙직실. 수첩에 가득 적힌 전화번호 반 이상에 엑스표가 쳐져 있다. 수첩에서 빠지면 자리에서 통화를 하고 있는 수현 컷컷이.

수현　할머니 손주가 몇 살인데요? (눈 반짝) 스물넷이요? ...(실망한) 남자예요...? 예? 목욕탕이요? 장난전화 아니거든요. 끊지 마시구요!

전화 끊고 다시 엑스 자. 수현, 지치는지 잠깐 목을 좌우로 돌리고 심호흡. 그리고 곧 다시 힘내서 전화 다이얼 누르는. 그 위로 수현의 소리.

수현(소리) 찾았어요!

씬/43 D, 과거, 거리 일각/ 차 안.

달리고 있는 기동차량 조수석에 앉은 재한, 뚱한 얼굴로 수현의 수첩을 보고 있다. 메모지에는 다섯 개의 전화번호와 여자 이름, 주소가 적혀있다. 그중 보이는 '02-780-8287, 신다혜. 서울시 용산구 진수동 산 238-5'

수현 (운전하며 씨익 웃고 있는) 두 자릿수 다른 전화번호 100개 중에 가정집이 24개. 그중에 20대 여자가 사는 집 다섯 군데 밖에 없었습니다.

재한, 수첩 옆 장 보면 그 옆 페이지에 빼곡하게 적혀있는 엑스 자가 쳐진 전화번호들. 재한, 수현을 의외다 싶은 얼굴로 힐긋 본다. 수현 뿌듯해서 운전하다 콧등 한번 긁는데, 새끼손가락 아래 손바닥이 연필 흑연이 묻어 새까맣다.

재한 (수현 수첩을 죽 찢어서 챙기며) 이제, 슬슬 시내 한번 나가봐야지.
수현 (믿기지 않는다) 제가요?
재한 (다시 앞에 보며 소리 지르는) 야! 앞에 봐! 브레이크!

씬/44 N, 과거, 다혜의 집 근처

세워진 기동차량에서 내리는 재한, 메모 보면서 주변을 둘러보는데, 앞에 두 줄 정도 엑스 자 되어있고, '02-780-8287, 신다혜. 서울시 용산구 진수동 산 238-5' 순서다. 따라 내리는 수현.

재한 넌 차에 있으라고.
수현 제가 찾았잖아요. 누굴 찾는 건지 얼굴 정도는 보고 싶습니다.

재한, 보다가, 됐다는 듯 돌아서서 걸어가고, 수현 따라붙으며

수현 진짜 누구 찾으시는 건데요?

하는데 뭔가를 발견하고 우뚝 멈춰 서는 재한. 수현, 덩달아 멈춰 서서 재한이 바라보는 곳을 본다. 보면 저 앞 산동네 집에 상등이 걸려있다. 놀라서 보는 두 사람.. 다가가서 주소를 확인해 보는데, 맞다. '진수동 산 238-5번지'

씬/45 N, 과거, 다혜의 집

어두운 조도의 방 안. 젊은 나이에 사망해서 인 듯, 조문객 하나 보이지 않는 장례식. 엄마와 언니. 상복을 입고 앉아있지만, 그 누구도 눈물을 보이지 않고 있다. 그런 집안에 꾸려진 장례식장 안으로 천천히 들어서는 재한과 수현. 영정사진 앞에는 그저 멍하니 슬픔에 가득 찬 채 앉아있는 상복 차림의 20대의 민성. 그 너머 영정사진을 확인하는 재한, 얼굴이 굳는다. 영정사진 속 웃고 있는 다혜.

- 인서트
- 금은방 CCTV 화면에 찍혀 있던 다혜의 모습.

- 다시 다혜의 집으로 돌아오면 굳은 얼굴로 영정사진을 바라보는 재한의 모습에서

씬/46 D, 현재, 장기미제 전담팀.

얘기가 모두 끝난 듯, 인사를 한 뒤, 전담팀을 나가는 민성. 그런 민성을 배웅하듯, 서 있다가 다시 테이블로 돌아와 앉는 수현, 계철, 헌기, 해영. 수현은 '포토그래퍼 김민성' 명함을 보고...

계철 참, 나이도 그렇게 많이 안 든 양반이 어쩌다가...
헌기 요즘은 젊은 사람도 치매에 많이 걸린다면서요.
계철 어디 좋은 병원이라도 소개해줄걸 그랬나?
수현 ..사진으로는 죽은 약혼녀랑 비슷해 보이긴 하던데...

계철, 헌기 뜨악해서 수현 보는

헌기 사진이 찍힌 각도와 빛에 따라 전혀 다른 사람이 비슷하게 보이기도 하잖아요.
계철 그럼! 그것 뿐이야? 20년 동안 한 사람을 잊지 못한다는 게 말이 돼? 꾼 돈을 못 받았다면 모를까.
수현 ...못 잊을 수도 있지.
헌기 그런 게 어딨어요? 버스랑 여자는 기다리면 5분 만에 한 번씩 오는 거 아닙니까?

수현, 계철, 해영 가만히 헌기를 바라보는... '왜?' 하는 얼굴의 헌기.

계철 (헌기 보다가 정신 차리고 수현 보는) 너, 그러지 마.
수현 뭘?
계철 이 사건 말야. 절대 반대야.
헌기 저도 반댑니다. 시신도 벌써 화장됐다잖아요. 과학적인 증거가 너무 부족해요.
수현 사진이 찍힌 카페에 증거가 남아있을 수도 있어.
계철 아, 왜 이래?
헌기 드나드는 손님만 몇 십 명인데, 증거가 남아있을 리가 있습니까.
수현 그건 찾아보지 않고 알 수 없는 거지
계철 자,자... 남의 사랑놀음에 놀아나지 말고, 오대양 하자고 진정한 미제 사건 아냐.
수현 저 사람 말이 사실이라면, 호수에서 발견된 시신은 신원미상의 변사체란 거잖아. 그렇다면 이것도 미제 사건이야.

헌기 하… 참 말 안 통하네. 박 프로는 어때? 반대지?
계철 그럼 요즘 애들한테 순애보는 안 어울리지.
해영 (생각하다가 수현에게) 그 이재한이란 형사는 어떻게 아는 사입니까?
수현 …왜 그 선배한테 관심을 가지는데…
해영 선배요?
수현 …예전에 형기대에서 같이 근무한 선배였어.

수현 보는 해영의 시선에서

- 인서트
- 재한의 인사기록부 '1994~1999 형사기동대, 직급 경사'

- 다시 장기미제 전담팀으로 돌아오면

해영 그 여자 장례식장엔 왜 갔는데요?
수현 …지금 나 취조해?
해영 이 사건 때문에 묻는 겁니다. 신다혜 집엔 왜 간 거예요?
헌기 뭐 수사 중이였겠죠. 안 그래요?
수현 (그런 팀원들 보다가)…나도 자세한 내막은 모르지만 장물을 찾고 있다고 했어.
해영 장물이요? 정확히 어떤 건지도 물어봤나요?
수현 …파란색 다이아 목걸이를 찾고 있었어.
해영 (멈칫)

- 인서트
21씬, 해영에게 무전을 하던 재한.

재한 장물이 사라졌어요. 다이아 목걸이요. 거기에 더 큰 비밀이 숨겨져 있어요.

- 다시 전담팀으로 돌아오면, 해영의 눈빛, 굳는다.

해영(소리) 이재한 형사야... 계속 그 장물을 혼자 쫓고 있었어... 이 사건... 한세규와 관련이 있어.

굳은 얼굴의 해영을 의아하게 보는 수현.

계철 아, 왜 불안하게 계속 꼬치꼬치 이 사건을 묻는 건데?
해영 혹시, 그때가 대도 사건 진범, 한세규가 잡힌 다음입니까?
수현 ...(보다가)...맞아.
계철 설마, 이 사건 하진 않을 거지? 그치?
해영 ...(생각하다가) 해보죠.

엥? 하는 얼굴의 계철, 헌기. 수현, 역시 그런 해영을 가만히 보는...

해영 다수결로 할까요? 전 찬성이요.
계철 난 반대.
헌기 나도 반대.
수현 ...난 찬성.

그때, 뒤쪽에서 들려오는 목소리.

의경(소리) 저도 찬성입니다.

보면, 대걸레 들고 있는 의경이다.

계철 쟨 뭐야?
수현 쩜오 잖아. 2.5대 2네. 난 유가족 만나볼 테니까, 정헌기는 증거수집. (계철보는) 선배는 생전 신다혜 계좌, 신용카드 추적해보고(해영보는) 넌 나 좀 보자.

씬/47 D, 광수대 건물 일각

커피자판기가 놓인 한적한 복도 한편에 서서 대화중인 수현과 해영.

해영 무슨 얘긴데요?

수현 난, 비밀 있는 사람이랑은 같이 일 안한다고 했지. 그러니까, 솔직히 대답해봐.

해영 아... 또 시작이네.

수현 ...너, 이재한 선배, 어떻게 알아?

해영 (멈칫하다가 둘러서 얘기하는) 아까 얘기했잖아요. 아는 사람 이름이랑 똑같다고.

수현 (보는)

해영 유가족 만나러 가신다면서요? 난 사건 담당 형사 만나보면 되죠? 저 먼저 출발합니다.

해영, 돌아서서 먼저 걸어가는... 그런 뒷모습을 바라보는 수현의 시선 위로

- 인서트
- 33씬, 수현에게 얘기하던 치수.

치수 나한테 정확히 그렇게 물어봤어... 진양서 강력계에 있던 이재한 형사에 대해 아냐고...

- 다시 건물 복도로 돌아오면, 수현의 시선에 의심이 더욱 강해진다.

씬/48 D, 현재, 카페 외경

다혜와 민성이 자주 갔던 서울 교외에 위치한 카페 외경.

씬/49 D, 현재, 카페 안

감식가방을 들고 40대의 그 여자가 앉아 있었다는 자리에 서서 종업원과 얘기 중인 헌기.

헌기 (장갑 끼며) 오가는 손님들이 대충 몇 명이죠?

종업원 하루에 적게 잡아도 스무 명이 넘죠.

헌기 (테이블 가리키며) 매일 닦습니까?

종업원 당연하죠. 손님 나갈 때마다 닦는데...

헌기 (기가막히다) 죽겠구만. 뭘 찾아내라는 거야.

씬/50 D, 현재, 미강서 외경

씬/51 D, 현재, 미강서 건물 복도

머리가 희끗희끗한 50대 후반의 형사와 자판기 커피를 마시면서 얘기 중인 해영.

해영 당시 변사사건 담당 형사님이셨죠?

형사 (해영의 명함 보며) 장기미제 전담팀이 웬일이에요?

해영, 손에 들린 '1995년, 미강 저수지 익사체 변사 보고서' 를 한 장, 두 장 넘기면서

해영 관할서에서 당시 수사 자료를 받았는데요. 몇 가지 여쭤보고 싶어서요. 최초 발견자가 낚시꾼이었는데, 시신이 입고 있던 옷 주머니 안 지갑에서 발견된 주민등록증으로 신원확인이 됐다고요.

형사 거기 적혀 있는 그대로예요.

해영 시신이 부패가 심했을 텐데, 유가족이 어떻게 자기 가족인걸 확신한 거죠?

형사 입고 있던 옷과 유류품이 고인의 것이 확실하다고 하더군요.

해영 그런데 이해가 안 가는 부분이 있습니다.

해영, 유류품 목록에서 시신이 걸치고 있던 옷 사진을 보여주며

해영	사망한 신다혜의 집은 서울이었어요. 여기와는 한 시간 반 거리죠. 그런데, 잠옷 위에 외투하나 달랑 걸치고 여기까지 왔다는 겁니까?
형사	...맞아요. 나도 그 점이 가장 이상했어요.
해영	(보는)
형사	자살이 아닐 수도 있겠다고 생각했죠. 그래서 부검을 권유했는데 유가족 측에서 강력하게 부검을 거부했어요.
해영	유가족이요?

씬/52 D, 현재, 도심 카페

20년이 지나 나이가 든 정혜와 마주 앉아 있는 수현.

수현	아직도 어머니를 모시고 사신다구요?
정혜	예.
수현	어머님을 한번 뵙고 싶은데요. 제가 집으로 찾아 봬도 되고요.
정혜	어머니가 몸이 많이 안 좋아서 병원에 계세요.
수현	그럼 병원으로 잠시 찾아뵈면...
정혜	그건 곤란하네요. 지금 병세가 많이 안 좋으셔서 중환자실에 계십니다.
수현	...사망한 신다혜 씨 시신을 직접 확인하셨다고요. 그 시신이 신다혜 씨라는 걸 왜 확신하셨죠?
정혜	키도 머리 길이도, 다 동생하고 비슷했어요. 입고 있던 옷도 동생꺼였고요.
수현	신다혜 씨가 남긴 유품을 좀 볼 수 있을까요?
정혜	...아뇨.
수현	(보는)
정혜	모두 태웠어요.
수현	예? 모두 다요?
정혜	예. 엄마가 너무 힘들어하셔서요. 도움이 못 돼서 미안합니다.

처음부터 끝까지 딱딱한 말투로 일관하는 정혜를 가만히 바라보는 수현의 얼굴 위로

해영(소리) 자살이 아닙니다.

씬/53 N, 장기미제 전담팀.

테이블에 앉은 수현, 수사자료를 확인 중이고, 그런 수현에게 자신의 생각을 얘기 중인 해영.

해영 보통 자살 장소는 감정적인 관련이 있거나 지리감이 있는 경우가 많습니다. 하지만, 신다혜와 미강 저수지는 전혀 상관이 없었어요. 게다가 자살을 생각하고 호수까지 일부러 갔다면, 우발적 자살이 아니라 모든 걸 계획한 자살이었을 겁니다. 그런데, 잠옷 차림에 외투를 걸치고 있었어요. 하나부터 열까지 맞는 게 하나도 없습니다.

수현 …

해영 누군가, 신다혜를 죽이고 자살로 위장했을 가능성이 큽니다. 유가족도 마찬가지예요. 담당 형사까지 나서서 부검을 권유했는데, 부검을 강력히 거부했습니다. 이거 뭔가 숨기는 게 있는 겁니다.

그때, 울리는 수현의 전화벨. 헌기다.

수현 어떻게 됐어?

헌기(소리) 테이블, 의자, 문고리 다 해봤는데, 몇 십 명 지문이 겹쳐져서 아무것도 안 나와요. 내가 그랬잖아. 뒤져봤자 안 나올 거라고.

수현, 답답해지는 눈빛.

씬/54 N, 과거, 세규의 별장 일각

별장 관리인, 별장 문 닫고 여행용 가방을 들고 나오는데, 빠르게 들어서는 차, 끼이익 멈춰 서고는 내려서서 다가오는 재한. 관리인 움찔해서 뒤로 물러선다.

재한 갑자기 어디 가시나 봐요?

관리인 무... 무슨 일로 온 겁니까? 난 진짜 여기 장물이 있는지 몰랐어요.

재한, 뒤로 물러서는 관리인에게 다가와 코앞에 사진을 한 장 들이민다. 신다혜의 사진이다.

재한 이 여자 알죠?

관리인 ... (멈칫)

재한 한세규랑 이 여자, 도대체 무슨 관계예요? 이 여자가 한세규가 훔친 장물을 가지고 있었습니다. 이 별장에 드나들었던 거 맞죠? 한세규 애인이에요?

관리인 천하의 개망나니 같은 놈한테 애인이 있었겠어요? 그냥 갖고 논거에요.

- 인서트

밤. 환하게 불이 켜진 별장 창문 틈으로 음악소리, 웃음소리가 새어 나온다. 별장 안. 테이블과 바닥에는 술병과 주사기들이 두서없이 어질러져 있다.

- 다시 돌아와서,

관리인 어린 것들이 어찌나 더럽게 노는지 매번 그거 치우다가 골병이 다 났어

재한 그 이후에도 왔어요?

관리인 (보면)

재한 대도 사건 벌어진 다음, 장물이 여기 있을 때도 왔냐고요.

관리인 한번 왔어요. 혼자서...

재한, 뭔가 감이 오는 눈빛에서

- 인서트
- 과거, 밤, 별장 차고.
차고에 세워진 빨간색 자동차로 은밀하게 다가오는 다혜. 트렁크를 열고, 검은 가방 안을 바라보다가... 가장 위에 올려진 파란색 다이아 목걸이 케이스를 가지고 다급히 빠져나간다.

- 다시 별장으로 돌아오면 손에 들고 있던 다혜의 사진을 내려다보는 재한.

재한(소리) ...그때... 신다혜가 장물을 가져간 거야.

씬/55 N, 현재, 카페 안

지쳐서 앉아있는 헌기. 수현과 해영, 카페 안을 둘러보고 있다.

해영 (그 여자가 앉았다는 테이블을 둘러보며) 여기도 다 한 거예요?
헌기 테이블부터 의자 네 개. 바닥에 떨어진 먼지까지 다 쑤셔봤어요.

수현, 답답한 시선으로 카페 내부를 두리번거리다가... 한편에 보이는 책장이 시선에 들어온다. 잡지들, 한국 책들이 쭉 보이는데, 그 사이 이질적인 하늘색 하드커버 책이 슥 눈에 들어온다. 시선 돌리려다가 수현, 문득 뭔가 생각나는 듯 멈칫...

- 인서트
- 유리창 밖에서 사진을 찍는 민성. 고개를 숙이고 있던 40대의 여자. 책을 보고 있는 사진. 하늘색 책을 보고 있다.

- 다시 카페 안으로 돌아오면

천천히 책장으로 다가가 손수건으로 지문이 묻지 않게 조심스럽게 하늘색 책을 빼드는 수현. 보면 다른 책들과 다른 독일어 원서로 된 책이다.

수현 (뒤를 돌아 종업원에게) 여기요. 이 책, 이 가게 책인가요?
종업원 (다가와 보는) 아... 아뇨. 며칠 전에 손님 중에 한 분이 놓고 가셨길래, 찾으러 오실 것 같아서 놔둔 거예요.
수현 여자 손님이었나요?
종업원 예.
수현 어느 테이블이었죠?
종업원 (그 여자가 앉았던 테이블 가리키며) 저기요.

수현도 해영도 헌기도 그 책을 바라본다.

- 인서트
- 카페 안, 하드커버 책을 보고 있던 여자, 문득 시선이 느껴진 듯 고개 들다가 유리창 밖에서 자신을 찍고 있는 민성과 시선 마주친다. (아직 얼굴 바래되지 않는) 민성, 카메라 너머로 보다가 놀라고 여자, 민성을 보고 놀란 듯, 벌떡 일어서서 가방 들고 뛰쳐나가는...

- 다시 카페로 돌아오면
하드커버에서 지문 검출하기 시작하는 헌기.

- 시간 경과되면
검출된 지문을 헌기 노트북의 아피스 프로그램에 입력시키고 있다. 지문이 일치되고, 서서히 떠오르기 시작하는 지문의 주인. 화면을 보고 놀라는 수현과 해영, 헌기.

해영 ...그 남자 말이 맞았어요...

화면에 뜬 지문의 주인. 이름, 신다혜, 20대 때의 사진, 출생 19**년~

사망 1995년

– 인서트
카페, 책을 놔두고 뛰어나가는 여자, 돌아서면서 얼굴 보이는데, 40살의 신다혜다.

씬/56 D, 과거, 세규의 별장 앞

53씬에서 이어지는 느낌으로
별장 앞에 세워진 차 안에서 신다혜의 사진을 바라보고 있는 재한.

재한 이 사건의 모든 실마리는 이 여자가 갖고 있었어...

씬/57 N, 현재, 장기미제 전담팀

지문 감식 결과지를 보고 놀라는 해영과 수현의 모습.

수현 신다혜는... 죽지 않았어요.

놀라는 수현, 해영의 모습과 과거의 재한의 모습, 교차로 보이면서.

7부 끝

시그널 The Signal

8부

씬/1 D, 현재, 장기미제 전담팀.

회의용 테이블 위에 올려진 헌기의 태블릿 PC 화면에 떠 있는 아피스 프로그램 지문 감식 결과의 신다혜의 사진을 기가 막힌 듯 바라보고 있는 계철, 그리고 수현, 해영, 헌기.

계철 이게 말이 돼? 어떻게 죽었던 여자가 살아있어? 그럼, 20년 전에 죽은 사람은 누군데?

헌기 당시 경찰들이 착오가 있었던 게 아닐까요?

수현 그럴 리는 없어. 익사체에서 신다혜의 주민등록증이 발견됐어. 그게 우연히 그 사람의 주머니에 들어있을 리는 없잖아.

계철 누군가 의도적으로 그 시신을 신다혜로 꾸몄다는 거야?

수현 만약 그게 사실이라면, 이건 단순자살이 아닐 가능성이 커.

해영 내가 그랬잖아요. 이 사건 자살이 아니라 타살이라고...

수현 너 왜 이렇게 감정적이야? 자살이란 증거도 없지만, 타살이란 증거도 없어.

해영 ...(모든 게 혼란스럽고 답답한 눈빛이다가)
이 모든 질문에 대답을 해줄 사람은 단 한 명뿐입니다.

사람들, 해영을 본다.

해영 신다혜 본인이죠. 그 여자를 찾으면 20년 전, 무슨 일이 있었는지 알아낼 수 있을 겁니다.

계철 20년 동안 꼭꼭 숨었던 여자를 무슨 수로 찾아내.

수현 아무도 몰랐으니까 숨어있을 수 있었던 거야. 하지만, 우린 그 여자가 살아있다는 걸 알고 있어. 살아있는 사람이라면, 어딘가에 분명히 흔적을 남길 수밖에 없어. 우린 그 흔적을 찾아가면 되는 거고...

씬/2 D, 거리 일각

가방을 들고 어디론가 이동 중인 정혜. 멀리 차 안에서 그런 정혜를 지켜보고 있는 계철.

수현(소리) 가장 수상한 건 유가족이야.

씬/3 D, 연미병원 일각

중환자실 밖 복도. 중환자실에서 걸어 나오는 정혜. 복도 저편에서 그런 모습을 지켜보며 통화하고 있는 계철.

계철 신정혜 말이 사실이었어. 신정혜의 어머니가 간암이래. 이식수술을 받아서 중환자실에 있더라고.

씬/4 D, 장기미제 전담팀.

계철과 통화 중인 수현.

계철(소리) 계좌 기록, 신용카드 기록, 옆집 사람들까지 탐문해봤는데, 신다혜와 관련해서 수상한 점은 보이지 않아.

수현 그래도 옆에서 계속 지켜봐. (전화 끊는데)

해영 약혼자는요?

수현 (보면)

해영 그 사람도 신다혜와 가장 직접적인 관련이 있는 사람입니다.

씬/5 D, 민성의 작업실

반지하 정도의 소박하고 자유로운 느낌의 민성의 작업실. 수현 앞에 커피를 내려놓는다.

민성 (긴장한) 다혜를 찾았나요?

수현 아직 조사 중입니다. 그전에 김민성 씨의 협조가 필요해요. 20년 전 신다혜 씨에 대한 정보가 필요합니다. 신다혜 씨는 어떤 사람이었죠?

민성, 말없이 일어나 작업실 한편 캐비닛 안에서 박스 하나를 꺼내서 테이블 위에 올려놓는다. 박스 안에는 케이스 안에 든 카세트 테이프 몇십 개가 들어 있는데, 각 케이스에는 여자 글씨로 '햄릿' '벚꽃동산' '에쿠우스' '바냐아저씨' '코카서스의 백묵원' '밑바닥에서' 등 연극 제목들이 붙여져 있다.

민성 모두 다혜가 연습했던 거예요. 다혜 목소리가 녹음돼 있죠.

씬/6 과거, 몽타주/민성의 회상

- 작은 다혜의 원룸. 작은 카세트 플레이어에 대고 대본 연습을 하고 있는 다혜.

다혜 괜찮아. 울면 속이 시원해져. 2년 만에 처음 울었거든. 어제 밤늦게 몰래 이곳에 들어와 우리의 극장이 잘 있는지 보았어. 잘 있더군... 그리고 2년 만에 처음 울었어...

테이프를 돌려서 자기가 읊은 대사를 꼼꼼하게 틀어서 다시 확인하는 다혜.

- 신장개업한 고깃집 앞에서 짧은 미니스커트에 하이힐을 신고 전단지를 나눠주고 있는 다혜. 춥고 다리도 아프고 힘든 티가 역력하지만, 사람들이 지나갈 때, 밝게 미소 지으면서 전단지를 내민다.

- 민성과 다혜가 자주 가던 카페. 민성, 다혜와 만나기로 한 듯, 카페 안으로 들어서다가 미소. 보면 대본을 들고 있는 다혜 고개가 뒤로 넘어가면서 졸고 있다. 그 옆에 앉으면서 어깨를 내주는 민성.

민성(소리)　연기밖에 모르는 친구였어요. 생활비 때문에 아르바이트를 하는 시간을 빼곤, 연기만 생각하면서 살았죠.

씬/7　D, 현재, 민성의 작업실

여전히 대화중인 수현과 민성.

수현　신다혜 씨에게 원한을 가질만한 사람은 없었나요?
민성　아뇨. 남에게 해를 끼칠 만한 성격은 아니었어요. 다만... 소속사 사람들과 문제가 있었어요.
수현　소속사요?
민성　다혜한테 직접 들은 적은 없지만... 거기가 어떤 데인지 다혜가 들어가고 난 뒤에 들었어요. 업계에선 유명한 데였거든요.
수현　(보는)
민성　그 회사에 들어가고 난 뒤에, 혼자서 우는 걸 많이 봤어요. 하지만 아는 척 못했어요. 자존심을 건드리고 싶지 않았거든요... 그게 제일 후회됐어요. 모른척 하지 말고... 따뜻하게 위로를 해줄걸... 그랬다면 자살까진 안했을 텐데... 그게 제일 미안했어요.

씬/8　D, 현재, 다방.

지방 소도시의 다방에 마주 앉아 있는 해영과 살짝 떨리는 손의 허름한 행색의 광재(50대, 남)다.

해영　95년도에 연예기획사를 하셨죠? 그때 소속 배우 중에 신다혜 씨 기억하세요?
광재　신다혜?... 내가 데리고 있던 애들이 수백 명인데, 어떻게 알아. 몰라요.
해영　사기에 횡령에 폭행 전과에 죄질이 꽤 안 좋네. 특기가 힘없는 연예인 지망생들 등쳐먹는 거고...
광재　지금 뭐 하자는 거야? (쾅 일어나는) 아침부터 재수 없게...

해영 불법 도박까지 얹고 싶지 않으면 앉으시지.
광재 (멈칫하는)
해영 사람은 쉽게 변하지 않으니까, 그때도 똑같았겠죠. 신다혜한테는 무슨 켕기는 짓을 했길래, 모른다고 딱 잡아떼시는 겁니까?
광재 켕기긴 뭘 켕겨. 다 지들 생각해서 그런 거지. 걔네들이 어딜 가서 그런 돈 많은 놈들을 만나겠어.

씬/9 N, 과거, 세규의 별장/매니저의 회상

호화로운 세규의 별장 안. 시끄러운 음악과 낮은 조명, 여자들의 웃음소리. 고급스러운 별장 여기저기 술병과 샴페인 잔들이 뒹굴고 있고 바닥에는 마약을 한 듯 주사기들이 떨어져 있다. 그런 거실 소파에 여자를 끼고 술을 마시고 있는 남자들. 한쪽에선 30대 초반의 광재가 머리에 넥타이 두르고 술 따라주며 분위기를 띄우고 있고... 그런 사람들 사이, 꼿꼿하니 굳은 얼굴로 앉아 있는 다혜.

광재(소리) 도련님들이야 이쁜 여자랑 노니까 좋은 거고, 여자애들은 잠깐 놀아주고 용돈 두둑이 벌어 좋은 거고 누이 좋고 매부 좋은 거지.

씬/10 D, 현재, 다방

기가 막힌 얼굴로 광재를 바라보고 있는 해영.

광재 신다혜 그년도 좀 비싸게 굴긴 했지만, 똑같았어. 끝까지 술도 안 먹고 버티는데 그 맛에 좋아하더라고.
해영 누가요? HK로펌 한세규 변호사가?
광재 (멈칫해서 보는)

씬/11 N, 과거, 세규의 별장.

꼿꼿하니 앉아있는 다혜를 거칠게 잡아끄는 손. 바로 마약에 취한 20대의 세규다. 세규, 다혜를 거칠게 일으켜 세우고는 방으로 끌고 가는데, 다혜, 이거 놓으라는 듯 반항하는... 그러자, 다혜의 뺨을 거칠게 때려버리는 세규. 바닥에 쓰러진 다혜를 질질질 끌고 방으로 들어가 버린다. 방 안에서 들려오는 다혜의 반항하는 비명소리. 낄낄거리며 웃는 기주, 테이블 위에 놓인 캠코더를 들어 열린 방문 너머의 광경을 찍기 시작한다.

씬/12 D, 현재, 다방

굳은 얼굴의 해영, 광재 보다가

해영 그 장소... 한세규가 대도 사건 때 장물을 숨겼던 그 별장입니까? 미강저수지 근처에 있는?
광재 그건 어떻게 알았대?
해영 대도 사건 벌어졌을 때는요? 그때도 그 짓거리들 했어요? 1995년 9월입니다. 잘 생각해 보세요.
광재 20년 전이라 잘 기억이...
해영 기억 잘 나시게 수갑 한번 채워줄까요?
광재 (말이 안 통하는 듯 보다가 체념한 듯) 그전에 그 판은 깨졌이. 개네들 사이가 틀어졌거든.

씬/13 N, 과거, 세규의 별장.

저녁, 아직 파티 전인 듯, 깔끔하게 정리돼 있는 별장 안으로 조심스럽게 들어서는 광재. 거실에 모여 앉은 기주, 진우, 석호, 세규.

세규 너네 아빠들이 뒷돈 받아먹어서 그런 걸 왜 나한테 이래! 아빠한테 직접 얘기하라고.
기주 얘기했는데, 씨알도 안 먹힌다잖아.

광재, 눈치만 보고 섰는데, 세규, 그런 광재 알아채고.

세규 (신경질적인) 뭐?
광재 저기, 애들 언제 들여보낼까요?
세규 (짜증) 됐으니까, 돌려보내.

광재, 눈치보다 인사하고 돌아서서 나가는데... 뒤쪽에서 들려오는 대화소리.

세규 우리 꼰대, 내 말도 안 들어.
기주 그럼.. 그 비디오 경찰에 넘긴다.
세규 (불안하긴 하지만 버티는) 그게 뭐? 애들 끼고 술 마신 거? 너희들도 같이 마셨잖아.
기주 (보다가) 우린 마약 안했잖아.
세규 (얼굴 굳는)
기주 알아서 해. 너네 아빠를 설득해서 수사를 중지시키건 아니면 네가 감방에 가건...

광재, 나오고 서서히 닫히는 문 사이 보이는 얼어붙은 세규의 모습과 그런 세규를 비웃듯 바라보는 친구들의 모습에서

해영(소리) 검사장의 아들 한세규... 그런 한세규를 협박한 국회의원, 재벌가의 아들들. 협박의 도구로 사용된 섹스비디오... 그걸 훔치기 위해서 한세규는 친구들의 집을 턴 거였어...

씬/14 N, 과거, 기주의 집 서재/해영의 추리

텅 빈 서재 안. 빠루로 연 금고 안을 뒤지고 있는 세규. 금고 안에서 봉투 안에 들어있는 비디오테이프를 발견하고 안도의 한숨. 들고 온 가방 안에 비디오테이프가 든 봉투를 넣고 손에 잡히는 물건들을 아무거나 가방 안에 넣는데, 그 안에 다이아 목걸이가 든 케이스가 섞인다.

해영(소리) 세 집 중에서 어디 있는지 몰라서 세 집을 다 털 수밖에 없었고 도둑으로 위장하기 위해서 다른 귀금속도 함께 쓸어 담았겠지.

씬/15 D, 현재, 다방 앞 거리 일각

열 받은 얼굴로 차를 향해 걸어오며 수현과 통화 중인 해영.

해영 한세규 그 새끼였어요.
수현(소리) 무슨 소리 하는 거야?
해영 신다혜가 그 다이아 목걸이를 갖고 있었다고 했죠? 다 그것 때문이었던 겁니다. 한세규 이 개새끼. 지 아버지 빽만 믿고 아주 더러운 짓이란 더러운 짓은 다 해놓고 버젓이 잘 살고 있어요. 이 새끼 내가 절대 가만두지 않을 겁니다.

수현, 핸드폰 너머에서 '야, 박해영!' 하지만, 해영 열 받아서 보이는 게 없는 듯 전화 끊고는 차에 올라탄 뒤, 부앙 출발해 버린다.

씬/16 D, 민성의 작업실

작업실 한편에서 통화 중이던 수현.

수현 야! 목걸이가 뭐 어떻다고?

하는데, 상대편 '뚜뚜뚜' 전화가 끊어졌다는 연결음. 수현, 아 진짜 이걸... 골치 아픈 얼굴로 돌아서서 대화중이었다가 수현을 기다리고 있던 듯한 민성에게 다가가서

수현 죄송합니다. 오늘은 이만 가봐야 될 것 같아요.
민성 아... 예...
수현 (윗옷 들고 나가려다가 멈칫... 돌아서며) 그런데요... 그 목걸이요. 그

	이후로도 발견되지 않았나요?
민성	...그때도 말씀드렸지만, 그런 물건은 본적이 없습니다.
수현	혹시 아는 분 중에 목걸이를 맡아 줄 만한 사람은요?
민성	(과거 생각하는) 그 형사님하고 똑같이 말씀하시네요.
수현	(보면)
민성	이재한 형사님 말입니다. 장례식이 끝난 뒤에 다시 연락이 왔었어요.
수현	(처음 듣는 소리다) 선배님이요?
민성	예. 늦은 밤에 다혜가 살던 원룸으로 찾아왔었어요.

씬/17 N, 과거, 다혜의 원룸

다혜의 원룸을 살펴보고 있는 재한. 그 옆에 서 있는 어두운 낯빛의 20년 전의 민성. 유품이 어느 정도 정리가 된 듯, 휑하니 비어있다. 장롱, 책상 등 가구만 남겨져 있는데, 서랍 안을 열어보면 텅 비어 있다. 장롱 안 역시 텅 비어있고...

민성	전화로 말씀드린 것처럼, 별게 없어요. 다혜 그렇게 되고 난 뒤에 언니께서 유품을 정리해서 가져가셨거든요.

답답한 얼굴로 주변을 샅샅이 살펴보는 재한. 고개를 숙여서 책상 아래도 보면서

재한	혹시 주변 사람들 중에 그 목걸이를 맡아줄 만한 사람은 없습니까?
민성	아뇨.
재한	아니면, 혹시 유품 중에 플로피 디스켓은 없었어요?
민성	다혜는 컴퓨터를 할 줄 몰랐어요. 그런 건 없었습니다.

하는데, 혹시나 싶은 마음에 장롱 밑을 보던 재한, 멈칫 뭔가가 보인다.

- 시간 경과되면

낑낑거리면서 장롱 한쪽을 들어 올리고 있는 재한. 민성, 손을 뻗어서 장롱 아래에 들어가 있던 뭔가를 들어올린다. 보면 증명사진. 다혜가 아니다. 20대 초반의 다른 앳된 여자의 얼굴.

재한 이 분은 누굽니까?
민성 (사진보는) 어... 지희 씬데요.
재한 지희 씨는 누군데요?
민성 배우 지망생인데, 고향 후배라고 했어요. 가끔 오디션 있을 때 올라와서 신세를 진다고...
재한 최근에 올라온 적 있나요?
민성 예. 일주일 전쯤에...
재한 연락처 알 수 있을까요?

씬/18 D, 현재, 민성의 작업실

'청운시 양진동 28번지, 김지희 041-588-4905'이란 오래되어 빛바랜 수첩에 적힌 글귀를 보고 있는 수현이다.

민성 다혜 소개로 우리 스튜디오에서 사진을 찍었어요. 그때, 남겨놓은 연락처데, 20년 전 거라 도움이 될지 모르겠네요.
수현 혹시... 이 후배 장례식에 왔나요?
민성 장례식이요?... (생각해 보다가) 아뇨. 경황이 없어서 연락을 못 했을 거에요.
수현 아니면... 절대 올 수 없었을 수도 있죠.

주소를 내려다보고 있는 수현.

씬/19 D, 장기미제 전담팀

수현과 통화하면서 컴퓨터로 전산조회 시스템에서 지희의 과거 주소로 조회 중인 헌기. 사진과 함께 주르륵 뜨는 지희의 과거 기록과 출입국 기록. 옆에는 가족사항이 기입된 서류들도 쌓여있고.

헌기 이름 김지희. 1976년생. (옆에 놓인 서류를 확인하면서) 부모는 1995년 전에 사망했고, 형제 관계도 없어요. (다시 컴퓨터 화면 보면서) 1995년 12월에 독일로 출국한 기록이 있습니다. 이후에 쭉 거기에 거주하다가 이주일 전에 인천공항으로 입국했습니다.

씬/20 D, 거리 일각

차를 운전하면서 헌기와 통화 중인 수현.

수현 독일이 확실해?
헌기(소리) 예.

- 인서트
7부. 55씬. 하늘색 독일어 원서 책

- 차 안으로 돌아오면, 수현 확신이 들기 시작한다.

수현 출입국 관리소에 남겨놓은 한국 주소 알아봐.

씬/21 D, 호텔 외경

씬/22 D, 호텔 로비

호텔 데스크에서 직원과 대화하는 수현.

호텔직원 (컴퓨터로 조회해보는) 김지희 씨는... 지난주에 체크아웃 하셨는데요.
수현 맡겨놓은 물건이나, 남겨놓은 연락처는 없나요?

호텔직원 아뇨. 없습니다.

씬/23 D, 호텔 룸

지희가 묵었던 평범한 싱글룸을 둘러보는 수현과 호텔 직원.

호텔직원 매일 청소를 하기 때문에 남아있는 물건은 없을 거예요.

수현, 말없이 호텔 룸을 둘러보다가 커튼을 열어 창밖을 본다. 삭막한 서울 전경을 바라보다가

수현(소리) 20년을 숨어살다가... 갑자기 입국을 했다. 도대체 왜지?... 도대체 왜...

생각에 빠져서 서울 전경을 바라보던 수현, 멈칫한다. 창문 너머 멀리 보이는 인근 병원의 적십자 표시다.

수현 병원... 이식수술...

씬/24 N, 연미병원 로비

로비로 빠르게 들어서는 수현, 저 앞쪽에서 기다리던 계철, 수현에게 다가오는

계철 갑자기 신다혜 엄마는 왜?
수현 지금도 중환자실에 있어?
계철 회복 중이라곤 하는데, 며칠 더 경과를 지켜봐야 한대.
수현 이식수술은 언제였는지 알아봤어?
계철 6일 전에... 근데, 중환자실에 있어서 면회는 절대 금지야. 나도 얼굴 한 번 못 봤어.
수현 내가 보고 싶은 건 신다혜 엄마가 아냐.

씬/25 D, 연미병원 일각

복도 중앙에 위치한 스테이션에서 간호사와 얘기 중인 수현과 계철.

간호사 ...618호네요. 저쪽으로 가시면 됩니다.

수현과 계철, 간호사가 가리킨 방향을 향해 이동하기 시작한다. 저 멀리 보이기 시작하는 618호. 수현과 계철 다가가는데, 문 열리더니 나오는 사람, 바로 정혜다. 정혜, 나오다가 다가오는 수현과 계철 보다가 소스라치게 놀라는...

정혜 (병실 문 닫으며) 여긴... 어떻게...

수현 신정혜 씨야 말로 여긴 무슨 일로 오신 거죠? (병실 가리키며) 저 안에는 신정혜 씨 모친에게 장기를 기증한 장기기증자가 있는 걸로 알고 있는데요. 고맙다는 인사라도 하려고 오셨나요? 아니면... 죽은 줄 알았던 동생이라도 만나러 오신 건가요?

정혜 ...(급격하게 떨리는 눈빛)

수현 뇌사자가 아닌 살아있는 사람의 장기를 기증받을 경우, 가장 먼저 가족이 장기기증 의사를 밝히는 경우가 많습니다. 신정혜 씨도 그랬어요. 하지만, 혈액형도 맞지 않고, 과거 앓은 질환으로 이식이 부적합했죠.

정혜 돌아가 주세요...

수현 그런데, 갑자기 장기기증자가 나타났습니다. 머나먼 타국 독일에서...

정혜 제발... 부탁입니다.

수현 검사 결과 혈액형도 일치, 모든 항목이 적합했어요. 마치... 친가족인 것처럼... 왜 일까요?

정혜 (떨리는 눈빛으로 수현을 바라본다)

수현 6일 전, 신정혜 씨의 모친에게 간을 제공하고 저 병실 안에 누워있는 장기기증자. 김지희 씨가... 바로 20년 동안 죽은 것처럼 살아온 신정혜 씨의 동생... 신다혜 씨이기 때문이죠.

정혜, 힘이 풀리는 듯 휘청하고 계철, 뒤에서 설마... 듣고 있다가 정혜를 지나쳐서 병실 문을 열고 안으로 들어서다가 멈칫한다. 수현, 역시 그 뒤를 따라 병실 안으로 천천히 들어선다. '환자명 - 김지희' 라고 적혀있는 명패에서 침대 위를 비추는 화면. 기대어 앉아 책을 보고 있는 여자를 바라보는 수현.

수현 드디어 뵙네요... 김지희 씨... 아니 신다혜 씨라고 불러야 되나요?

수현의 시선 좇아가면, 천천히 고개를 드는 침대 위의 여자, 당황한 눈빛으로 수현을 바라보고 있는 중년의 다혜다.

씬/26 N, 동장소

말없이 앉아있는 다혜와 그 옆 의자에 머리를 감싸 쥐고 앉아있는 정혜. 그런 자매를 바라보고 있는 수현과 계철.

계철 (답답한 듯 보다가) 아, 뭐라고 말이라도 좀 해보세요. 이게 어떻게 된 일이냐고요?
수현 (보다가) 20년 전에 죽은 사람은 김지희 씨였나요?
다혜 ...
수현 두 사람 신분이 어떻게 바뀌게 된 거죠?
다혜 ...
수현 20년 전에 무슨 일이 있었던 거죠? 숨기지 말고 말씀해 주세요.
다혜 ...(체념한 듯) 모두... 모두 나 때문이에요...

씬/27 N, 과거, 세규의 별장 거실

TV 아래 설치된 VCR이 위잉 소리를 내며 빠르게 돌아가고 있고, 11씬의 상황이 찍힌 비디오 화면이 흐르고 있다. 그런 화면을 바라보며 소파에 앉아 기분 좋은 얼굴로 혼자 술을 마시고 있는 세규. 그때 문 삐꺽 열리면서 들어서는 굳은 얼굴의 다혜.

세규 왔어? 일루와.

다혜, 세규를 보다가, 비디오 화면을 보자, 보고 싶지 않은 듯 고개 돌리며

다혜 (보다가) 비디오... 주세요.
세규 왜, 이걸 내가 확 뿌려버릴까 봐 겁나?
다혜 준다고 해서 온 거에요. 이제... 그만 주세요.
세규 알았어, 준다니까... (다혜 어깨 끌어안으며 소파 쪽으로 억지로 끌고 와 앉히며) 봐봐. 오빠가 얼마나 힘들게 찾아왔는데... 감상은 해줘야지.
다혜 (보고 싶지 않다. 고개 돌리는)
세규 왜. 재미없어? 그럼 더 좋은 거 보여줄까?

씬/28 N, 과거, 세규의 별장 차고

세규, 다혜를 이끌고 차고에 세워진 빨간색 차 트렁크를 열고 검은 가방을 열어서 보여준다. 가방 안에 들어있는 엄청난 보석과 현금다발들. 놀라서 바라보는 다혜.

세규 어때? 좋지? 너처럼 후줄근한 인생이 어디 가서 이런 걸 보겠냐.

다혜, 세규의 비아냥은 귀에 들어오지도 않는 듯 패물들만 바라보고 있다.

세규 (키득 웃는) 그 꼰대들 이거 없어지고 표정을 구경했어야 되는데...

씬/29 N, 과거, 세규의 별장, 거실

소파에 취한 듯 뻗어있는 세규. 그 옆엔 주사기. 다혜, 그런 세규를 가만히 바라보다가...

씬/30　　N, 과거, 세규의 별장 차고

차고에 세워진 빨간색 자동차로 은밀하게 다가오는 다혜. 트렁크를 열고, 검은 가방 안을 바라본다.

중년 다혜(소리) 그땐 그 목걸이가 날 지긋지긋한 현실에서 꺼내줄 황금 동아줄로 보였어요.

가장 위에 올려진 파란색 다이아 목걸이 케이스를 가지고 다급히 빠져나간다.

씬/31　　N, 현재, 병실

다혜 그리고 얼마 뒤에 한세규가 절도죄로 체포됐죠. 경찰이 나까지 잡으러 오지는 않을까 하루하루가 지옥 같았는데... 한세규가 풀려났다는 뉴스를 봤어요. 그리고... 그날 한세규한테 연락이 왔어요.

씬/32　　D, 과거, 다혜의 원룸

겁먹은 얼굴로 전화를 받고 있는 다혜.

세규(소리) 너지? 네가 내 물건 가져간 거지? 네가 감히 내 물건을 가져가!
다혜 ...(떨리는)
세규(소리) 좋은 말로 할 때, 갖고 와.
다혜 ...싫어...
세규(소리) 뭐?
다혜 다신... 당신 얼굴 보고 싶지 않아... 내가 잘못한 거 알아... 내일 경찰에 자수할 거야.
세규(소리) 너... 죽을래?
다혜 ...다신... 연락하지 말아요.

쾅, 전화를 끊어버리는 다혜. 큰소리는 쳤지만, 겁먹은 얼굴의 다혜의 얼굴에서

중년 다혜(소리) 그날 밤.. 그 사람이 집으로... 찾아왔어요.

씬/33 D, 현재, 고급 클럽 룸

고급스럽게 꾸며진 룸. 화려하게 차려입은 여자들과 술을 마시고 있는 현재의 40대의 세규. 그때, 쾅 문 열리면서 들어서는 해영.

해영 한세규 변호사님. 창의력 참 부족하시네. 어떻게 20년 전이나 지금이나 노는 게 똑같아?

세규, 얼굴에 불쾌감이 감도는데, 해영을 따라온 듯 뒤늦게 룸 안으로 들어서는 보안요원들. 세규에게 '죄송합니다' 고개 숙여 인사한 뒤, 해영 끌고 나가려는데, 해영 뿌리치며

해영 20년 전, 신다혜가 가져간 장물, 기억나시죠?
세규 (멈칫해서 보는)
해영 파란색 다이아 목걸이. 더 할까요? 사람들이 들어도 괜찮겠어요?

세규와 해영, 서로를 보는데...

세규 (여자들에게) 나가있어.

세규 한 마디에 여자들 빠져나가고... 보안요원들도 세규가 눈짓하자 빠져나간다.

세규 누구야? 너...
해영 서울청 장기미제 전담팀 박해영입니다. 20년 전 신다혜 자살 사건을

조사 중이죠. 아니... 자살이 아니라 타살이니까... 살인사건이라고 해야 하나요?

세규 (눈빛 굳는)

해영 당시 수사자료를 분석해 봤습니다. 피해자가 잠옷 차림이었으니, 범행 장소는 집이었을 겁니다. 범행 시각은 밤. 단순 강도나 도둑에 의한 우발적 살인이었다면, 시신을 힘들게 유기했을 리 없으니 범인은 피해자와 안면이 있었던 면식범.

세규 지금, 나랑 뭐 하자는 거야?

해영 끝까지 들으세요. 범인은 신다혜를 자살로 위장하려고 했지만, 피해자의 잠옷 위에 주민등록증이 들어있는 외투만 입혀놓는 등 범행 수법이 매우 허술했습니다. 마약이나 알코올 때문에 정상적인 사고가 불가능하고 판단력이 저하됐을 가능성이 큽니다. 그때, 상습적으로 마약을 투여하셨죠?

세규 (쾅 일어서는) 너 지금...

해영 또한 이런 범인의 경우 시신 유기 장소를 자신이 잘 알고 있는 장소로 선택할 가능성이 커요. 별장 근처 미강저수지 같은 곳이죠.

세규 지금 날 협박하는 거야?

해영 아뇨. 사실을 얘기하는 겁니다. 이렇게 허술한 사건이 부검도 없이 단순 자살 사건으로 끝났습니다. 검찰이 대충대충 사건 끝내버린 거죠. 그렇게 대쪽 같던 한석희 검사장도 아들을 살인범으로 만들 순 없었나 봐요.

해영, 세규에게 다가가는

해영 태어나길 금수저 물고 태어나서 네 아빠 빽만 믿고, 돈 뿌려가면서 아무것도 모르는 젊은 여자애들 성추행한 거 그래.. 더럽고 엿 같지만, 눈감아 줄 수 있어. 그 개 같은 비디오 훔치겠다고 개차반 친구들 집 털면서 생쇼 한 거. 그것 때문에 한 사람의 인생 망친 거... 거지 같고 돌아버리게 분하지만... 그래... 어쩔 수 없다 칠 수 있어. 하지만...

세규 (보는)

해영 사람 죽이는 건 아니지.

세규 (보다 피식) 그게 어때서?

해영 (확 돌아 보는)

세규 그래. 내가 죽였다. 그 개 같은 게 주제도 모르고 내 물건에 함부로 손을 댔거든. 그래서 죽였어. 어쩔 건데?

부들부들 떨면서 세규를 보는 해영.

씬/34 N, 과거, 다혜의 원룸

불이 꺼진 어두운 다혜의 원룸.
현관문이 달칵거리는 소리가 들려오더니, 끼이익 문이 열리면서 들어서는 과거의 세규. 약을 한 듯, 눈빛이 붉게 충혈돼 있고 떨리는 손으로 커다란 이민자 가방을 끌고 은밀히 들어선다. 저 앞쪽에 희미하게 이불을 뒤집어 쓴 채 잠이 든 여자가 보인다. 그 사람에게 다가가는 세규. 이불을 꽉 눌러서 잠든 여자를 질식시켜 죽인다.

세규 (분노에 가득 찬) 니가 감히... 내 물건을 건드려...

이불안의 누군가는 반항해 보지만, 결국 세규의 완력을 이길 수 없다. 툭, 바닥에 떨어지는 여자의 하얀 손. 세규, 여자를 죽이고 난 뒤, 주변을 두리번거리며 방 안을 뒤지기 시작한다. 서랍장, 화장대... 그때, 화장대 서랍 안에서 목걸이 케이스를 발견한다. 케이스를 갈무리하는... 그런 세규의 모습에서 화면 옆으로 이동하면, 냉장고 옆에 숨어 있던 다혜의 모습. 물컵을 들고 벌벌벌 떨고 있다.

다혜 ...난... 그걸 지켜볼 수밖에 없었어요.

씬/35 N, 현재, 병실

괴로운 눈빛으로 얘기를 이어가는 다혜.

다혜 친하진 않았지만, 그래도... 착한 애였는데... 하지만... 말릴 새도 없었어요. 그리고... 거기서 나가면... 나도... 죽을 것 같았어요... 그날 밤... 바로 집으로 도망가서 숨어있었어요. 너무 겁이 나서... 그런데, 경찰이 전화가 왔죠... 내가 죽었다고... 그때... 결심했어요. 김지희로 살겠다고...

수현 독일에 간 것도 그 이유였군요. 한국에서 전혀 다른 사람으로 산다는 건 불가능하니까...

씬/36 N, 현재, 고급 클럽 룸

떨리는 눈빛으로 세규를 바라보고 있는 해영.

세규 왜? 잡아넣기라도 하게? (피식 웃으며) 나, 변호사야. 대한민국 최고의 HK로펌 변호사. 진술거부권과 변호사 조력권을 미리 고지하지 않았기 때문에 내 진술은 법적인 효력이 없어.

해영 (떨리는)

세규 억울하면 발에 땀나게 수사해봐. 그래봤자, 어차피 난 못 잡아. 다 빠져나갈 구멍들이 있거든. (피식 웃으며) 대한민국 좋은 나라지?

해영, 부들부들 떨리는 눈빛으로 세규를 보다가

해영 ...대한민국 최고의 로펌 변호사라 틀리긴 틀리네. 난 네 머리에 똥만 들은 줄 알았거든.

세규 뭐?

해영 아빠 빽으로 파트너 변호사 직함까지 달긴 달았는데 몇 년 동안 실적이 빵이라면서? 몇 번 사건 맡았다가 시원하게 말아 드시는 바람에 그 다음부턴 사건 배당도 못 받는다고 그러던데?

세규 이 새끼가...

해영 그 똥만 든 대가리로 니 변호나 준비해. 내가 잘리는 한이 있어도 너만큼은 살인죄로 집어 처넣을 테니까.

씬/37　　　　N, 현재, 병실

다혜의 얘기가 끝나고 정적이 흐르는 병실. 수현, 다혜를 보다가...

수현　말씀... 잘 들었어요. 그런데... 그 얘기를 입증할 증거가 있나요?
다혜　...
수현　한세규가 김지희 씨를 죽였다는 증거가 없다면... 신다혜 씨가 불리해져요.
다혜　(떨리는 눈빛으로 보는)
수현　신다혜 씨는 20년 동안 김지희 씨로 살아왔습니다. 신다혜 씨가 김지희 씨를 죽이고 신분을 가로챘다고 의심을 살 수 있어요.
다혜　아니에요. 전 그러지 않았어요.
수현　그런 근거 없는 주장만으론 아무것도 해결되지 않아요.
정혜　증거가 있어요.

일동, 다들 정혜를 바라본다.

씬/38　　　　N, 장기미제 전담팀.

밤, 전담팀에 모여 있는 수현, 계철, 헌기. 다들, 분위기 안 좋은데...

계철　진짜 미치겠구먼. 우리가 폭탄을 하나 들고 살아요.

그때, 발자국 소리와 함께 들어서는 해영. 계철, 용수철처럼 튀어서

계철　정신이 있어? 없어? 한세규 변호사는 왜 찾아간 거야? 지금 난리 났어.

수현, 무슨 생각인지 모를 무표정한 시선으로 계속 생각에 잠겨있고...헌기 역시 걱정되는 표정인데, 전담팀으로 들어서는 치수. 계철, 헌기 잔뜩 긴장해서 치수 보고...

해영 (또 시작이겠구나) 예, 제가 한세규 변호사 찾아갔습니다. 그게 그렇게 잘못입니까?

그런데, 의외로 가만히 해영을 바라보는 치수. 계철, 헌기 이상하다는 듯 바라보고, 수현 역시 의외라는 듯 보는데...

치수 ...왜 간 거야?
해영 (뭐지? 이 분위기는?)

다들, 이상한 시선으로 바라보는데..

치수 이유가 있을 거 아냐.

그때 나서는 수현.

수현 제가 수사 지시했습니다.
치수 (보는)
수현 95년도에 미강저수지에서 변사사건이 있었습니다. 당시엔 자살로 종결됐지만, 얼마 전 타살의 정황이 의심되는 단서가 나왔고, 살인 현장을 목격한 목격자도 나타났습니다. 그리고 목격자의 증언에 따르면 가장 유력한 용의자는 HK로펌 한세규 변호삽니다.
치수 !!
수현 한세규 변호사 소환조사, 허락해주십시오.
치수 ...상대는 HK로펌이야. 확실한 증거 없이는 소환 조사 씨알도 안 먹혀
수현 ...증거가 있습니다.

치수, 멈칫하고, 해영 역시 놀라서 보면 수현, 증거물 봉투 안에 든 카세트 테이프를 내민다. 카세트 테이프로 화면 줌인되면

씬/39 D, 병실/수현의 회상

37씬에 이어지는 상황. 정혜를 바라보는 사람들.

수현 증거가 있단 게 무슨 말이죠?
정혜 옛날에 다혜 물건을 정리하면서 우연히 찾은 게 있어요.

- 인서트, 과거, 다혜의 원룸.

다혜의 물건들을 하나하나 챙겨서 상자에 집어넣는 정혜. 그러다가 이불 옆에 놓여 있던 카세트 플레이어를 들어 올리는데 안에 카세트 테이프가 들어있다.

- 병실로 돌아와서,

정혜 그걸 내놓으면 다혜가 살아있는 걸 들키게 될까 봐 아무에게도 말하지 않고 있었어요.
수현 테이프 안에 뭐가 녹음돼 있었죠?
정혜 ...그 날 거기서 벌어졌던 모든 일이요...

씬/40 D, 장기미제 전담팀

테이블에 둘러앉은 치수와 전담팀. 컴퓨터로 이동시킨 오디오 파일을 듣고 있다.

다혜(소리) 괜찮아. 울면 속이 시원해져. 2년 만에 처음 울었거든. 어제 밤늦게 몰래 이곳에 들어와 우리의 극장이 잘 있는지 보았어. 잘 있더군...

씬/41 N, 과거, 다혜의 원룸

베개 옆 스탠드 불만을 켜놓고 누워있는 다혜와 지희. 지희는 잠들어 있고, 다혜는 카세트를 틀고 대본을 읽고 있다.

다혜 그리고 2년 만에 처음 울었어... 그랬더니 가슴이 후련해지고 안개가 낀 것처럼 캄캄했는데, 이젠 또렷이 보이더라고. (점점 졸린 듯) 봐, 이제 울지 않아.

- 시간 경과되면

잠이 들어있는 다혜. 카세트 녹음기는 계속 돌아가는 듯 빨간 불이 켜져있다. 그때, 잠들었던 지희 뒤척이다가 눈부신 듯, 스탠드를 끄고...어두워지는 방 안.

- 다시 시간 경과되고

잠들었던 다혜. 목이 마른 듯 천천히 일어나 냉장고로 가서 물을 꺼내 컵에 따른 뒤, 냉장고 문을 닫는데... 현관에서 들려오는 찰칵찰칵 소리. 뭐지? 내가 잘못 들었나? 천천히 끼이익 문 열리면서 들어서는 세규. 여전히 켜져 있는 카세트 플레이어의 빨간 녹음 불빛.

씬/42 N, 현재, 장기미제 전담팀

오디오에 모든 집중을 하고 있는 치수와 수현, 해영, 계철, 헌기. 남자의 발소리, 이불이 바스락대며 덮이는 소리, 이어서 쿵쿵 지희의 발버둥 치면서 '읍! 읍!' 신음하는 소리... 치수 눈빛 점차 굳어져 가고...

씬/43 N, 고급 일식집

테이블 위에 놓인 고급스러운 음식들 위로 흐르는 전씬에 이어지는 반항하는 쿵쿵 소리와 지희의 마지막 신음소리 들려오는데, 그 사이 선명하게 들려오는 젊은 세규의 목소리.

세규(소리) (분노에 가득 찬) 네가 감히... 내 물건을 건드려...

어느새 지희의 반항소리 잠잠해지고... 서랍장과 장롱 문을 열면서 안을 뒤지는 소리 들려오다가 뚝 끊기는 오디오 파일. 화면 빠지면, 일식집에 마주앉아 있는 범주, 세규, 치수다.

치수 ...여기까집니다.
세규 (굳은 얼굴) 이걸 전담팀이 갖고 있다고요?
치수 예.

세규, 이 모든 일이 짜증나는 듯 술 한 잔을 들이키고 잔을 내려놓는데, 범주, 자기보다 훨씬 어린 세규에게 공손하게 술을 따른다.

범주 신경쓰실 것 없습니다. 전담팀이 설치지 못하도록 제 선에서 마무리짓죠. 감사관실을 돌려서 전담 팀원들 내사를 시작하든 사건을 아예 다른 부서로 넘기든 방법은 얼마든지 있습니다.
세규 (어이없다는 듯 웃고는 싸늘한 눈빛으로) 저 녹취증거는요?
범주 무시하세요. 20년이나 지났습니다. 시신도 없고 사건현장도 사라졌어요. 증거물로써 효력이 없어요.
세규 (비아냥) 국장님 자유심증주의 몰라요? 증거의 증명력은 법관의 자유판단에 의한다. 국장님이 판사에요?
범주 재판까지 가지도 못할 겁니다. 번거롭게 신경 쓰지 않으시게 잘 조치하겠습니다.
세규 목격자는요? (치수 보며) 이름이 뭐라고?
치수 김지희라는 여잡니다.
범주 목격자의 증언도 정황증거에 지나지 않습니다. 전담팀이 원하는 건...
세규 이봐요!
범주 (멈칫)
세규 증거와 증언을 무력화 시키는 건 경찰이 아니라 나 같은 변호사가 할 수 있는 일이에요. 부하 하나 단속 못 해서 일을 이 지경으로 만들고 놓고 아직 하실 말씀이 남으셨나 봐요?

씬/44 D, 광수대 건물 외경

씬/45　　D, 장기미제 전담팀.

테이블에 마주 앉아 있는 해영과 계철.

계철　그러니까, 오대양이나 하자니까. 암튼 안 되는 놈들은 뒤로 넘어져도 코가깨져요. 하필 용의자가 다른 사람도 아니고 한세규야.

해영　아직 시간 남았습니다.

계철　걔가 미쳤다고 여길 기어들어와?

해영　한세규는 충동적이고 감정적인 성격에 콤플렉스 덩어리에요. 자기보다 낮은 누군가에게 지는 걸 절대 못 참습니다.

계철　하이고, 잘났다. 왜 돗자리 깔고 나앉으시지.

그때, 다급히 전담팀으로 들어서는 헌기.

헌기　왔어요!

헌기를 돌아보는 해영, 계철.

계철　설마...

헌기　예. HK로펌 한세규 변호사가 왔어요.

씬/46　　D, 조사실 밖, 복도

조사실 밖 복도로 빠르게 다가오는 해영, 계철, 헌기. 조사실이 보이는 유리를 보면, 세규가 테이블에 앉아있다. 어제와는 상반된 여유 있어 보이는 얼굴이다.

해영　...됐어... 미끼를 물었어요.

씬/47　　D, 거리 일각/차 안

운전을 하고 있는 수현. 해영과 통화를 하는

해영(소리) 한세규가 소환에 응했습니다.
수현 (눈빛 반짝) 알았어.
해영(소리) 목격자는요?
수현 거의 다 왔어.

전면 유리창 너머로 보이는 건물, 연미병원이다.

씬/48 D, 병실

외출복 차림으로 휠체어에 앉아있는 다혜, 긴장된 모습이다. 그런 다혜를 걱정스러운 눈빛으로 바라보는 정혜.

씬/49 D, 조사실

테이블을 마주하고 앉아있는 해영과 세규.

해영 한세규 씨.
세규 (보는)
해영 귀하는 일체의 진술을 하지 아니하거나 개개의 질문에 대하여 진술을 아니할 수 있습니다. 귀하가 진술을 하지 아니하더라도 불이익을 받지 아니합니다. 귀하가 진술을 거부할 권리를 포기하고 행한 진술은 법정에서 유죄의 증거로 사용될 수 있습니다. 귀하가 신문을 받을 때에는 변호인을 참여하게 하는 등 변호인의 조력을 받을 수 있습니다. (세규를 보며) 모두 이해하셨습니까?
세규 (미소로) 예.

씬/50 D, 조사실 옆방

유리창 너머로 조사실을 지켜보고 있는 치수. 그때, 문 열고 들어서는 범주. 치수 형식적으로 목례하고... 범주, 유리창 너머 조사실을 바라본다.

범주 시작했나?
치수 예.

씬/51 D, 조사실

해영 1995년, 미강저수지에서 익사체로 발견된 신다혜 씨, 알죠?
세규 예.
해영 신다혜 씨 변사사건은 95년도에 자살로 종결 처리됐습니다. 하지만 얼마 전 신다혜가 살해당했다고 주장하는 목격자가 나타났어요. 그 목격자는 신다혜의 집에서 한세규 씨가 신다혜를 살해했다고 진술했습니다.
세규 그런 사실 없습니다.
해영 지금부터 들려드리는 건 신다혜 씨가 살해되던 날, 신다혜 씨 집에서 녹음된 걸로 추정되는 녹취 증겁니다.

해영, 테이블 위에 미리 준비해 둔 노트북으로 오디오 파일을 플레이시킨다. 다혜의 목소리로 시작되는 오디오 파일이다. 다혜의 목소리에 이어, 현관 열리는 소리. 발자국 소리, 이불 바스락 소리 누군가의 목을 조르는 듯, 반항하는 여자의 음성. 그리고 세규의 목소리. '네가 감히 내 물건을 건드려' 잠잠해지다가, 이어지는 서랍장 뒤지는 소리에서 일시정지를 누르는 해영.

해영 이 음성파일에 등장하는 목소리, 본인이 맞나요?
세규 (보다가) 예.
해영 그럼... 신다혜 씨를 살해한 걸 인정하는 건가요?
세규 내 목소리가 맞다고 했지. 죽였다고 하지 않았어요. 아까 말씀하셨잖아요. 신다혜의 집에서 녹음된 걸로 추정된다고.
해영 (보는)

세규 이 증거가 어디서 난건지 모르지만, 20년 전 신다혜 집에서 발견된 증거물이란 걸 입증할 수 있어요?

해영, 가만히 세규를 본다. 세규, 여유있는 미소

씬/52 N, 고급 일식집/세규의 회상

43씬에 이어지는 상황. 범주를 바라보던 세규.

범주 어쨌든, 전담팀이 원하는 건 자백입니다. 절대 소환에 응하시면 안됩니다.
세규 아니, 그렇게 원한다면, 들어줘야죠. 쓰레기 같은 놈들이 감히 날 건드려? 가서 당당하게 무죄 밝히고, 그 박해영이란 새끼 직권남용이건 명예훼손이건 다 갖다 붙여서 밟아버릴 겁니다.
범주 (멈칫하는)
세규 나는 변호사가 할 일을 할 테니 국장님은 경찰이 해야 될 일을 하세요.
범주 (보는)
세규 목격자가 있다면서요? 그런 세세한 거 까지 내가 일일이 신경 써야 합니까?
범주 (보다가) 예. 제 선에서 알아서 처리하겠습니다.

세규를 바라보는 범주의 얼굴에서

씬/53 D, 병실 밖 복도/병실

간호사와 함께 걸어오는 수현. 다혜의 병실 문을 여는데, 다혜는 보이지 않고, 정혜가 침대 시트를 정리하고 있다.

수현 동생 분은요?
정혜 (의아한) 아까, 간호사분이랑 나갔는데... 형사님이 1층에서 기다리신다고...
수현 간호사요?
정혜 처음 보는 분이었어요. 남자분이셨는데...

간호사	(갸웃) 남자요? 이상하네 우리 병동엔 남자 간호사가 없는데...

수현, 눈빛 굳는...

씬/54 D, 병원, 엘리베이터

엘리베이터에 올라타고 있는 휠체어를 탄 다혜. 휠체어를 밀고 있는 간호사복을 입은 남자. B3를 누른다.

다혜	어... 차 형사님, 1층에서 기다린다고 하지 않았어요?

하지만, 대답이 없는 남자의 얼굴, 무표정하기만 하다.

씬/55 D, CCTV 관제실

쾅, 문 열리면서 들어서는 수현. 직원 놀라서 보는데, 수현, 신분증 보여주며

수현	(빠르게 몇 십 개의 CCTV 화면을 훑으며) 서울청에서 나왔습니다. 환자를 찾고 있어요.

수현의 시선 따라 빠르게 보이는 CCTV 화면들. 병원 여기저기 휠체어, 이동 침대 등등을 찾다가, 어느 화면에 멈춰진다. 엘리베이터에서 내리고 있는 다혜와 남자 간호사다.

수현	저기 어디에요?
직원	8호기 엘리베이터요. 지하 3층 주차장입니다.

씬/56 D, 병원 일각/비상구 계단/지하3층 주차장 입구

- 비상구 계단을 다급히 내려가는 수현.
- 지하 3층 비상구 문을 쾅 열고 복도로 나와 다급히 주차장 입구 쪽을 향해 코너를 돌다가 놀라서 멈칫. 복도 한가운데에 쓰러져 있는 휠체어다. 동시에 수현을 덮치는 그림자.

씬/57 D, 조사실

가만히 여유 있는 세규를 바라보는 무표정한 해영.

세규 이게 끝인가요? 더 조사받을 게 남았어요?
해영 (보다가) 예.
세규 (멈칫해서 보는)
해영 입증할 수 있습니다.
세규 ...(예상치 못한 반응에 자기도 모르게) 뭐?
해영 이 녹취파일 말입니다. 20년전 신다혜 집에서 발견된 증거물이란 걸 입증할 수 있다고요.
세규 (불안감이 밀려오긴 하지만, 믿기지 않는) 그게... 가능하다고?
해영 녹취파일이 이게 끝이 아니거든요.

세규, 예상치 못한 상황에 얼굴 굳는다.

씬/58 D, 조사실 옆방

범주, 치수 역시 눈빛 굳는...

범주 어떻게 된 거야?

씬/59 D, 조사실

해영 아까 그 분량까지 들었을 땐, 우리도 입증할 자신이 없었습니다. 하지만, 너무 다행히도 그 뒤쪽에 여기가 신다혜의 집이었다는 걸 입증할 단서가 남아있었어요.

일시정지 시켰던 오디오 파일을 다시 플레이 시키는 해영. 뒤이어 서랍장을 뒤지는 소리 들려온다. 굳은 얼굴로 그런 오디오 파일을 듣고 있는 세규의 얼굴에서

씬/60　N, 과거, 다혜의 원룸

서랍장을 뒤지던 세규. (34씬에서 이어지는) 화장대 서랍 안에서 목걸이 케이스를 발견한다. 혹시, 누가 들어오면 어쩌나 케이스를 다급히 열어 내용물 확인하면 목걸이가 들어있다. 바로 케이스를 갈무리하고 돌아서는데 냉장고 옆에 숨어서 바들바들 떨면서 그런 세규를 엿보던 다혜. 돌아서는 세규와 눈이 마주친 듯하다. 다혜, 자기도 모르게 '헉' 숨 들이켜고, 입 막는데 세규, 뭐지? 돌아보려는데, 순간 밖에서 들려오는 '쾅쾅' 문 두드리는 소리. 놀라서 멈춰 서는 세규. 밖에서 들려오는 목소리.

민성(소리)　다혜야! 나야. 민성이... 다혜야! 있으면 대답해!

세규, 숨죽이고 기다리는데... 대답이 없자, 문밖에서 멀어지는 발자국 소리. 세규, 조금 더 기다리다가 초조해진 듯, 이불로 다급히 지희의 시신을 급히 갈무리하고 이민 가방에 넣으려는

씬/61　D, 현재, 조사실

이불 바스락거리는 소리와 함께 선명하게 들려오는 과거 세규의 초조한 목소리.

과거 세규(소리) 이게 왜 이렇게 안 들어가.

떨려오는 세규의 눈빛. 잠시 후 질질질 가방을 끄는 소리. 현관문 열리는 소리. 그리고 침묵이 이어진다.

해영 아까 문을 두드린 목소리의 주인공은 신다혜의 약혼자 김민성이었어요. 그날 밤, 신다혜의 집에 찾아갔었다는 증언을 이미 확보했습니다.

세규 (당황한) 이게 뭐야... 이게 왜...

해영 왜요? 그전에 들은 거랑 다른 가 보죠? 이상하네요.. 수사 자료가 외부로 유출됐을 리가 없을 텐데...

해영의 시선, 조사실 옆방과 통하는 거울을 힐긋 본다.

씬/62 D, 조사실 옆방

그런 조사실을 굳은 얼굴로 바라보고 있는 범주와 치수. 그때, 울리는 범주의 핸드폰.

범주 (발신자 확인한 뒤) 어떻게 됐어... (얼굴 굳는) 뭐?

씬/63 D, 조사실

해영 뭘 들었는지 모르겠지만, 이게 진짜 원본 파일입니다. 이 녹음테이프로 이 녹취파일이 녹음된 장소는 신다혜의 집이라는 게 증명됐습니다.

세규 그래서 그게 뭐?

해영 이제... 그 집에서 당신이 뭘 했는지, 증명할 차례네요.

그때, 들려오는 똑똑 노크소리. 문 열리면서 들어서는 사람, 헌기다. 해영, 헌기에게 보일 듯 말 듯 고개 끄덕이면 헌기, 뒷사람이 들어올 수 있도록 문을 열어젖힌다. 열린 문으로 들어서는 사람. 휠체어를 밀고 있는 수현, 그리고 휠체어 탄 다혜다. 다혜와 시선 마주친 세규. 귀신이라도 본 듯, 소스라치게 놀라 쾅 의자에서 일어나서 벌벌 떨리는 시선으로 뒤로 물러선다.

세규 너..! 네가 어떻게...!!

그런 세규를 바라보는 수현, 얼굴 여기저기 난투극을 벌인 듯, 상처가 나 있다.

- 인서트

56씬에 이어지는 지하 주차장 입구. 휠체어를 확인하는 순간, 수현을 덮치는 남자 간호사. 수현, 바닥으로 밀쳐지지만, 지지 않고 남자 간호사를 반격하고... 치고받고 싸우기 시작하는 두 사람. 그러다가 지하주차장 밖으로 밀쳐나는 수현. 그때, 저 앞쪽에 세워져 있는 SUV차량 뒤편 트렁크에 갇힌 채 유리창을 치고 있는 다혜의 모습을 목격하고... 수현, 그쪽을 향해 뛰어가려는데, 다시 덮치는 남자 간호사. 수현, 다시 반격하려 하지만 힘의 차이가 엄청나다. 그런 난투극 사이에 옆에 있던 소화기를 들어 남자의 뒤통수를 후려치는 수현. 남자가 정신을 차리지 못하고 있을 때, 전속력으로 다혜가 있는 차를 향해 뛰어와 운전석에 올라타, 꽂힌 차 키로 시동을 걸려는데 달려오는 남자. 간발의 차로 출발하는 차량. 점점 멀어지는 남자의 모습. 차는 무사히 주차장 밖으로 나오고 그제야 안도하는 수현과 다혜.

- 조사실로 돌아오면

벌벌 떨면서 다혜를 보고 있는 세규

세규 (거의 패닉상태가 돼서) 넌... 죽었잖아... 내가 죽였는데...

다혜 아니... 당신이 죽인 건 지희였어.

해영, 천천히 그런 세규에게 다가와

해영 고맙습니다. 당신 입으로 직접 살인을 인정해줘서... 이번엔 진술거부권과 변호사 조력권을 미리 고지했으니까 법적인 효력이 충분하겠네요.

세규, 부들부들 떨면서

세규 너희들, 지금 뭐하는 거야! 지금 뭐하는 거냐고!! (거의 패닉에 빠져서 의자 들어 해영이에게 집어던지는) 너 이 새끼, 너 뭐야. 네가 뭔데!!

이성을 잃은 세규, 테이블 위의 노트북을 들어 바닥에 집어던지고 테이블을 엎어버린다. 그리고 의자 하나를 들어서 다혜를 향해 내려치려는 듯 달려오는데, 그런 세규를 제압하는 수현. 수갑을 채워버린다.

수현 한세규 씨, 당신을 공공기물 파손 및 공무집행 방해죄, 모욕죄, 폭행죄, 감금 미수 그리고... 1995년 발생한 김지희 살인사건의 범인으로 체포합니다. 묵비권을 행사할 권리가 있고, 변호사를 선임할 권리가 있습니다.

세규, 이 상황이 믿기지 않고 정신이 나간

세규 너희들, 나한테 이러고도 무사할 줄 알아? 너희들 다 죽여 버릴 거야. 죽여 버릴 꺼라고!!

씬/64 D, 조사실 밖 복도

순경들에 의해 유치장으로 이동하면서도 '다 죽여버릴 거야' 발악하는 세규. 그런 뒷모습을 바라보는 수현과 해영. 그리고 다혜.

- 인서트

7부 25씬.

재한 죄를 지었으면 돈이 많건 빽이 있건 거기에 맞는 죗값을 받게 해야죠. 그게 경찰이 해야 되는 일이잖아요.

- 돌아와서,
결국 한세규는 죗값을 받았다. 한세규의 말로를 바라보는 해영.

씬/65　　D, 병원 복도

다혜가 탄 휠체어를 밀고 있는 수현, 그 뒤의 해영. 병실이 있는 복도로 들어서는데, 순간 멈춰서는 수현. 저 앞쪽에 초조하게 서 있던 민성이다. 시선 마주치는 두 사람. 민성, 믿기지 않는 얼굴로 보다가 한 걸음, 두 걸음 다가온다. 수현과 해영, 두 사람의 재회를 위해 조금 떨어져 주는... 다가와 다혜와 눈높이를 맞추는 민성. 무슨 말을 하려고 하는데, 아무 말도 생각나지 않는 듯, 그저 다혜의 손을 말없이 잡는다. 서로의 손을 꼭 부여잡는 두 사람. 다혜, 천천히 참았던 눈물을 흘리기 시작하고... 그런 다혜를 따뜻하게 안아주는 민성. 그런 두 사람의 모습을 말없이 바라보는 수현의 눈빛에서

- 인서트
1부 11씬, 진양서 사무실, 재한과 대화를 나누는 과거의 수현.

수현　...(보다가) 저기 선배님... 그때 내가 한 말...
재한　이번 주 주말쯤은 해결될 것 같아.
수현　(보는) 예?
재한　다 끝나면, 그때 얘기하자.

재한, 자기 할 말만 한 뒤, 성큼성큼 나가버리고... 수현의 입가에는 두근거리는 옅은 미소.

- 다시 병원 복도로 돌아오면, 재한과의 마지막을 회상하는 수현의 쓸쓸한 눈빛. 천천히 돌아서서 멀어진다. 해영, 그런 수현을 바라보는...

씬/66　　D, 병실

병실 침대에 기대어 누워있는 다혜. 그 옆에 앉아서 다혜와 얘기를 나누는 해영. 정혜와 민성의 모습은 보이지 않고..

다혜 다이아 목걸이요?

해영 예. 한세규가 그렇게까지 하면서 그 목걸이를 노린 이유가 뭐죠?

다혜 ...그 목걸이 케이스 안에 플로피 디스켓이 숨겨져 있었어요. 제 짐작이긴 한데 그것 때문에 목걸이를 찾은 것 같아요.

해영 플로피 디스켓이요?

- 인서트

7부 38씬. 금은방.

주인이 발견한 플로피 디스켓을 보다가 가방 안에 넣는 다혜.

- 다시 돌아와서,

해영 그 디스켓에 무슨 내용이 들어있었죠? 확인해 봤나요?

다혜 아뇨. 전 그때 컴퓨터를 거의 사용하지 못 해서...

해영 그 디스켓, 지금도 갖고 계신가요?

다혜 아니요... 옛날에 어떤 형사님께 드렸어요.

해영 형사요?

다혜 지희네 집에 여권을 가지러 내려갔을 때, 연락이 왔었어요.

씬/67 D, 과거, 지방 소도시 거리 일각

작은 읍내 거리의 공중전화박스에서 전화를 걸고 있는 재한. 손에는 '청운시 양진동 28번지, 김지희 041-588-4905'라는 메모. 따르릉따르릉 연결음이 가고 있는데... 달칵 전화를 받는 상대방.

다혜(소리) ...여보세요

재한 서울청 형사기동대 이재한 경삽니다. 김지희 씨 되시나요?

다혜(소리) ...무슨... 일인데요?

재한 (지희라고 짐작하고) 신다혜 씨 아시죠? 혹시 신다혜 씨가 맡겨놓은 물건이 없었나요? 플로피 디스켓 같은 걸 텐데.

다혜(소리) 아뇨. 그런 거 없었어요.

뚝, 끊기는 통화. 재한, '여보세요''여보세요'하다가 다시 전화를 걸어보는데 받지 않는다. 다시 지희의 주소를 확인해보는...

씬/68 D, 과거, 지희의 집 앞 일각

아담한 단독주택 주소를 확인하고 있는 재한. 대문 옆에 붙어있는 번지수 '양진동 28번지'. 재한의 수첩에 적힌 주소와 확인하고는 쾅쾅 "계십니까"하며 대문을 두드리는 재한. 그러나 안에서는 아무 기척이 없다.

씬/69 몽타주

- 동네 구멍가게 할머니에게 지희의 독사진을 보여주는 재한.

할머니 요 며칠 통 못 봤어요.

- 동네 일각에서 수다를 떨고 있는 아줌마들. 그 사이에 자연스럽게 끼어든 재한이 지희의 사진을 들이민다. 그때, 다른 한편에서 아줌마들과 함께 있는 재한을 보고 순간 멈칫, 다급히 뒤로 사라져 골목 뒤로 숨는 발에서 틸업하면, 겁먹은 얼굴의 다혜다.

씬/70 D, 현재, 병실

66씬에 이어지는... 다혜와 대화중인 해영.

해영 혹시 그 형사님 이름이...

다혜 당시 형사기동대에 계셨던 분이란 것 밖에는 기억이 안 나요. 그때, 형사기동대 주소로 보냈거든요.

해영 형기대 주소로요?

다혜 예. 그 디스켓을 계속 가지고 있으면 제 뒤를 계속 쫓으실까 봐... 우편으로 디스켓을 보냈어요.

씬/71 D, 과거, 형기대 사무실

형사들 오가고 있는 형기대 사무실. 재한의 모습은 보이지 않는데, 재한의 책상 위에 놓여 있는 우편물들 중 보이는 봉투. '서울청 형사기동대 이재한 형사님 앞'이라고 적혀 있고, 보낸 이는 적혀 있지 않다. 그때, 화면 안으로 들어오는 손, 재한 앞으로 온 우편물들을 하나씩 확인하는데, 바로 범주다. 멀리서 지나가던 수현, 그런 범주를 힐긋 보고...

씬/72 D, 과거, 형기대 반장실

쾅, 문 열리면서 들어서는 굳은 얼굴의 재한. 보면, 처음 보는 사람들과 마주 앉아 있는 범주. 손에 디스켓이 들려져 있고, 그 옆에는 '서울청 형사기동대 이재한 형사님 앞'이라고 적혀 있는 뜯겨진 편지봉투.

재한 (범주의 손에 들린 디스켓 보고 꼭지 확 돌은 얼굴로) 어떤 도둑놈인지 간땡이가 배 밖으로 나왔나. 감히 형사들이 득실대는 형기대에서 남의 물건에 손을 대?

범주 (전혀 동요 없이) 안 그래도 자넬 찾고 있었어. 인사드려. 중앙지검 특수 1팀에서 나온 수사관님들이야.

재한, 가만히 범주 앞에 앉은 수사관들을 바라본다. 수사관 1, 주머니에서 명함 꺼내 재한에게 건네는...

수사관 1 중앙지검 특수 1팀. 오승준입니다. 진양 신도시 개발과 관련된 비리를 수사하던 중에, 중요한 증거를 입수했다는 연락을 받고 왔습니다. 저 디스켓은 어떻게 입수하게 된 거죠?

재한 …(불신에 찬 얼굴로 수사관과 범주를 보는)

범주 여기서 이러실 게 아니라, 검찰로 함께 가서 조사에 응해드려. 열심히 찾은 단서잖아. 자네 공도 인정받아야지.

재한, 범주가 이렇게 나오자 도대체 무슨 속셈이지? 궁금하지만, 속을 알 수가 없다.

씬/73 D, 과거, 주택가 골목 일각

이른 아침. 중산층 주택들이 줄지어 있는 한산한 골목 일각. 출근하는 듯, 외출복으로 집에서 나서는 범주. 발치에 놓인 신문을 본다. 들어 올려 확인하면 1면 기사로 실린 '세강건설 비리' '한영대교 부실 시공사 불법 로비 자금 조성' '세강건설 사장 구속' 등… 범주, 기사를 확인하고 비릿하게 미소 짓는… 그리고 차를 향해 걸어가려는데, 굉음과 함께 골목 끝에서부터 달려오는 자동차. 범주를 향해 멈추지 않고 직진한다. 범주, 놀라서 뒤로 물러서서 바닥으로 뒹구는데, 스치듯이 지나서 끼이이익 멈춰서는 자동차. 차 문 열리고 내려서는 운전자, 뚜벅뚜벅 굳은 얼굴로 범주에게 다가서는 재한이다.

범주 이게 뭐 하는 짓이야!

재한 당신이야말로 무슨 수작이야. 내가 분명히 들었어. 장영철 의원, 재신일보, 한양그룹이 다 관련이 있었다고… 제일 크게 해쳐먹은 놈들은 다 빠져나가고 뭐? 세강건설 비리?

범주 (피식 웃으며) 무슨 소릴 하는지 모르겠군. 그 디스켓 안에 있던 내용은 세강건설 자료가 다였어.

재한 (범주 잡아먹을 듯 다가서며) 그게 다가 아니라, 당신이 지웠겠지. 사냥개답게 주인님한테 꼬리 흔들면서!

- 인서트
범주의 사무실. 컴퓨터 화면에 떠 있는 장영철 의원 정치자금, 한양그룹, 재신일보 로비내역 등의 자료들이 하나하나 지워지고 있다.

- 다시 돌아와서 피식... 미소 지으면서 재한 보는 범주.

범주 그래서? 사냥개한테 물려보니까 어때? 정신이 번쩍 나지?
재한 (확 열받은 눈빛)
범주 싫으면 나가. 나도 너 같은 놈 필요 없어.

범주, 뒤돌아서 자기 차를 향해 걸어가는데...

재한 순경으로 시작해서 그 나이에 형기대 반장이라... 줄 한번 기가 막히게 잘 타셨나봐.
범주 (천천히 뒤돌아보는)
재한 (집 둘러보며) 야, 집도 참 좋아. 이 정도면 시가가 얼마야. 쥐꼬리만한 형사 봉급으로 어떻게 이런 집을 사셨을까?

범주 눈빛, 서서히 차가워지는데... 재한, 역시 지지 않고 범주를 노려본다.

재한 나, 안 나갑니다. 경찰 얼굴에 똥칠하는 어떤 개새끼 밟아버리기 전에는 죽어도 못 나가요. 내가 이길지, 그 개새끼가 이길지 한 번 두고 봅시다.

재한, 그 말과 함께 차에 올라탄 뒤, 붕 사라지고... 그런 뒷모습을 차갑게 바라보는 범주.

씬/74 N, 현재, 수사국장실

빠른 속도로 날아든 무언가가 치수의 머리를 스치고 벽에 부딪쳐 산산조각 난다. 보면, 범주가 내던진 유리 재떨이다. 치수는 미동 없이 묵묵

히 서 있고 잔뜩 화가 난 범주. 치수를 노려보고 있는

범주 전담팀 새끼들이 깝치고 다닐 동안 넌 뭐 했어! 일부러 나 엿 먹이려고 작정한 거야?
치수 죄송합니다.
범주 인주 시골바닥에 처박혀 있던 놈 여기까지 끌어준 게 나라는 거 잊지 마.
치수 …
범주 박해영은? 수상한 점은 없었어?

치수, 멈칫하는 눈빛에서

– 인서트
7부 26씬. 포대자루에 무전기를 넣는 해영.
7부 27씬. 포대자루 안에서 무전기를 꺼내드는 치수.

– 돌아와서

치수 …(천천히 범주 보다가 입을 여는) 아뇨. 특별한 건 없었습니다.
범주 그 새끼가 이재한 사건 냄새 맡을 기미가 보이면 바로 잘라내. 그 사건의 진상이 밝혀지면 가장 곤란한 건 너야… 알고 있겠지?

치수, 멈칫하는 눈빛. 서서히 어두워진다.

씬/74- 1 N, 닭갈비집 외경

씬/75 N, 닭갈비집

계철의 호탕한 웃음소리가 울려 퍼지고 있는 닭갈비집. 닭갈비에 소주를 한 잔하고 있는 수현, 해영, 계철, 헌기다.

계철	(세규 목소리 흉내 내며) 넌... 죽었잖아... 내가 죽였는데... (다혜 흉내 내는) 아니... 당신이 죽인 건 지희였어. 하, 그 명장면을 놓치다니... 우리 정말 완전 특급 에이스 아냐? 경기남부 해결하고, 이번엔 대한민국 법조계의 황태자 한세규 변호사까지 체포했잖아.
헌기	특급 에이스들 회식인데, 한판 더 시켜도 되죠?
계철	그럼 그럼, 자, 한 잔들 하자고.
수현	난 그만 할게. 한세규 사건 검찰에 보낼 자료 정리도 해야 되고...
계철	아, 왜 이래. 김빠지게.. 팀장이면 팀원들 사기도 챙겨줘야지.
수현	사기는 선배가 챙겨주는 걸로 하고, 다들, 좀 더 마시다 들어가서 쉬어.

수현, 일어나려는데 해영, 여기저기 얼굴 생채기 난 수현 얼굴 보다가 먼저 일어나서 수현 자리에 앉힌다.

해영 내가 할게요. 자료 정리. 더 드시다 오십시오. 얼굴에 약도 좀 바르시고...

해영, 말릴 틈도 없이 가방 들고 나간다. 그런 뒷모습 보는 계철, 헌기, 수현.

계철 박 프로 저 친구... 생각보다 괜찮은 친구구먼.

씬/76 N, 장기미제 전담팀

다들 퇴근한 듯 텅 빈 사무실로 들어서는 해영. 전담팀, 자기 책상에 가방 놓고 컴퓨터를 켜는데, 벽시계, 11시 23분을 향해 다가가고, 정각 11시 23분이 되는데... 어디선가 희미하게 들려오는 '치치칙' 무전기의 잡음 소리. 해영, 이게 뭐지? 멈칫하는... 내가 잘못 들었나? 그런데, 그 뒤에 이어 들려오는 재한의 소리.

재한(소리) 박해영 경위님. 접니다. 이재한이에요.

해영, 소스라치게 놀란다. 도대체 어디지? 광수대 사무실을 두리번거리면서 소리의 진원지를 찾기 시작하고...

씬/77 N, 광수대 건물 복도

어두운 복도를 걸어오던 치수. 문득 걸음을 멈추고 고개 돌려 창문에 비친 자신의 모습을 바라본다. 그런 치수의 모습에서

씬/78 N, 과거, 2000년 어느 야산/치수의 회상

2부, 39씬, 재한이 피를 흘리고 있던 야산 일각.

재한 (무전기에 대고) 과거는 바뀔 수 있습니다. 절대 포기하지 마세요.

그때, 뒤쪽에서 들려오는 바스락거리며 다가오는 누군가의 발자국 소리. 재한, 무전기를 뒤쪽으로 내려서 보이지 않게 숨기고... 천천히 인기척이 들려오는 쪽으로 고개를 돌린다. 이미 그 사람의 정체를 예측한 듯, 어두운 눈빛으로 자신에게 다가와 앞에 선 사람을 바라본다. 천천히 재한에게 총구를 올리는 누군가... 방아쇠에 걸린 떨리는 손가락. 결국 '탕!' 방아쇠가 당겨지고... 앉은 자세 그대로 비스듬히 옆으로 쓰러지는 재한. 그때 무전기는 데구르르 산비탈을 타고 굴러떨어진다. 하얀 연기가 피어오르는 권총, 그 권총을 쥔 채 쓰러진 재한을 바라보고 있는 누군가... 붉게 충혈된 눈빛의 치수다...

씬/79 N, 현재, 광수대 건물 복도

어두운 창밖을 바라보는 현재의 치수 얼굴과 오버랩되는 화면.

씬/80 N, 광수대 사무실

연신 들려오는 '박해영 경위님?' 하는 재한의 목소리를 따라 여기저기

를 다급히 둘러보는 해영. 그러다가 광역수사 1계 사무실 쪽으로 들어서는데, 점점 선명하게 들려오는 재한의 목소리.

씬/81 N, 광수대 건물 복도

광수대 사무실로 점점 다가오는 치수.

씬/82 N, 광수대 사무실

어느 책상으로 다가가는 해영. 점점 커져오는 재한의 목소리. '박해영 경위님?' 천천히 어느 책상 서랍을 여는데, 그 안에 들어있는 무전기. 해영은 믿을 수 없다는 표정으로 천천히 무전기를 꺼내드는데 그제야 보이는 책상 위의 명패. '광역 1계장 안치수'

해영 이게 왜...

하는데, 무전기의 불빛은 어느새 꺼져 있다. 해영, 혼란스러운 표정인데... 카메라 빠지면 해영의 뒤에 서서 말없이 해영을 보고 있는 무표정한 얼굴의 치수가 있다.

치수 ...박해영.

해영, 놀라서 반사적으로 돌아보면, 해영을 쳐다보는 치수의 차가운 눈빛. 그리고 당황스럽고 혼란스러운 해영의 얼굴 교차로 보이면서.

8부 끝

김은희 대본집

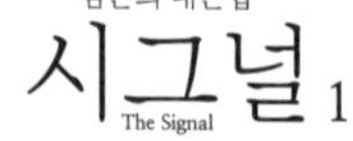

초판 1쇄 발행 2016년 11월 01일
초판 4쇄 발행 2017년 03월 17일

지은이 김은희
펴낸이 이금림

편 집 윤군석
디자인 장우리
관 리 한상연

펴낸곳 비단숲
주 소 서울시 강남구 도곡로 117, 9층(역삼동, 옥신타워)
전 화 070-4156-0050
팩 스 02-333-1038
등 록 제2016-000288호

ISBN 979-11-959155-1-4
ISBN 979-11-959155-0-7 (세트)

비단숲은 크로스게이트월드와이드(주)의 출판브랜드입니다.

※ 책 값은 뒤표지에 있습니다. 잘못된 책은 바꾸어 드립니다.